SE 07

Curso

MAD360

La diferencia entre aprobar y sacar plaza

Oficial 1ª Conductor/a

COMUNIDAD AUTÓNOMA DE ARAGÓN

Si aún no dispones de tu **Curso MAD360**, te ofrecemos un acceso GRATIS de 30 días para que disfrutes de los siguientes recursos:

- Técnicas de Memoria 360.
- MADTEST: Test *online* Nivel PRO.
- Temario en formato digital.
- Vídeos.
- Planificación de estudio.
- Foro entre opositores hasta la fecha del examen.*
- Recursos y novedades exclusivas.
- Consúltanos sobre tu oposición y proceso selectivo.
- Actualizaciones legislativas (Boletines Oficiales) hasta 60 días antes de la fecha del examen.*

Para acceder a esta prueba del Curso MAD360** será necesaria la compra de todos los libros para esta especialidad de la edición 2026.

Regístrate en **mad.es/iniciar-sesion** y, en la pestaña **MIS CURSOS**, valida los códigos que encontrarás en la última página de tus libros. Recuerda que dispones de un plazo de **45 días desde la fecha de compra** para realizar la validación. Si no verificas tu matrícula, el periodo de uso del curso comenzará a contar aunque no hayas accedido.

NOTA IMPORTANTE:

* Examen de esta categoría profesional correspondiente a la convocatoria publicada en el BOA núm. 66, de 8 de abril de 2026, o hasta el 31 de mayo de 2027, lo que se cumpla antes, y previa renovación del servicio.

** El acceso al CURSO MAD360 estará disponible desde mayo de 2026 (algunos recursos podrían estar disponibles en fecha posterior). Tendrá una duración de 30 días RENOVABLES mediante pago, desde la validación de códigos, o hasta el 30 de noviembre de 2027, lo que se cumpla antes.

MAD se reserva el derecho a ampliar dichas fechas.

Oficial 1ª Conductor/a de la Comunidad Autónoma de Aragón

Oficial 1ª Conductor/a de la Comunidad Autónoma de Aragón

Temario volumen 3 y Test

ANTONIO GARCÍA RUIZ
Ingeniero Técnico de Obras Públicas

ÓSCAR VALBUENA RODRÍGUEZ
Profesor de Formación Profesional, especialidad de Organización
y Procesos de Mantenimiento de Vehículos

BONIFACIO SALAS TAVIRA
Licenciado en Derecho
Capitán de Infantería en la reserva

FRANCISCO JESÚS TORRES FONSECA
Licenciado en Derecho

JOSÉ LUIS PRIETO DELGADO
Graduado Superior en Informática Aplicada
Celador de Instituciones Sanitarias

Primera edición, junio 2026 (366 páginas)
Derechos de edición reservados a favor de 7 Editores
IMPRESO EN ESPAÑA
Diseño Portada: 7 Editores
Edita: 7 Editores
Avda. San Francisco Javier, 9 · Edificio Sevilla 2 · Planta 11 · Módulos 25-27 · 41018 Sevilla
Teléfono: 954 784 411 · WEB: www.mad.es · e-mail: administracion@7editores.com
ISBN: 979-13-702-8875-4
ISBN Obra Completa: 979-13-702-8876-1

Presentación

Presentamos nuestro tercer volumen de desarrollo del programa de materias para el acceso a plazas como personal laboral fijo de **Oficial 1ª Conductor/a de la Comunidad Autónoma de Aragón**, conforme a la convocatoria publicada en el BOA núm. 66, de 8 de abril de 2026.

En este volumen se incluyen los temas 5 a 12 del programa de Materias Específicas convenientemente desarrollados y actualizados mediante la incorporación de las novedades legislativas que les afectan y con una serie de recursos didácticos que te serán de gran utilidad para asentar los conocimientos. Asimismo, para su adecuada preparación, se incluyen cuestionarios de cada uno de estos temas, que te facilitarán la preparación efectiva de las pruebas.

El programa se completa con otros dos volúmenes que incluyen el temario común y el resto de los temas específicos, cada uno incluyendo también sus correspondientes cuestionarios tipo test.

Finalmente, en dicho Curso MAD360 tienes todos los recursos necesarios para llevar tu preparación al siguiente nivel; consulta las condiciones en la primera página de tu manual.

Índice

MATERIAS ESPECÍFICAS (continuación)

TEST

MATERIAS ESPECÍFICAS

Continuación

TEMA 5

Sistemas de refrigeración y lubricación. Tipos, características y funcionamiento. Lubricación y engrase en los vehículos. Elementos que lo componen. Averías y sus consecuencias. Engrases de piezas móviles. Tipos de lubricantes: aceites, valvolinas, grasas, fluidos hidráulicos, líquidos de dirección y frenos. Empleo y cuidados. Líquidos de refrigeración: mantenimiento, niveles y conservación

¿Y si pruebas las nuevas Técnicas de Memoria 360 que te proponemos? **De esta forma potenciarás** tu estudio.

Índice

1. Sistema de refrigeración

1.1. Misión de la refrigeración

Los motores tienen una temperatura óptima de funcionamiento muy elevada, la cual debe alcanzarse con la máxima rapidez y posteriormente mantenerse en toda circunstancia. Para mantener esta temperatura y evitar que el motor sufra daños (gripar) se hace necesaria la utilización de un circuito de refrigeración que absorba parte de este calor generado. En función del agente elegido para la evacuación del calor nos encontramos ante dos tipos de sistemas: refrigeración por agua o refrigeración por aire.

1.2. Tipos de refrigeración

1.2.1. Refrigeración por agua

a) Funcionamiento básico

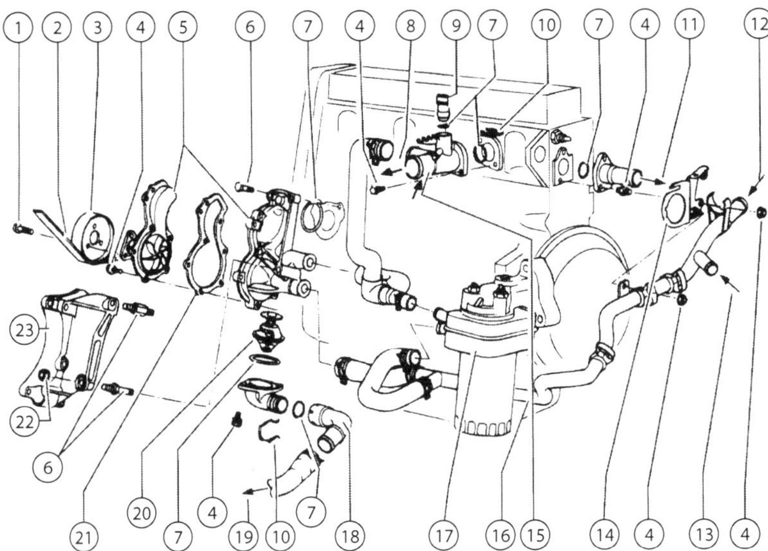

1. Tornillo (2,0 daN·m)
2. Correa trapezoidal
3. Polea para la bomba de líquido refrigerante
4. Tornillo (1,0 daN·m)
5. Bomba líquido refrigerante
6. Tornillo (2,0 daN·m + 90º)
7. Anillo
8. Hacia el tubo flexible superior del radiador
9. Transmisor de temperatura de líquido refrigerante
10. Grapa de fijación
11. Hacia el calefactor
12. Hacia el calefactor
13. Hacia el depósito de expansión
14. Soporte
15. Hacia el depósito de expansión
16. Tubo rígido de líquido refrigerante
17. Radiador para refrigeración del aceite (Motor 2E)
18. Manguito líquido refrigeración
19. Hacia el tubo flexible interior del radiador
20. Termostato
21. Junta
22. Tuerca (3,0 daN·m)
23. Soporte

Componentes del circuito de refrigeración

Básicamente consiste en hacer circular agua por las cámaras alrededor de los cilindros y cámaras de combustión, evacuando el calor de estas zonas y eliminarlo en un radiador. El líquido entra por la parte baja de los cilindros y sale por la alta, evitándose así la formación de bolsas de vapor. Esto se puede hacer de dos maneras, lo cual da lugar a dos métodos de efectuar la circulación del fluido:

- **Circulación por termosifón**: se aprovecha la tendencia natural del agua caliente a establecer una corriente ascendente respecto a la fría, debido a sus diferencias de densidad.
- **Circulación forzada**: una bomba acelera la circulación del agua (de radiador a bloque) y un ventilador la enfría cuando pasa por el radiador.

El segundo sistema es más eficaz ya que se mueve mayor volumen de fluido.

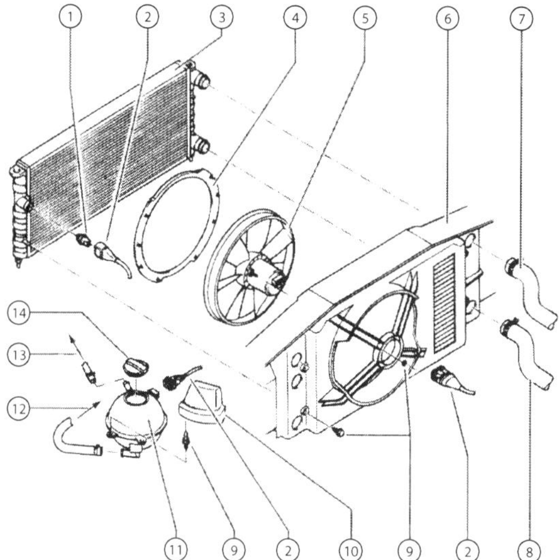

1. Termointerruptor ventilador (3,5 daN·m)
2. Enchufe de conexión
3. Radiador
4. Aro del ventilador
5. Electroventilador
6. Traviesa portacerradura
7. Tubo flexible superior
8. Tubo flexible inferior
9. Tornillo (1,0 daN·m)
10. Protección
11. Depósito de expansión
12. Hacia el tubo rígido
13. Hacia el distribuidor
14. Tapón del depósito

Componentes del circuito de refrigeración (resto de elementos)

b) Regulación de la temperatura

El mayor rendimiento del motor se consigue cuando funciona a una temperatura ideal, denominada temperatura de régimen (85-95 ºC). El funcionamiento en frío dificulta la lubricación; el calor excesivo provoca dilataciones excesivas. Básicamente, para regular la temperatura lo que se hace es regular el caudal de aire (ventilador) y el caudal de agua (termostato).

- **Regulación del caudal de aire**: el ventilador no actúa de forma continua, sino intermitentemente, en función de las necesidades, las cuales detecta el termocontacto.
- **Regulación del caudal de agua**: el termostato, situado antes del radiador, corta el paso de agua hacia éste a motor frío, a 85 ºC deja pasar parte y a 95 ºC lo deja pasar todo.

c) Circuito

Aparte del circuito básico de refrigeración, existen derivaciones que se emplean para la climatización, el caldeo de los colectores de admisión y la base del carburador, para el arranque en frío, para el enfriamiento del turbo o del intercambiador de aceite, etc. Por ello se va a estudiar este apartado dividiéndolo en esos dos circuitos:

- **Circuito principal**: la bomba impulsa el fluido hacia la culata y el bloque por conductos labrados en su interior; de ahí pasa al termostato y, en función de la temperatura del motor, atraviesa éste hacia el radiador. Desde el radiador vuelve hacia la aspiración de la bomba.
- **Circuito auxiliar**: se dispone en paralelo con el principal. Sale de la culata, sin pasar por el termostato, va a los colectores de admisión, la base del carburador, el arranque en frío y el radiador del calefactor. Por último vuelve a la aspiración de la bomba.

Los modernos sistemas de refrigeración buscan conseguir temperaturas elevadas del refrigerante sin efectos secundarios de gasificación. Para ello se presuriza el circuito puesto que eso aumenta el punto de ebullición del agua. Esto se puede lograr de distintas formas, lo cual da lugar a varios tipos de circuitos:

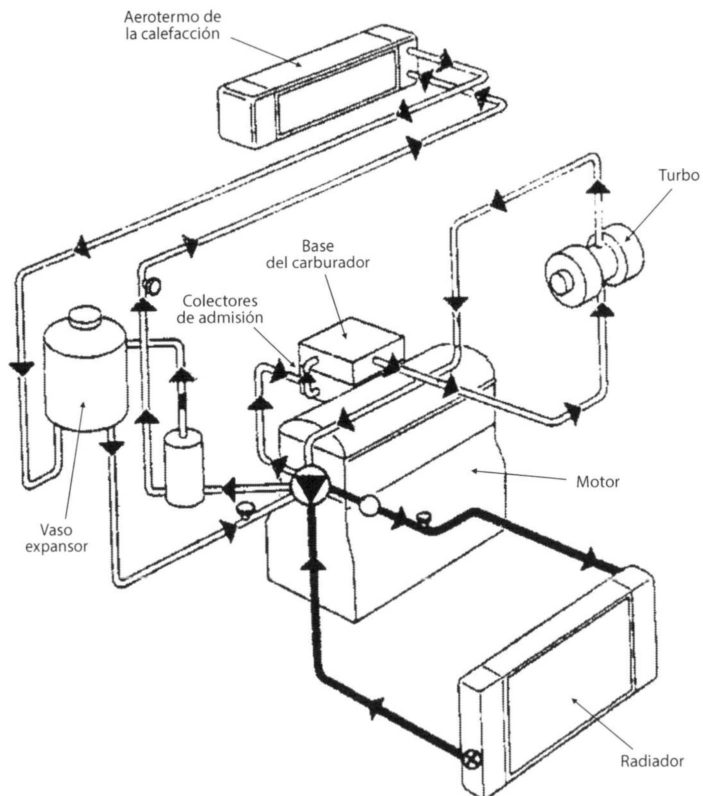

Diagrama del circuito de refrigeración

- **Circuitos cerrados**: se dota al radiador de tapones de presión. El orificio de llenado del radiador está formado por dos válvulas: una abre hacia arriba venciendo la oposición de un muelle cuando la presión aumenta (a 1,5 kg/cm^2) y pone en comunicación al radiador con un conducto de desagüe bajando la presión (esto ocurre cuando aumenta la temperatura del líquido refrigerante y, por tanto, su densidad y presión); otra abre hacia abajo y permite la entrada de aire al radiador cuando la depresión interna llega a 200 kg/cm^2 por debajo de la atmosférica (ocurre con la contracción del líquido producida por un enfriamiento repentino, por ejemplo, bajando un puerto de montaña).
- **Circuitos sellados**: se logra el mismo efecto que en el cerrado pero el circuito de desagüe va a un vaso expansor. La ventaja es que no se pierde líquido en el circuito, luego no es necesario rellenar y, además, no entra aire con la depresión, ya que lo hace el líquido del vaso (las válvulas se taran a 1,2 kg/cm^2 y 0,2 kg/cm^2, pudiéndose alcanzar una temperatura de 122 °C).
- **Circuitos con desgasificador**: se hace incidir el chorro de líquido y vapor en el vaso expansor por encima del nivel de líquido (el tapón de presión se implanta en el propio vaso); se logra así separar el vapor del fluido. Existe una circulación permanente de líquido a través del vaso puesto que se conecta en serie con el radiador del calefactor (así se evita la acumulación de gases que se da en las partes altas del motor en algunas condiciones de marcha puesto que el líquido entra por arriba, deja el gas y sale por abajo).

Recuerda que...

La refrigeración por agua consiste en hacer circular agua por las cámaras alrededor de los cilindros y cámaras de combustión, evacuando el calor de estas zonas y eliminarlo en un radiador.

1.2.2. Refrigeración por aire

El coeficiente de transmisión de calor metal-aire es muy inferior al de metal-agua. Por ello, en los motores refrigerados por aire se emplean elevados caudales de aire, lo que se logra con la ayuda de un ventilador; también se aumenta la superficie en contacto con el aire empleando aletas en las paredes exteriores de los cilindros.

El circuito parte del filtro, donde se toma el aire, obligándosele luego a pasar por un conducto de aspiración desde el que se orienta hacia un ventilador. Éste lo impulsa hacia el motor y/o cárter inferior, para posteriormente, ya caliente, evacuarlo por un conducto de salida.

En algunos casos se dota al sistema de un termostato similar al conocido que dificulta o no la circulación alrededor de los cilindros. También se suele disponer de un radiador para el sistema de engrase y mejorar así la refrigeración del aceite.

La ventaja de la refrigeración por aire es la sencillez, pero es poco eficaz, por lo que solo se emplea en vehículos de poca potencia.

Elementos que componen el circuito

a) Radiador

Transmite al aire el calor sustraído al motor por el líquido de refrigeración. Con ello se consigue evacuar grandes cantidades de calor en periodos cortos de tiempo.

Está constituido por un depósito superior, donde se sitúa el tapón de llenado y un depósito inferior que aloja el tapón de vaciado. Ambos están unidos entre sí por el elemento de refrigeración y con el motor por manguitos (del depósito inferior a la bomba y desde el bloque al depósito superior a través del termostato).

Los elementos refrigerantes están formados por dos tipos de superficies: superficies primarias (tubos conductores de agua entre los dos depósitos) y superficies secundarias (aletas para disipar el calor).

En algunos vehículos se emplean radiadores de flujo transversal, en los que los depósitos se disponen en los laterales. Se consigue así mejor visibilidad puesto que se puede diseñar un capó más bajo.

b) Bomba de agua

Se emplean las de tipo centrífugo dada su capacidad de mover elevados caudales con bajas presiones. La bomba aspira de la parte inferior del radiador e impulsa a las camisas del bloque. Se suele montar en un lateral de la culata.

Está constituida por un cuerpo en el que se aloja la turbina o rodete. Su movimiento es tomado del motor mediante una polea de arrastre. Los álabes deben permitir una circulación por termosifón a motor parado para evitar fenómenos de inercia térmica que eleven excesivamente la temperatura en las partes calientes del circuito.

c) Ventilador

Activa la corriente de aire a través del radiador cuando el vehículo va a poca velocidad y no puede aprovechar la velocidad de marcha. En los vehículos se emplean dos tipos de ventiladores en función de cómo se efectúe su accionamiento:

- **De mando electromagnético**: un termocontacto emplazado en el depósito inferior del radiador hace actuar a un embrague electromagnético que solidariza el ventilador con el cubo de la polea cuando la temperatura llega a los 82 ºC.
- **De motor eléctrico**: un pequeño motor eléctrico es el que mueve el ventilador en este caso, de forma independiente del giro de motor. También es gobernado por un termocontacto.

d) Termostato

Dispositivo empleado para regular la temperatura del líquido refrigerante. Se dispone en la derivación del circuito que lleva hacia el radiador y puede obstruir el paso, permitir todo el paso o restringir en parte el paso del fluido. Se diseñan para que la válvula comience a abrir a los 83 ºC y abra del todo a los 92 ºC.

Normalmente son unas cápsulas de cera que al dilatarse obligan a la válvula a abrirse contra el muelle opositor y dejar paso hacia el radiador. En otros casos son de doble válvula: la normal más una adicional que regula el paso hacia los circuitos auxiliares de caldeo del carburador y de los colectores de admisión.

Se emplazan en la parte alta de la culata, incluso dentro del propio manguito superior del radiador que une a la culata.

e) Botella de expansión

Debido a los cambios de temperatura del agua de refrigeración, ésta sufre aumentos y disminuciones de volúmenes pudiendo ocasionar entradas indebidas de aíre en el circuito, provocando la consiguiente avería. Para evitar esto se une la parte superior del radiador, mediante el tubo de goma, la llamada botella de expansión. De esta forma, el exceso de agua (al aumentar la temperatura) circulará del radiador a la botella y de esta al radiador cuando la temperatura disminuya.

f) Purgadores

Son orificios sellados mediante tapones cuya función es evitar que existan burbujas de aire en el circuito de refrigeración. Cuando cambiamos el refrigerante se purga el sistema (aflojando los tapones) hasta que solo salga líquido y no aire.

g) Tapones de seguridad

Son tapones elaborados de metal que se colocan en el bloque del motor o en la culata (a veces en ambos lados) para evitar daños en el motor como consecuencia de la congelación del refigerante.

1.3. Líquido refrigerante

En tiempo frío, si el agua solidifica, aumenta su volumen produciendo roturas en el radiador o bloque. Esto obliga al empleo de mezclas anticongelantes. Hace unos años, se empleaba agua con anticongelantes sólo en invierno, vaciándose luego en verano. Los riesgos de corrosión de esta práctica hacen que actualmente se utilicen mezclas anticongelantes todotiempo que no necesitan vaciado ni rellenado.

Las características requeridas por un buen refrigerante pasan por hacer una buena mezcla con agua, circular fácilmente y no ser corrosivo ni crear depósitos calcáreos (lo más común, agua con glicerina). En los sistemas sellados se emplea una disolución de agua y glicol etilénico al 50 % que da un punto de congelación de –35 ºC. Para conseguir que el líquido conserve sus propiedades más tiempo se añaden aditivos antioxidantes y anticorrosivos (garantizan una duración de dos años).

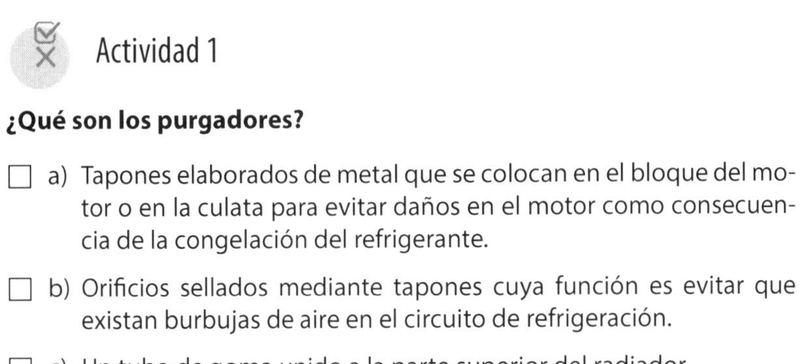

Actividad 1

¿Qué son los purgadores?

☐ a) Tapones elaborados de metal que se colocan en el bloque del motor o en la culata para evitar daños en el motor como consecuencia de la congelación del refrigerante.

☐ b) Orificios sellados mediante tapones cuya función es evitar que existan burbujas de aire en el circuito de refrigeración.

☐ c) Un tubo de goma unido a la parte superior del radiador.

1.4. Elementos de verificación del sistema

Generalmente, ante una disfunción de la refrigeración, se producen tres tipos de síntomas característicos: hay pérdidas de líquido, el motor se calienta demasiado o el motor tarda mucho en alcanzar su temperatura de régimen.

1.4.1. Pérdidas de líquido refrigerante

A continuación se exponen una serie de ideas que pueden aclarar el proceso de comprobación, verificación y localización de averías en caso de fugas de líquido refrigerante:

- **Comprobación**: llenar el circuito hasta el máximo, realizar un corto recorrido en el vehículo y observar el descenso de nivel en el vaso al final del mismo.
- **Verificación**: una vez que el motor esté a su temperatura de régimen, colocar un comprobador de estanqueidades. Aplicar una presión de 1,5 kg/cm^2 (pinzando posteriormente el conducto que une radiador y vaso): si observamos un descenso de presión es que hay fuga.
- **Localización de fugas**: normalmente los puntos de fuga se manifiestan por la presencia de depósitos de color blanquecino. Los puntos más usuales suelen ser el radiador, las uniones de manguitos con bloque o radiador, la bomba de agua y el termostato. En algunos casos la fuga puede ser hacia el cárter, lo cual se manifiesta por una subida del nivel de aceite y la presencia de gotas en la cala. En otros casos la fuga puede ser de camisas a cilindros: la presencia de burbujas en el vaso de expansión y la subida del nivel de éste al acelerar son indicadores claros de esta avería.

Otro punto importante a tener en cuenta es el proceso correcto de llenado del circuito. Conviene tener en cuenta que no debe aportarse agua fría si el motor está caliente y parado, ya que se dañarían los cilindros o el termostato por el brusco enfriamiento (mejor hacerlo con el motor en marcha). En los circuitos sellados, se añade al vaso expansor y a motor parado. Durante el llenado deben abrirse los purgadores y cerrarlos cuando por ellos salga líquido sin gas; posteriormente, después de tener el motor a temperatura de régimen, se rellena si es necesario.

1.4.2. Calentamiento excesivo del motor

Antes de adjudicar este problema al sistema de refrigeración es oportuno descartar previamente averías del encendido y de la carburación que pueden producir síntomas parecidos. Las comprobaciones a realizar serían las siguientes:

- **Verificar la tensión de la correa**: se mide la flecha que debe estar entre 5 y 10 mm (existe un útil especial para efectuar esta medición) y si es necesario se tensa en la barreta tensora acoplada a alternador o bomba.
- **Revisar el tapón de presión**: si el tarado es bajo, desciende la temperatura de ebullición del agua y propicia el excesivo calentamiento del motor; verificar con el comprobador de estanqueidad y si el tapón está dañado, sustituirlo. Como a motor caliente el circuito está presurizado, tener la precaución de, si se manipula el tapón, girarlo despacio para dejar escapar la presión.
- **Comprobar el electroventilador**: tiene que saltar a la temperatura debida. Si no es así, puentear el termocontacto y si en este caso sí lo hace, sustituir este último; si sigue sin saltar con el puente hecho, el problema muy probablemente sea del propio electroventilador. Si queremos efectuar una verificación exacta del termocontacto, sumergirlo en agua y calentar ésta. Con una lámpara de pruebas y una batería podemos revisarlo como cualquier interruptor: debe cerrar el circuito a los 90-95 ºC y, al enfriar el agua, cortar a los 82-86 ºC.
- **Verificar el termostato**: al igual que en el caso del termocontacto, sumergirlo en agua y calentar ésta. Orientativamente, empieza a abrir a 82-88 ºC y abre del todo a 95-100 ºC. De cualquier forma, los valores de tarado suelen ir grabados en el cuerpo. Debe revisarse también el desplazamiento de la válvula (entre 8 y 12 mm).
- **Comprobar la bomba de agua**: una prueba rápida consiste en retirar el tapón del radiador, acelerar el motor y ver si se mueve el agua.
- **Observar la suciedad exterior del radiador**: si es excesiva, lavar con agua caliente en el sentido contrario al de circulación del aire.
- **Examinar la suciedad interior del circuito**: si el agua del circuito sale de tono marrón es conveniente lavar y desincrustar el circuito. Dicho tono marrón suele indicar que el líquido refrigerante ha atacado a las superficies metálicas internas.

Para lavar el circuito, primero se vacía del todo y luego se llena con agua y producto desincrustante. Se hace funcionar el motor una media hora dejando salir el agua por la unión bloque-depósito superior del radiador, rellenando lo que corresponda. Cuando salga agua limpia, llenar con el líquido definitivo.

1.4.3. Motor tarda en alcanzar temperatura de régimen

Casi siempre es debido a que el termostato permanece abierto de continuo, en cuyo caso debe ser sustituido. No es difícil montar el nuevo termostato al revés si no se tiene cuidado. Aunque suele venir indicado su sentido de montaje, no está de más saber que se debe dejar el bulbo para el lado del motor y el orificio de desgaseado para la parte alta.

1.5. Sistemas de ventilación y calefacción

1.5.1. Sistemas de ventilación: características, constitución y funcionamiento

El sistema de ventilación en un vehículo es relativamente sencillo: el aire entra por el frontal del vehículo, atraviesa el conjunto calefactor, el cual efectúa los oportunos desvíos hacia una serie de tuberías para lograr la reconducción de la corriente de aire hacia las diferentes bocas de salida al habitáculo (hacia parabrisas, ventanillas, centro, pies y parte trasera central).

A. Entrada de aire exterior
B. Distribuidor de aire
C. Extracción de aire por el faldón trasero

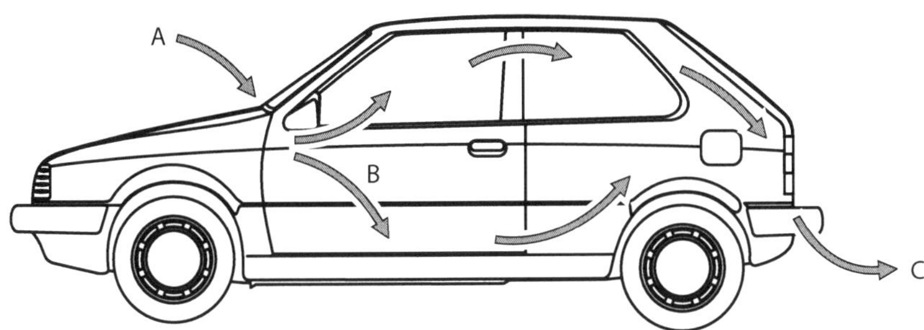

Distribución y circulación del aire producida por el sistema de ventilación

1.5.2. Sistemas de calefacción: características, constitución y funcionamiento

Se aprovecha el líquido de refrigeración del motor, a través de un circuito en paralelo al radiador principal del sistema que lo lleva, ya caliente, al grupo calefactor formado por el radiador de la calefacción, el motoventilador y un conjunto de trampillas, desde donde se reorienta y regula la corriente de aire. Los principales componentes de este sistema son:

- **Radiador de la calefacción**: un pequeño radiador, por el que circula el líquido refrigerante del motor, es atravesado por una corriente de aire forzada por la marcha o por un pequeño ventilador. Un grifo, controlado por el conductor desde un mando situado en el interior del habitáculo, activa o desactiva el paso del agua caliente a su través.

- **Conjunto de trampillas**: permiten el desvío del aire hacia las salidas y la mezcla del frío (procedente del exterior) con el caliente (procedente del radiador) a voluntad del conductor. Sus posiciones se controlan desde el interior del habitáculo por medio de los correspondientes mandos, efectuándose el enlace trampilla-mando normalmente por medio de un juego de cables de acero.
- **Motoventilador del calefactor**: se trata de un pequeño motor eléctrico que mueve unas paletas con el objeto de forzar el paso del aire a través de las conducciones de la calefacción. Este motor puede ser de dos tipos.
  * **De imanes permanentes**: las velocidades se logran variando la alimentación eléctrica mediante un reóstato.
  * **De devanado inductor**: las velocidades se logran usando conmutadores de varias posiciones.

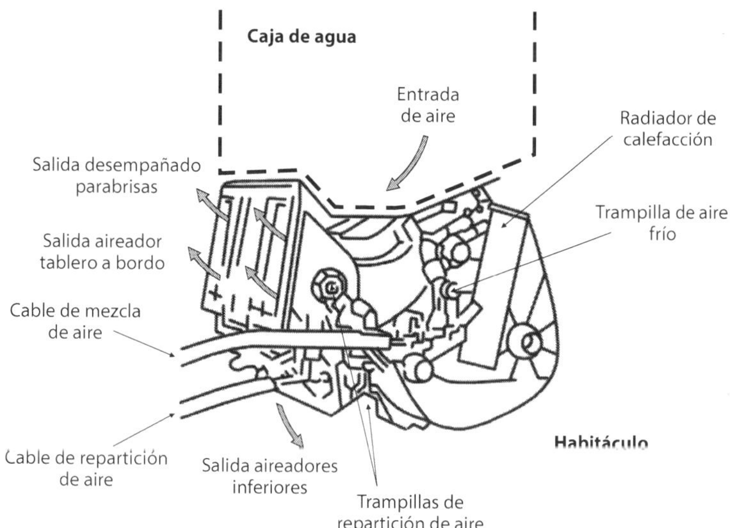

Dispositivo de soplado y repartición de aire frío y caliente

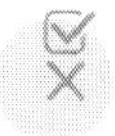

Actividad 2

Indica si la siguiente cuestión es verdadera o falsa:

El sistema de ventilación en un vehículo es relativamente complicado: el aire entra por el lateral del vehículo, atraviesa el conjunto calefactor, el cual efectúa los oportunos desvíos hacia una serie de tuberías para lograr la reconducción de la corriente de aire hacia las diferentes bocas de salida al habitáculo (hacia parabrisas, ventanillas, centro, pies y parte trasera central).

Verdadera ☐ Falsa ☐

1.5.3. Reparación

Las averías producidas en el circuito de ventilación-calefacción pueden dar lugar a los siguientes síntomas:

- **El aire impulsado al interior es frío**: normalmente será debido a que el termostato del sistema de refrigeración permanece abierto permanentemente (el indicador de temperatura motor debe acusarlo). Para verificar el termostato se sumerge en agua caliente: debe comenzar a abrirse hacia los 82-88 ºC y hacerlo completamente a 95-100 ºC (los valores de tarado suelen ir grabados en el cuerpo). Debe revisarse también el desplazamiento de la válvula (entre 8 y 12 mm).

  Otra posible causa de esta avería puede ser el mal funcionamiento del grifo del calefactor o de la trampilla mezcladora: desmontar el componente y examinar su estado.
- **Las trampillas no se abren**: revisar el estado del cable de mando que puede estar desencajado de sus fijaciones o roto.
- **Fugas de agua en el radiador del calefactor**: esta avería suele delatarla la presencia de agua en el interior del habitáculo. Se hace necesaria la sustitución completa del radiador.
- **Fallo del motoventilador en alguna de las posiciones**: habitualmente el problema puede estar en:
  * **Motor eléctrico en mal estado**: si se comprueba que llega alimentación eléctrica en las distintas posiciones, pero no se activa el motor.
  * **Circuito eléctrico cortado**: si al conector de entrada del motor no llega alimentación eléctrica, debe verificarse el circuito eléctrico de mando con ayuda de un téster. Los puntos más comunes en los que puede radicar el fallo son el conmutador, el cableado, las resistencias o el fusible.

2. Sistema de lubricación

2.1. Introducción

La principal característica que debe cumplir este sistema es que la lubricación de los componentes fundamentales del motor sea óptima: esto abarca a pistones, cilindros, bielas, cigüeñal, árbol de levas, etc. La acción lubricante se efectuará de forma diferente según la pieza de que se trate. Así:

- Los pistones y los cilindros se van a lubricar por la acción de centrifugado del aceite que se realiza en los cojinetes de biela. El segmento rascador dejará una fina película en las paredes del cilindro durante la carrera de descenso del pistón.
- Otras partes van a ser lubricadas a presión, mediante un circuito presurizado y mecanizado en las diferentes piezas. Esto pasará por ejemplo en el cigüeñal.

- Los cojinetes de biela y bancada serán los más problemáticos. Sufrirán especialmente durante el arranque puesto que durante éste se tienen las peores condiciones de lubricación.
- En otros casos, no hay presión de película (taqués, válvulas, etc.), estando entonces la lubricación confiada a la calidad del aceite.
- La viscosidad del aceite va a determinar su fluidez y espesor. La fluidez adecuada será la que marque la capacidad de extenderse por una superficie. De que el espesor de película sea suficiente dependerá la resistencia ante esfuerzos mecánicos.

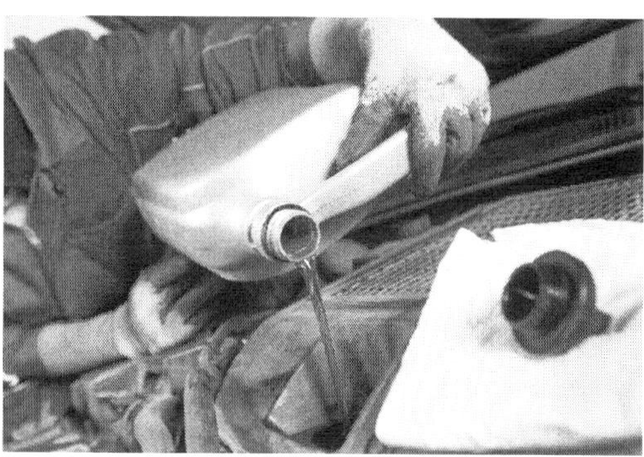

2.2. Tipos de circuitos de engrase: mixto y a presión parcial

Clásicamente se han diferenciado estos tipos de engrase:

- **Engrase por barboteo**: se aprovecha la fuerza centrífuga que engendra el giro del cigüeñal para lanzar aceite a todas las superficies del motor.
- **Engrase a presión total**: el aceite se transporta hasta los diferentes componentes del motor a través de un circuito presurizado por medio de una bomba.
- **Engrase mixto**: mezcla de los anteriores, es el usado comúnmente.
- **Engrase por mezcla de aceite con combustible**: empleado en motores de dos tiempos.

El engrase mixto es el más utilizado en casi todo tipo de vehículos y por ello es el que se va a describir a continuación.

Recuerda que...

La principal característica que debe cumplir el sistema de lubricación es que el engrase de los componentes fundamentales del motor sea óptima: esto abarca a pistones, cilindros, bielas, cigüeñal, árbol de levas, etc.

2.3. Componentes del circuito: bomba de aceite, válvula de descarga, filtros de aceite, sistemas de verificación y control

2.3.1. Circuito básico

El aceite sale del depósito o cárter por la succión ejercida por la bomba, la cual recibe movimiento del árbol de levas. Se la dota de una válvula de descarga para limitar la presión de envío. El circuito continúa hacia un soporte lateral en donde se implantan el filtro, el refrigerador, el manocontacto de pr0esión de aceite (enroscado a la canalización principal) y la sonda de temperatura. De aquí pasa a los apoyos del cigüeñal por una canalización labrada en bloque y posteriormente a la cabeza de biela y los cojinetes de bancada.

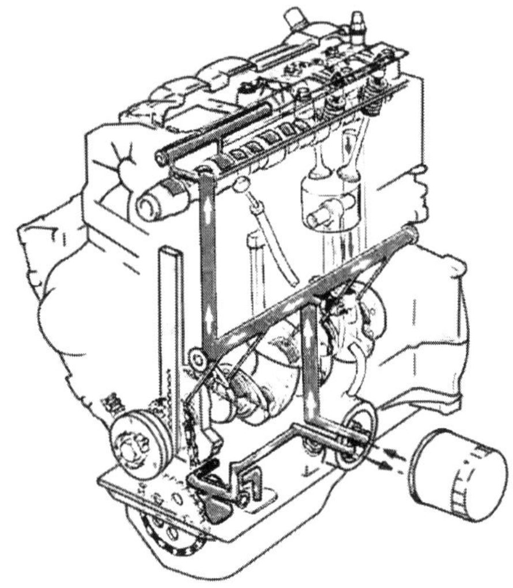

Circuito de engrase del motor

Unas derivaciones del circuito principal se encargan de lubricar el tensor de la cadena de distribución (desde el apoyo delantero del cigüeñal), los cojinetes del árbol de levas (desde el cigüeñal por ramificaciones del bloque), el eje de balancines (desde el apoyo trasero del cigüeñal), las válvulas y los taqués (desde el árbol de balancines por rebose) y los piñones de la distribución (desde la cámara de balancines).

Desde los cojinetes de los apoyos de bancada y de las cabezas de biela, el aceite rebosa y es centrifugado por el movimiento del cigüeñal. La niebla así originada engrasa las paredes de los cilindros. El segmento rascador limpia la pared del cilindro y devuelve el sobrante al cárter. El aceite que rebosa del eje de balancines y el que llega a los piñones de la distribución posteriormente cae por gravedad al cárter. En algunos motores se dispone un orificio en la cabeza de la biela que al coincidir con el de la muñequilla del cigüeñal manda aceite a la cabeza del pistón y al bulón.

En algunos casos se lubrica también el turbocompresor, la bomba de vacío y, mediante surtidores de pulverización, el fondo de la cabeza del pistón.

El circuito no varía sustancialmente entre motores de gasolina o diésel. En los de dos tiempos no existe bomba, puesto que el aceite se mezcla con el combustible. En este caso, el aceite, al comprimirse en el cárter, se separa y engrasa los diferentes mecanismos.

Actividad 3

Indica si la siguiente cuestión es verdadera o falsa:

Los pistones y los cilindros se van a lubricar por la acción de centrifugado del aceite que se realiza en los cojinetes de biela.

Verdadera ☐ Falsa ☐

2.3.2. Elementos significativos

- **Enfriador de aceite**: se acopla mediante una placa de conexión a la canalización principal. Pueden emplearse dos tipos:
  - **Intercambiadores aceite/aire**: se trata de un pequeño radiador refrigerado por corriente de aire.
  - **Intercambiadores aceite/agua**: es un serpentín refrigerado por el líquido refrigerante del motor.
- **Válvula de descarga**.

  Su función es la de regular la presión de engrase en base a las revoluciones del motor. Esta regulación se efectúa por desplazamiento del muelle y la bola pudiendo circular el aceite libremente hacia el cárter. Las hay de pistón o de bola. Poseen un sistema de tarado y suelen disparar completamente cuando la presión se encuentra entre los 4,5 o 5 bares.

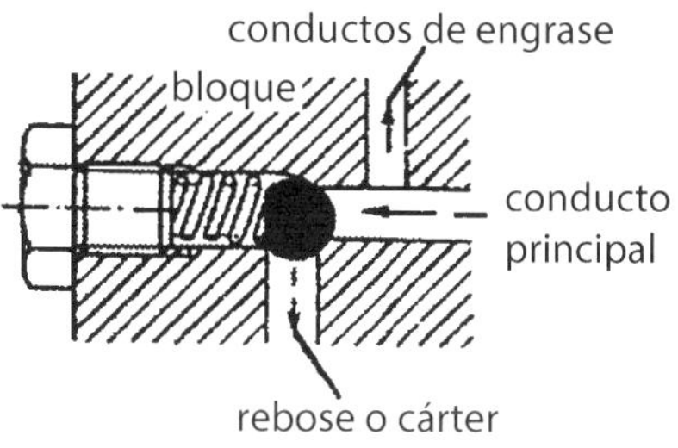

- **Bomba de aceite**: habitualmente se han venido empleando de dos tipos:

  * **De engranajes**: la presión se alcanza por la acción de dos engranajes, uno loco y otro engranado al árbol de levas, que giran dentro de una carcasa que forma el cuerpo de bomba. Una válvula de descarga abre un circuito de by-pass si la presión es excesiva, limitándola a 4-6 kg/cm². Se dispone un colador en la toma de fluido para evitar el paso de cuerpos extraños que puedan dañar el interior de la bomba.

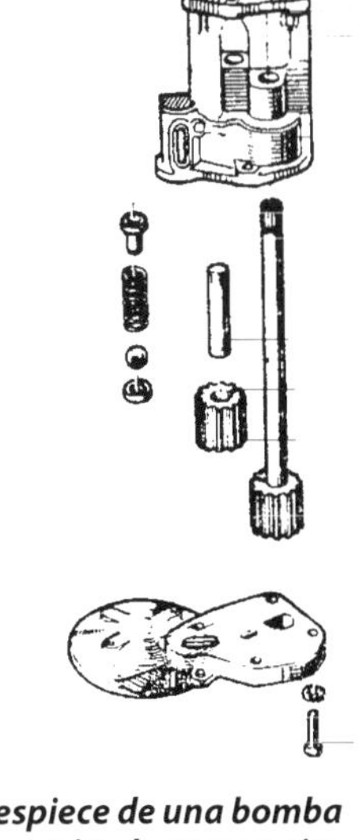

Despiece de una bomba de aceite de engranajes

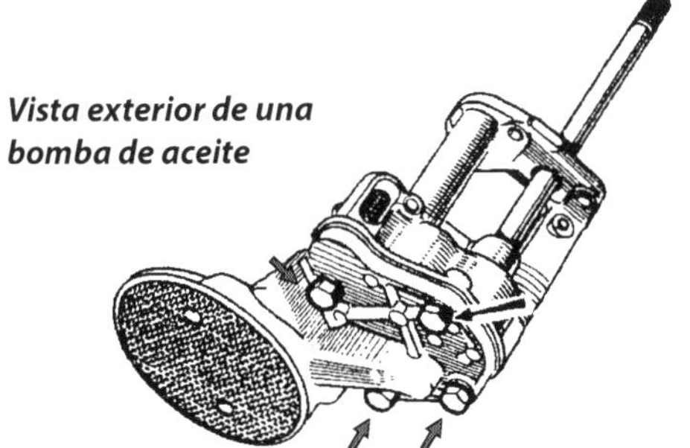

Vista exterior de una bomba de aceite

  * **De lóbulos**: de construcción parecida a la anterior, pero en vez de llevar dos engranajes, lleva dos rotores. Uno de ellos está formado por cuatro lóbulos y gira por acción del árbol de levas. El otro, con forma de anillo que rodea al anterior y giro libre, tiene cinco lóbulos. Las variaciones de volumen producidas por el volteo del rotor dentro del anillo origina la presión.

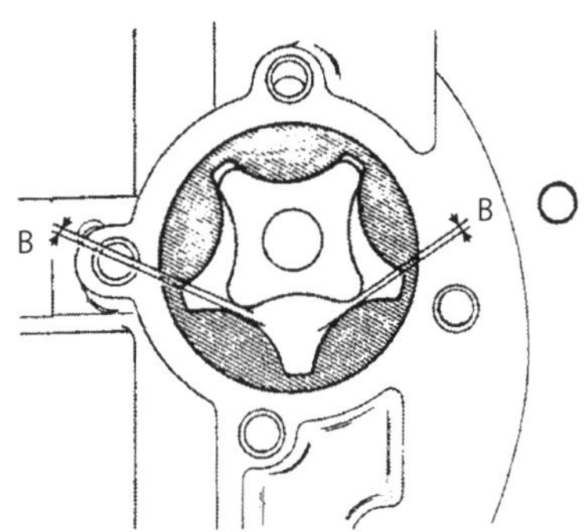

Bomba de lóbulos

- **Filtro de aceite**: constituido por el cartucho filtrante, normalmente de papel, y la carcasa. Puede ser de materia filtrante desmontable o no.

- **Sistema de ventilación del cárter**: los gases de compresión suelen llevar parte de la gasolina sin quemar. Los gases de escape contienen agua en forma de vapor como producto normal de la combustión. Ambos pueden fugarse al cárter por los segmentos, depositándose en el fondo, que es justo de donde aspira la bomba. También se produce una sobrepresión en el cárter que dificulta la bajada del pistón. Este hecho es especialmente desfavorable en el arranque.

  Para evitar este fenómeno, actualmente se emplean sistemas de ventilación cerrada, es decir, se comunica la cámara de balancines con un decantador de manera que una parte de los vapores se condensa y va al cárter y otra parte va a la admisión. Por

tanto, se aprovecha la fracción de gasolina que llevan los vapores para elevar el rendimiento; igualmente ocurre con la fracción de aceite, que se emplea para engrasar la zona alta del cilindro. La fracción correspondiente al agua se desvía a la admisión, junto con la gasolina, mejorándose las propiedades antidetonantes de la mezcla.

2.3.3. Lubricantes

Los aceites empleados para la lubrificación del motor son de diversas naturalezas. Tradicionalmente se han venido utilizando aceites minerales, derivados del petróleo. Actualmente están en desuso, sustituidos ventajosamente por los compuestos sintéticos o semisintéticos, de mayor poder lubricante y duración. Las propiedades suelen mejorarse añadiendo al producto base aditivos de diversa índole: antioxidantes, anticongelantes, antidesgaste, detergentes, etc.

2.3.4. Sistemas de control de emisiones contaminantes

La normativa internacional exige reducir la emisión de hidrocarburos no quemados y monóxido de carbono (CO). Dichas emisiones provienen de tres puntos diferentes: gases del cárter, gases de escape y vapores de gasolina.

2.3.4.1. Control anticontaminación de los gases del cárter

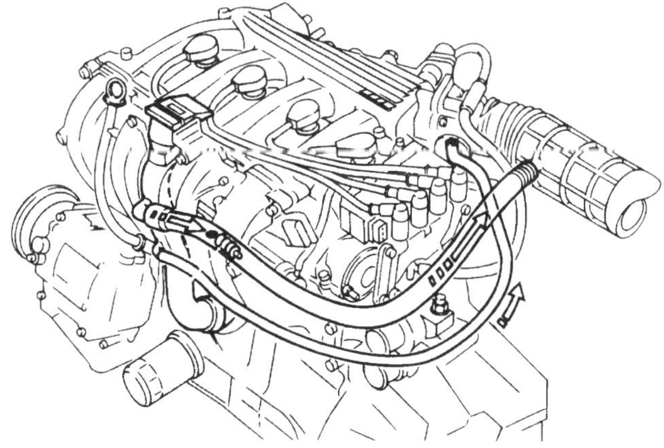

Circuito de ventilación de gases del cárter

La contaminación es originada por las fugas de gases de compresión y de combustión hacia el cárter a través de los segmentos. Actualmente estos gases son ventilados de forma cerrada y devueltos de nuevo a los cilindros, sin verterlos al exterior. Esto conlleva, aparte del efecto anticontaminante, ventajas mecánicas (los vapores de agua aumentan el poder antidetonante, los de aceite lubrifican la cabeza del pistón y los de gasolina mejoran la calidad de la mezcla).

Se emplean circuitos de ventilación cerrada: los vapores suben hasta la cámara de balancines de donde son conducidos a un decantador (los vapores de aceite se condensan y vuelven al cárter y los de gasolina se conducen al colector de admisión).

2.3.4.2. Control anticontaminación de los gases del escape

1. Contaminantes

Los contaminantes emitidos por el motor están originados por combustiones incompletas. Se distinguen dos tipos:

- **Principales**: nitrógeno, agua y dióxido de carbono (no nocivos puesto que son los productos normales en una reacción de combustión).
- **Secundarios**: monóxido de carbono o CO (originado por combustiones con poca presencia de comburente), hidrocarburos no quemados o HC (fracción del combustible que no se quema completamente en el proceso de combustión), óxidos de nitrógeno o NOx (producidos por la reacción del nitrógeno y el oxígeno del aire a temperaturas elevadas) y óxidos de azufre o SOx (causados por la reacción del azufre del combustible con el oxígeno del aire a temperaturas elevadas). En todos los casos se trata de sustancias nocivas y por tanto no deseables en el proceso de combustión.

Los factores influyentes en la emisión de contaminantes son múltiples:

- **El régimen**: cuanto mayor sea, mayor es el consumo y por tanto, las emisiones.
- **La carga**: cuanto mayor sea, mayor será la temperatura de combustión y por tanto, la emisión de NOx, aunque se reducirá la de CO y HC.
- **El coeficiente lambda**: las mezclas ricas favorecen la emisión de CO, HC y NOx.
- **El avance al encendido**: a mayor avance, menor consumo, pero más emisión de HC y NOx (el CO es independiente de este factor).
- **La relación de compresión**: cuanto mayor sea, mejor es el rendimiento, con lo que baja el consumo, pero aumenta la emisión de NOx.
- **La cámara de combustión**: cuanto más compacta, menos HC se emite.
- **La distribución**: un cruce de válvulas controlado reduce la emisión de HC y NOx.
- **La estratificación de la carga**: reduce la emisión de NOx pero aumenta la de HC, al ser mayor el tamaño de la cámara.

Actividad 4

Rellena los huecos con las palabras que faltan:

La contaminación es originada por las fugas de ________ de compresión y de combustión hacia el ________ a través de los ________.

2. Procedimientos de anticontaminación por modificaciones en el motor

Cualquier sistema que consiga una combustión lo más completa posible logrará un efecto positivo en cuanto a la contaminación. Aunque sea una redundancia por tratarse de conceptos ya explicados, las modificaciones a realizar en el motor serían las siguientes:

- Empleo de cámaras de combustión compactas con recorridos de llama cortos y bujías dispuestas en el centro.
- Disminución de la RC, compensando el aumento del consumo con una configuración óptima del colector de admisión.
- Empleo de sistemas de estratificación de la carga tales como las cámaras de combustión divididas o la inyección directa.
- Control preciso del encendido.
- Empleo de dobles árboles de levas que permitan gestionar adecuadamente el cruce de válvulas.
- Reducción de la demanda de potencia mediante la optimización de la lubricación, la refrigeración, etc.
- Uso de válvulas deceleradoras en los motores de carburación o del corte de inyección en retención en los motores de inyección.

3. Procedimientos de anticontaminación por tratamiento de los gases de escape

Los medios más empleados son los siguientes:

Regulación lambda

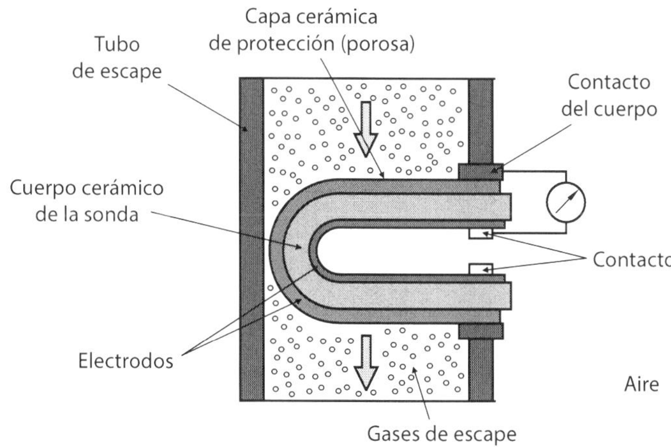

Principio de funcionamiento de la sonda lambda

Sistema basado en medir los gases quemados y corregir la proporción aire/combustible de la mezcla en función de la proporción de oxígeno presente en ellos con respecto a la teórica. Para ello se emplea una sonda, la sonda lambda, emplazada en el escape. La medición se basa en el principio de "Nernst" según el cual, si la proporción de oxígeno en aire a ambos lados de un electrodo de platino varía, se genera una tensión en dicho electrodo. Esta tensión toma, en función de la riqueza de mezcla, los siguientes valores:

- Para $\lambda < 1$ entre 800 y 1000 mV.
- Para $\lambda > 1$ aproximadamente 100 mV.
- Para $\lambda = 1$ aproximadamente 450 mV.

Esta señal generada por la sonda es enviada a la UEC de la inyección, la cual puede modificar los tiempos de inyección para corregir la riqueza de la mezcla hacia valores más adecuados, puesto que la proporción de oxígeno en los gases de escape es un indicador del nivel de perfección de la combustión, y por tanto, del nivel de emisiones contaminantes.

Las sondas lambda necesitan temperaturas de servicio de aproximadamente 600 ºC, por ello se suelen situar en la zona del escape más cercana al motor. A pesar de ello, actualmente suelen ser de tipo calefactado (en el momento del arranque, se hace circular una corriente por una resistencia interna con el fin de elevar la temperatura).

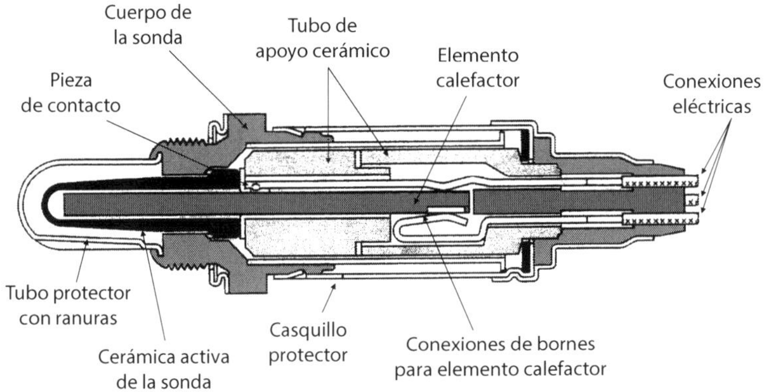

Sección de una sonda lambda calefactada

Depuración catalítica

Los catalizadores están constituidos por un bloque cerámico atravesado por multitud de canales microscópicos recubiertos por una fina capa de materiales preciosos (rodio, paladio y platino) que realizan la función catalizadora de las reacciones químicas del tipo reducción/oxidación. Como en el caso de las sondas lambda, tienen una temperatura de servicio elevada (entre 400 y 800 ºC), a causa de ello se colocan en las cercanías de los colectores de escape.

Predomina el uso de los siguientes tipos:

- **Catalizadores de oxidación**: oxida (recombustiona) CO y HC, por lo que debe trabajar con exceso de aire para obtener el oxígeno necesario. Se adapta pues a situaciones $\lambda > 1$ (mezclas pobres).
- **Catalizadores de doble lecho o de tres vías con toma de aire**: en el fondo son dos catalizadores en serie: el primero de reducción para tratar el NOx y el segundo de oxidación para tratar el CO y HC. La necesidad de oxígeno para el segundo paso hace necesaria una toma de aire intermedia, previa a éste.
- **Catalizadores de tres vías**: eliminan simultáneamente CO, HC y NOx. El tratamiento de los tres gases obliga a que trabajen con $\lambda = 1$. Necesitan combinarse con la regulación lambda para garantizar esta proporción en los gases de escape.
- **Catalizadores acumuladores de NOx**: trabajan como un catalizador de oxidación, con $\lambda > 1$, y por reacción química para el paso de los NOx a nitratos, que son almacenados. Este almacenamiento de óxidos de nitrógeno se elimina con unos de periodos (unos segundos) de funcionamiento con $\lambda < 1$, con ello se consigue el paso de los nitratos a oxígeno y nitrógeno libres.

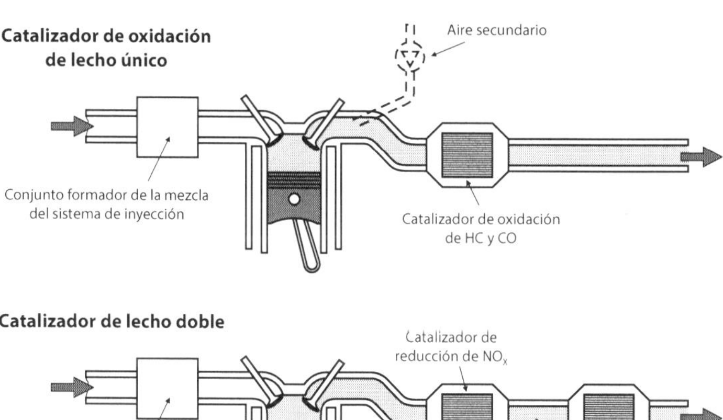

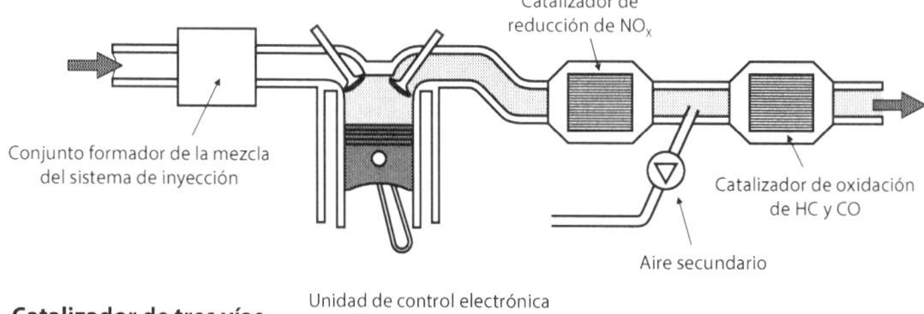

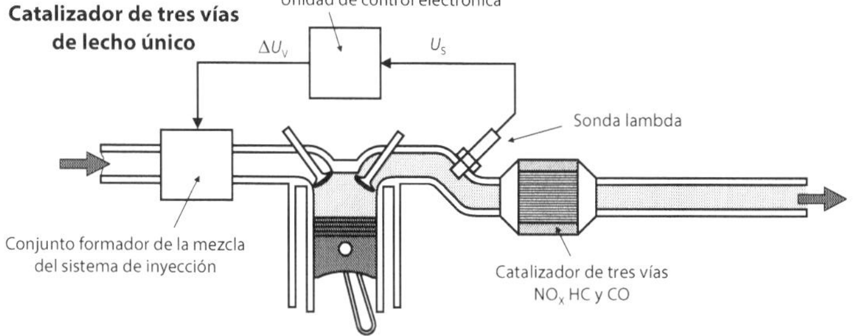

Esquema de funcionamiento de los tres tipos básicos de depuración catalítica

Utilización de mezclas pobres (recirculación de gases de escape)

Este sistema permite la reducción de emisiones de NOx pero su acción debe completarse con el empleo de un catalizador de oxidación para reducir el CO y los HC. Ha sido más utilizado en motores diésel que en gasolina. El funcionamiento se basa en el uso de mezclas pobres puesto que éstas disminuyen la velocidad de reacción y por tanto bajan la temperatura en la cámara (debe recordarse que el NOx se origina por la combustión del nitrógeno del aire a altas temperaturas).

Su ejecución práctica es la válvula de recirculación (EGR). Está constituida por un diafragma accionado por vacío que pone en comunicación escape con admisión en determinadas condiciones. En motores más modernos, el control de la apertura de la EGR lo realiza una electroválvula gobernada por la UEC y la apertura es efectuada por un sistema de depresómetro en colaboración con el depósito de vacío del servofreno. Se emplaza normalmente sobre el colector de admisión. La EGR funciona generalmente en cargas parciales, desactivándose en los casos siguientes:

- Marcha en ralentí.
- Marcha a plena carga.
- Temperatura del motor inferior a 60 ºC.
- Temperatura del aire de admisión inferior a 10 ºC.
- Diversas condiciones dependiendo del tipo de motor.

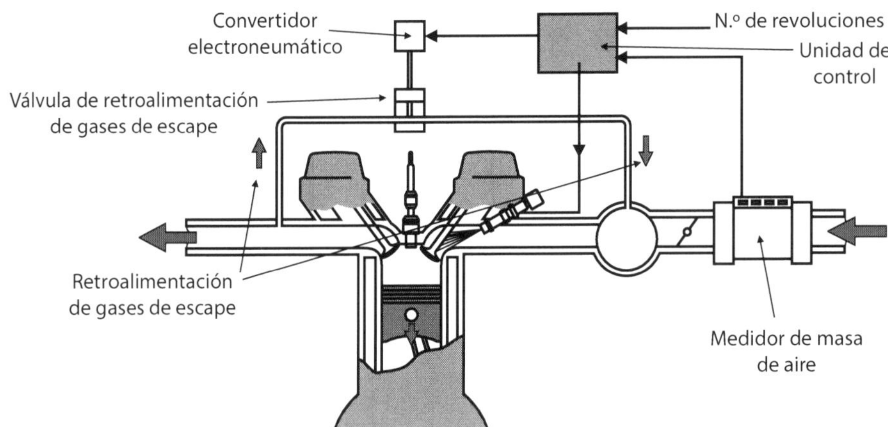

Esquema de funcionamiento de un sistema de recirculación de gases de escape

Recombustión térmica

Los HC y CO se pueden reducir si se completa su quemado después de la cámara de combustión. Para ello es necesaria la inyección de aire en el escape, empleándose las válvulas pulsair que obturan o liberan un paso de aire en proximidad de la válvula de escape, en función de las condiciones de funcionamiento del motor (con gestión de la UEC).

Actualmente se utiliza para reducir el CO y el HC en la fase de calentamiento del motor, cuando el catalizador aún no ha alcanzado la temperatura de servicio. Su uso también favorece el trabajo del catalizador, puesto que la temperatura de los gases de escape se ve aumentada por el requemado.

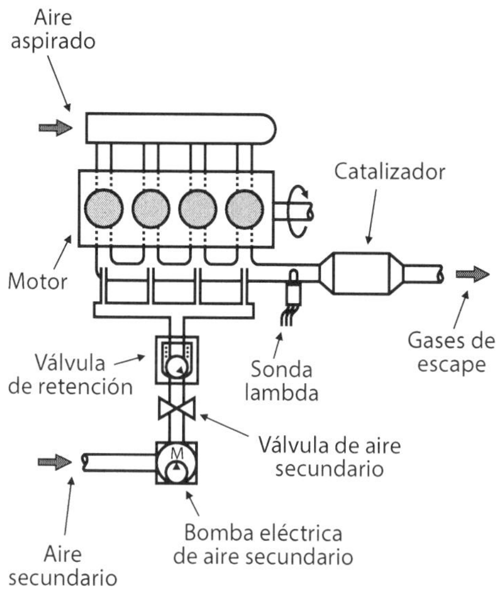

Esquema de funcionamiento de un sistema de recombustión térmica

Actividad 5

Con respecto a regulación Lambda, es cierto:

- ☐ a) Es un procedimiento de anticontaminación por tratamiento de los gases de escape.
- ☐ b) Es un sistema basado en medir los gases quemados y corregir la proporción aire/combustible de la mezcla en función de la proporción de oxígeno presente en ellos con respecto a la teórica.
- ☐ c) Ambas opciones son correctas.

2.3.4.3. Control anticontaminación de los vapores del combustible

Actualmente, para evitar el vertido al exterior de gases de combustible, se disponen depósitos sin aireaciones al exterior, sustituyéndolo por un sistema de absorción de dichos gases.

Los vapores originados en el depósito son llevados hasta una caja de expansión donde parte condensan y escurren otra vez al depósito y parte van al cánister. El cánister es

un recipiente relleno de carbón activo que absorbe los vapores que se hacen circular hasta él; posteriormente los devuelve a la alimentación en ciertas condiciones de funcionamiento. La purga del cánister se efectúa de diversas formas:

- Por vacío de admisión cuando el motor está en funcionamiento.
- Por válvula de tipo cápsula/membrana que permite el paso al colector de admisión cuando la depresión en éste toma un cierto valor.
- Por electroválvula que abre en las condiciones más adecuadas (plena potencia) y que es controlada por la UEC.

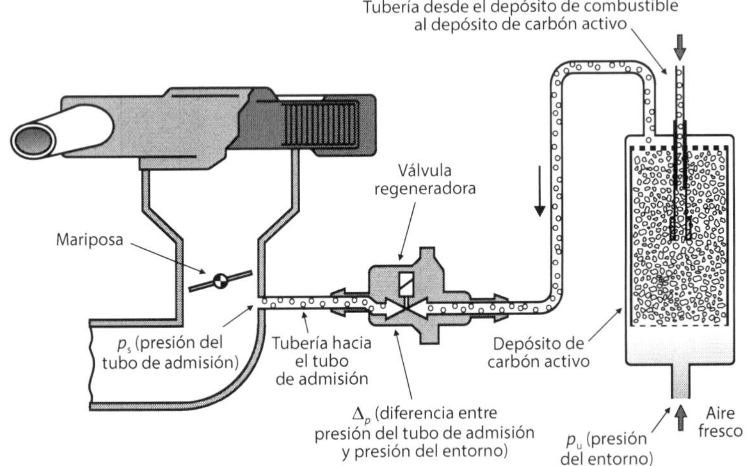

Esquema de funcionamiento de un sistema de absorción de vapores del combustible

2.3.5. Sistema de verificación y control

2.3.5.1. Verificación de las presiones

La comprobación a realizar consiste en una verificación de la presión del circuito por medio de un manómetro instalado en la canalización principal del bloque (en el sitio del manocontacto). La presión al ralentí debe situarse en torno a los 1-2 kg/cm^2; acelerando lentamente debe subir progresivamente hasta alcanzar valores de entre 3,5 y 6 a las 4.000 rpm.

En función de los valores de presión obtenidos, para el diagnóstico podemos ayudarnos de las siguientes orientaciones:

- **Si la presión leída es baja** puede deberse a estos factores:
  - * Aceite gastado, diluido o inadecuado.
  - * Colador o filtro obstruido.

  * Holgura en los engranajes de la bomba.
  * Válvula de descarga en mal estado o tarada baja: se puede aumentar la tensión del muelle interponiendo arandelas calibradas.
  * Desgaste en cojinetes del motor.
- **Si la presión leída es alta** puede estar ocasionada por estos factores:
  * Válvula de descarga agarrotada o tarada alta.
  * Canalizaciones obstruidas parcialmente: se pueden limpiar haciendo circular aceite más fluido por el circuito durante un cierto tiempo.
  * Aceite inadecuado para motor o época del año.

2.3.5.2. Operaciones básicas de mantenimiento

a) Bomba de aceite

- **Inspección de componentes**: ausencia de grietas en la carcasa, superficies de montaje planas y sin ralladuras, malla filtrante sin obstrucciones, engranajes en buen estado, etc.
- **Holgura de montaje**: comprobar el juego máximo de montaje de los engranajes por medio de un reloj comparador. Con la ayuda de unas sencillas galgas también se puede verificar el juego de los engranajes con las paredes del cuerpo de bomba y con la tapa.

b) Motor

- **Verificación de fugas**: inspeccionar detenidamente los retenes del cigüeñal, la junta del cárter, los órganos auxiliares fijados al bloque tales como el refrigerador del aceite o el filtro, el turbocompresor, etc.
- **Verificación de consumo inadecuado de aceite**: aunque esto depende de los fabricantes, generalmente el consumo de aceite no debe superar el litro cada mil kilómetros. Si se supera este límite debe comprobarse la ausencia de fugas por segmentos o válvulas.

2.4. Aceite como lubricante

Se denomina lubricante a aquel compuesto que se interpone entre las superficies que rozan para evitar su contacto directo y reducir la fricción.

En su constitución destacan dos compuestos: la base (de origen mineral, sintética o semisintética) y los aditivos (para la mejora de las propiedades de las bases). El aceite base es el elemento lubricante por excelencia y dependiendo de su procedencia tendrá un mayor o menor poder lubricante.

Los aceites minerales empleados en automoción proceden del petróleo crudo, a partir del cual son obtenidos mediante un proceso de fraccionamiento. Dentro de este proceso se corresponden con las fracciones más pesadas, las que se obtienen a las más altas temperaturas, como residuos una vez destilados los combustibles.

No todos los crudos son aptos para la obtención de aceite mineral. Son preferibles aquellos en los que dominan las moléculas parafínicas (de estructura lineal) sobre las aromáticas o nafténicas (de estructura cíclica).

El proceso de obtención sigue los siguientes pasos:

1. **Destilación por vacío**. Se obtienen los aceites bases junto con otras fracciones (gasoil, grasas, alquitranes, parafinas, etc.).
2. **Eliminación de asfaltos**. Se aprovecha la afinidad del propano por los hidrocarburos lineales.
3. **Eliminación del azufre y otros componentes de elevado residuo carbonoso**. Se mejora también el VI (índice de viscosidad).
4. **Desparafinado**. Se elimina la parafina para bajar el punto de congelación del aceite. Se emplean disolventes que cristalizan la parafina y después se filtran los cristales.
5. **Hidroacabado**. Se somete al producto restante a una hidrogenación catalítica que mejora el color del producto y lo estabiliza.

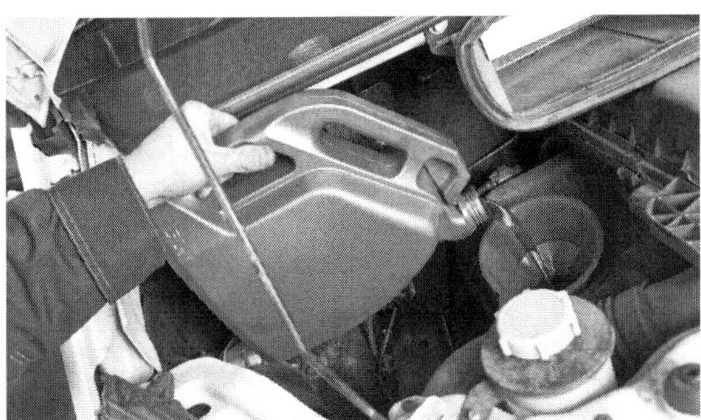

2.4.1. Propiedades físicas y químicas

2.4.1.1. Viscosidad

Es la resistencia que opone un líquido a fluir por un conducto.

Su influencia en las propiedades lubricantes podría resumirse en los siguientes puntos:

- A menor viscosidad mayor fluidez: esto implica una mejor capacidad cubriente pero peor resistencia a la presión.
- A mayor viscosidad, mejor resistencia a la presión pero peor capacidad cubriente.

La medición de la viscosidad se efectúa en grados Engler (ºE): relacionan la viscosidad de un líquido a una temperatura con la del agua a esa misma misma temperatura. El instrumento de medida es el viscosímetro de Engler. Todo aceite queda caracterizado por su índice de viscosidad (VI) que cuantifica la capacidad del aceite para mantener su viscosidad con la temperatura, es decir, informa sobre su calidad, puesto que a mayor VI, más multigrado es el aceite y por tanto durante mayor rango de temperaturas mantiene sus propiedades lubricantes.

Interesa mantener el VI constante, independientemente de las condiciones de temperatura. Con ello se consigue tener una fluidez suficiente en el arranque y no excesiva a régimen normal.

2.4.1.2. Untuosidad

También llamada Adherencia, es la capacidad que tienen los aceites para adherirse a las superficies que impregnan. Es una propiedad de extrema importancia puesto que nos informa sobre la capacidad de engrase en la puesta en marcha, situación más desfavorable de las condiciones de servicio de un motor. En dicho momento, al no existir presión de película en el aceite, puesto que se parte de un motor parado, la calidad del engrase está encomendada a la calidad del aceite, especialmente a su capacidad para "untar" las superficies aunque no exista presión en el circuito.

Los aceites minerales no suelen presentar una adherencia adecuada para el funcionamiento bajo las condiciones exigibles en un motor. Por ello va a ser necesario mejorar esta propiedad con aditivos (colza).

2.4.1.3. Punto de congelación

Es la temperatura más baja a la que solidifica un aceite.

Debe ser lo más bajo posible, pues de esa manera mejora la viscosidad a temperatura ambiente. En función del tipo de aceite, el punto de congelación suele situarse alrededor de los –20 ºC.

Sabías que...

Según el ámbito geográfico podemos encontrar la siguiente clasificación de lubricantes: americana API (*American Petroleum Institute*), la clasificación Japonesa JASO (*Japanese Automotive Standards Organization*) y la Europea ACEA (Asociación de Constructores Europeos Asociados).

2.4.1.4. Punto de inflamación

Es la temperatura mínima a la que inflaman sus vapores si se aporta energía de activación. Debe tenerse en cuenta que cuanto más bajo sea mayor es la posibilidad que existe de alcanzar el punto de combustión.

Por otra parte, debe ser lo más alto posible para poder lubricar las zonas más calientes de un motor en funcionamiento. Dependiendo del tipo de aceite, está situado aproximadamente a 240 ºC. No es una característica que influya esencialmente en la capacidad de engrase en condiciones de servicio, pero sí es un índice que informa de la peligrosidad de un aceite en el transporte y almacenamiento.

2.4.1.5. Estabilidad química

Capacidad para permanecer inalterables en el tiempo a la oxidación y a la descomposición.

Por ser los aceites sustancias orgánicas, su estabilidad química suele ser baja, descomponiéndose rápidamente por efecto de las presiones y temperaturas que alcanzan en condiciones límite de temperatura de un motor. Es necesario mejorar esta característica con aditivos.

2.4.1.6. Grado de acidez y cenizas

El grado de acidez es el porcentaje de ácidos libres presente en un aceite. El máximo no debe superar el 0,03 %.

El grado de cenizas es el porcentaje de residuos o cuerpos extraños que deja un aceite una vez quemado. No debe superar el 0,02 %.

La influencia del grado de acidez se manifiesta sobre todo en la tendencia a la corrosión de los metales por parte del aceite. El grado de cenizas es un índice significativo que informa sobre la calidad.

2.4.2. Clasificación y tipos

2.4.2.1. Clasificación por la naturaleza de sus bases

- **Aceites minerales**: se trata de aceites obtenidos a partir de bases minerales formadas por largas cadenas de carbonos e hidrógenos y procedentes de un proceso de refinado del petróleo.

  Tienen una viscosidad monogrado.

- **Aceites semisintéticos**: son aceites obtenidos de bases procedentes de un proceso de hidrogenación o hidrocrackeado a alta temperatura de aceites minerales, de ahí que también se les llame aceites hidrocrackeados.

  Tienen como característica una viscosidad multigrado y una mejor resistencia a la oxidación que los minerales.

- **Aceites sintéticos**: son aceites conseguidos a partir de bases sintéticas no procedentes del refino del petróleo, generalmente ésteres obtenidos por reacción de un alcohol con ácidos orgánicos de origen vegetal, como la colza. También se incluyen en este grupo los PAO, bases obtenidas por polimerización de compuestos olefínicos (química del etileno).

Poseen las mejores propiedades, especialmente aquellas derivadas de ésteres, superiores a los PAO en cuanto a la adherencia.

2.4.2.2. Clasificación por su viscosidad

La especificación SAE clasifica los aceites a partir del estudio de su viscosidad medida en dos rangos: a una temperatura de 0 °C y a otra de 100 °C.

- **Viscosidad medida a 0 °C**: cualifica el comportamiento en condiciones de arranque en frío. Marca con una especificación SAE 5W, SAE 10W, SAE 15W, SAE 20W y SAE 25W en orden decreciente en cuanto al grado de viscosidad.
- **Viscosidad medida a 100 °C**: cualifica el comportamiento durante el funcionamiento en caliente. Marca con una especificación SAE 20, SAE 30, SAE 40 y SAE 50 a los aceites de motor y con números superiores a las valvulinas.

Basándose en las especificaciones SAE, los aceites se pueden clasificar en monogrado y multigrado.

- **Monogrado**: aceite con características especificadas por un único SAE. Por ejemplo, un SAE 20W nos caracteriza un aceite por su viscosidad medida a 0 °C.
- **Multigrado**: aceite que por sus características abarca varias denominaciones SAE. Por ejemplo, un SAE 20W50 nos informa de que el aceite posee un comportamiento en frío equivalente a un SAE20 y en caliente ese mismo fluido se comporta como un SAE50.

2.4.2.3. Clasificación por sus condiciones de servicio

- **Sistema convencional**: tradicionalmente se han venido clasificando los aceites en los siguientes tipos básicos:
    * **Aceite regular**: aceite puro, con las características propias de la base, sin aditivos. Su viscosidad es variable en función de las condiciones de servicio y se oxidan con las temperaturas altas.
    * **Aceite premium**: aceite base al que se han adicionado sustancias con propiedades antioxidantes y anticorrosivas. Se emplean en motores con condiciones de funcionamiento más severas que en el caso anterior.
    * **Aceite detergente**: aceite base al que se han adicionado sustancias con propiedades antioxidantes y anticorrosivas, pero también detergentes y dispersantes. Se usan en motores con condiciones de funcionamiento muy severas (frecuentes arranques en frío, elevadas revoluciones, etc.).

- **Sistema API**: el sistema API (*American Petroleum Institute*) gira en torno a dos clasificaciones generales: "S" para turismos y camionetas y "C" para vehículos de usos comerciales.

  El tipo de aceite "S" tiene las siguientes variantes:

  * **SA**: aceite mineral puro que no contiene aditivos. Actualmente está obsoleto.
  * **SB**: lubricante que contiene aditivos antioxidantes y anticorrosivos. También obsoleto actualmente. Se utilizó para vehículos que trabajaban en condiciones moderadas.
  * **SC**: igualmente obsoleto. Llevaba aditivos detergentes.
  * **SD**: similares al SC. Se usaron en los años setenta.
  * **SE**: sustituyó a los SD.
  * **SF**: con mejores propiedades antidesgaste y mayor estabilidad ante la oxidación. Se usó en los años ochenta.
  * **SG**: lubricantes diseñados para utilizar en motores diésel sobrealimentados. Empleados a inicios de los noventa.
  * **SH**: ahora obsoleta. Sustituyó a SG a finales de los noventa.
  * **SJ**: presentado en 1996. Esta clasificación es la que está actualmente en uso.

  Para obtener la clasificación API, los aceites deben cumplir unos estándares en cuanto a su viscosidad y composición de aditivos químicos y de aceite base. Se consideran junto a las Normas ACEA como las Normas de Calidad de los aceites.

- **Sistema CCMC**: la especificación CCMC (Comité de Constructores del Mercado Común) adaptó el sistema API a Europa estableciendo tres secuencias:

  * **Secuencia G1, G2, G3...** para motores a gasolina.
  * **Secuencia PD1, PD2...** para motores diésel ligeros.
  * **Secuencia D1, D2...** para motores diésel pesados.

- **Sistema ACEA**: la Asociación de Constructores Europeos de Automóviles (ACEA) ha reemplazado a finales de los noventa a las especificaciones CCMC previamente utilizadas por los fabricantes europeos. Esta nueva clasificación se basa en ensayos más exigentes. Las secuencias ACEA actualmente se dividen en tres tipos:

  * **Secuencia "A"** para aceites de motores a gasolina.
  * **Secuencia "B"** para aceites de motores diésel ligeros. Actualmente se emplean aceites B4 para vehículos diésel con inyección directa.
  * **Secuencia "E"** para aceites de motores diésel pesados. Actualmente se usan aceite "E4" para motores diésel altas prestaciones.

Actividad 6

Atendiendo a la naturaleza de sus bases, asocia los tipos de aceites con su definición:

Aceites minerales	Son aceites obtenidos de bases procedentes de un proceso de hidrogenación o hidrocrackeado a alta temperatura de aceites minerales.
Aceites semisintéticos	Son aceites conseguidos a partir de bases sintéticas no procedentes del refino del petróleo, generalmente ésteres obtenidos por reacción de un alcohol con ácidos orgánicos de origen vegetal, como la colza.
Aceites sintéticos	Se trata de aceites obtenidos a partir de bases minerales formadas por largas cadenas de carbonos e hidrógenos y procedentes de un proceso de refinado del petróleo.

2.4.3. Aditivos, cambio de propiedades y aditivos más usados

El aceite, para cumplir con sus objetivos, no puede ser empleado puro, puesto que como es sabido, se desnaturalizaría rápidamente a causa de las condiciones extremas en que debe actuar. Por ello, se añaden diversos tipos de sustancias químicas con funciones muy concretas. A continuación se exponen los aditivos más comúnmente usados, así como la función que cumplen en cuanto a potenciación de las propiedades naturales del aceite.

2.4.3.1. Aditivos de viscosidad

En el refino del aceite ya se consigue elevar la viscosidad, pero sigue sin ser suficiente. Por ello se añaden este tipo de aditivos cuya función es conseguir viscosidades multigrado en aceites minerales (SAE 20W40/50 y SAE 15W40), y supermultigrado en aceites hidrocrackeadas (SAE 10W60 SAE5W50 SAE15W50). Los aceites sintéticos, especialmente los ésteres, ya son multigrado naturalmente, por lo que no suelen aditivarse para mejorar su viscosidad.

Los productos empleados suelen ser ácidos grasos de cadena larga (ésteres, alcoholes, ácidos, etc.).

2.4.3.2. Aditivos antioxidantes

Su función es evitar la oxidación sufrida por el aceite por agresiones químicas y térmicas durante el funcionamiento del motor. La oxidación reduce la capacidad lubricante y aumenta la viscosidad indeseadamente, llegando a generar alquitranes.

Los aditivos más empleados son derivados fenólicos alquídicos o aminados, normalmente de zinc en el caso de los primeros.

2.4.3.3. Aditivos anticongelantes

Su función es disminuir el punto de congelación del aceite, entendiendo como tal la temperatura que impide fluir al aceite libremente.

Como aditivos se vienen utilizando inhibidores de la formación de parafinas (polimetacrilatos, poliacrilatos, etc.).

2.4.3.4. Aditivos antidesgaste

Se aditivan con la finalidad de facilitar el deslizamiento entre las piezas móviles que rozan y reforzar la resistencia del lubricante.

Se han venido empleando compuestos metálicos derivados del Zn y, actualmente, de teflón.

2.4.3.5. Aditivos extrema presión

Mejoran las propiedades básicas del aceite a alto nivel de exigencia. Para ello reaccionan químicamente con la superficie metálica a altas temperaturas, formando compuestos organometálicos. Son habitualmente utilizados en aceites de transmisión.

Los productos empleados suelen derivar del azufre o el fósforo.

2.4.3.6. Aditivos detergentes y dispersantes

Su finalidad es evitar la formación de depósitos o barnices en las piezas del motor (los detergentes) y su acumulación como lodos, una vez disueltos, en partes frías del motor (los dispersantes).

Se suele aditivar con compuestos organometálicos, sulfonatos de Ca/Mg, salicilatos, sulfonatos... en general, productos derivados del azufre.

Recuerda que...

El lubricante es aquel compuesto que se interpone entre las superficies que rozan para evitar su contacto directo y reducir la fricción.

2.4.4. Aplicaciones de los lubricantes

Los lubricantes, como su propio nombre indica, tienen como fin primordial impedir el agarrotamiento de las piezas móviles del motor. Aunque esta es su aplicación fundamental, no por ello deja de cumplir otras, como son:

- Lubricar piezas en contacto para disminuir el trabajo perdido por el rozamiento entre piezas del motor o la transmisión.
- Absorber el calor producido por los órganos en movimiento.
- Amortiguar los golpes de las piezas en determinadas zonas.
- Efectuar la limpieza de los órganos en contacto.
- Efectuar una acción de sellado en los segmentos y de estanqueidad en diversas zonas.
- Atenuar el desgaste del motor, elevando la vida útil del mismo.

Actividad 7

El aceite base al que se han adicionado sustancias con propiedades antioxidantes y anticorrosivas se denomina:

2.4.5. Sustitución periódica del aceite

Debido a los procesos de oxidación y degradación que sufre el aceite, es necesario sustituirlo por otro de forma periódica. El tiempo de sustitución del aceite depende, en primer lugar, de su calidad y suele venir aconsejado por el fabricante en función de un número determinado de kilómetros recorridos, pero también debemos tener en cuenta otros factores, como pueden ser el uso del vehículo (carretera, ciudad, caminos, etc.), las horas de funcionamiento, la antigüedad del vehículo, etc. Con carácter orientativo, el cambio debe hacerse entre los 5.000 y 10.000 kilómetros. En la actualidad se están comercializando aceites capaces de mantener sus propiedades iniciales de 15.000 a 20.000 kilómetros.

Solución a las actividades

Actividad 1.

- ☐ a) Tapones elaborados de metal que se colocan en el bloque del motor o en la culata para evitar daños en el motor como consecuencia de la congelación del refrigerante.
- ☑ b) Orificios sellados mediante tapones cuya función es evitar que existan burbujas de aire en el circuito de refrigeración.
- ☐ c) Un tubo de goma unido a la parte superior del radiador.

Actividad 2.

Falsa.

Actividad 3.

Verdadera.

Actividad 4.

La contaminación es originada por las fugas de **gases** de compresión y de combustión hacia el **cárter** a través de los **segmentos**.

Actividad 5.

- ☐ a) Es un procedimiento de anticontaminación por tratamiento de los gases de escape.
- ☐ b) Es un sistema basado en medir los gases quemados y corregir la proporción aire/combustible de la mezcla en función de la proporción de oxígeno presente en ellos con respecto a la teórica.
- ☑ c) Ambas opciones son correctas.

Actividad 6

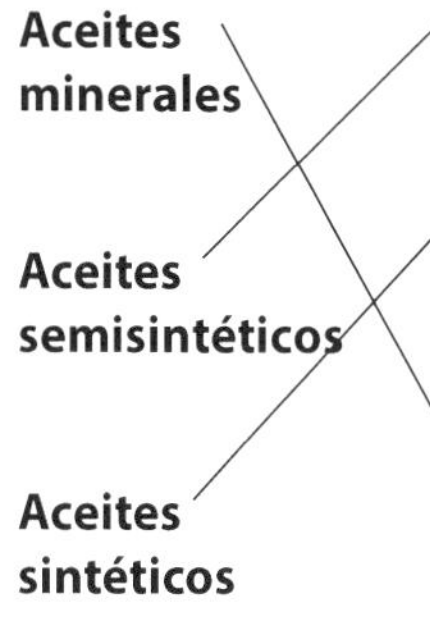

Son aceites obtenidos de bases procedentes de un proceso de hidrogenación o hidrocrackeado a alta temperatura de aceites minerales.

Son aceites conseguidos a partir de bases sintéticas no procedentes del refino del petróleo, generalmente ésteres obtenidos por reacción de un alcohol con ácidos orgánicos de origen vegetal, como la colza.

Se trata de aceites obtenidos a partir de bases minerales formadas por largas cadenas de carbonos e hidrógenos y procedentes de un proceso de refinado del petróleo.

Actividad 7.

Premium

TEMA 6

El Motor

El Motor: carburación: arranque en frío. Colector de admisión. Doble carburador (dual). Carburadores escalonados. Carburadores anticontaminantes. Carburadores cuádruples. Cárter. Calefacción de la mezcla. Compresores. Filtros de aire y gasolina. Alimentación del carburador. Averías en la carburación. Inyección de gasolina. Inyección eléctrica

Empieza **subrayando** solo las ideas principales en la lectura comprensiva. Elige tu código de color según su importancia. Si quieres saber más, te lo explicamos en tu Curso MAD360.

Índice

1. El Motor: carburación

El carburador es un dispositivo presente en los antiguos motores de gasolina cuya función era:

- Aumentar la potencia y economizar el consumo.
- Preparar la mezcla de aire y combustible en las proporciones adecuadas para una óptima combustión.

Estas proporciones vienen determinadas por el denominado *"Factor Lambda"* que, en función del tipo de combustible, marca un valor mediante el cual obtenemos una combustión óptima. Por lo general, lo que el carburador hace es mantener la composición de la mezcla invariable, modificando el peso o la cantidad de la misma.

Con la llegada del *catalizador* la exigencia de una alta precisión se hizo tan necesaria que este tradicional sistema fue sustituido por el de inyección.

Cuando el vehículo necesita más potencia, el carburador debe aportar la cantidad de mezcla suficiente para poder desarrollarla, generalmente con una relación de 12/1 (*doce de aire por una de gasolina*), y decimos que la mezcla es "**rica**"; y por el contrario, cuando baja la proporción de gasolina, para velocidades de crucero y suaves, se establece una relación de 17/1, y se dice que la mezcla es "**pobre**".

En los carburadores encontraremos tres elementos esenciales, que son:

- **La cuba.** El carburador dispone de un pequeño depósito llamado cuba que sirve para mantener constante el nivel de gasolina en el carburador, la cual es a su vez alimentada por la bomba de alimentación, que hemos visto. Este nivel constante se mantiene gracias a un flotador con aguja que abre o cierra el conducto de comunicación.
- **El surtidor.** La gasolina pasa de la cuba a un tubito estrecho y alargado llamado surtidor. El surtidor pone en comunicación la cuba con el conducto de aire, donde se efectúa la mezcla de aire y gasolina (*mezcla carburada*).

- **El difusor o venturi.** Es un estrechamiento del tubo por el que pasa el aire para efectuar la mezcla. El difusor no es más que una aplicación del llamado "**efecto Venturi**", que se fundamenta en el principio de que "la succión o vacío creado en un conducto es directamente proporcional a la velocidad con que circula el gas, e inversamente proporcional al estrechamiento o sección de paso".

Por su parte, el **colector de admisión**, que es por donde entra el aire del exterior a través de un filtro en el que quedan las impurezas y el polvo, a la altura del difusor, se estrecha para activar el paso del aire y absorber del difusor la gasolina, llegando ya mezclada a los cilindros. La corriente que existe en el colector, la provocan los pistones en el cilindro durante el tiempo de admisión, que succionan el aire, con la válvula o válvulas de admisión abiertas.

Una **válvula de mariposa** sirve para regular la cantidad de mezcla, esta es a su vez accionada por el conductor cuando pisa el pedal del acelerador. Se sitúa a la salida del carburador, permitiendo el paso de más o menos mezcla.

El poco caudal de gases que entra a regímenes de ralentí es insuficiente para succionar suficiente gasolina y mezclarla convenientemente, de ahí que se precise un **surtidor de ralentí** después de la mariposa, ajustable en la riqueza de combustible mediante un tornillo.

Cuando se arranca el motor por primera vez en los días fríos, la gasolina se condensa en las frías paredes del cilindro de modo que la mezcla que llega a los cilindros es demasiado pobre, por lo que el arranque se dificulta. Es necesario disponer de un sistema que enriquezca la mezcla y para ello disponemos del **estrangulador** o del "**estárter**".

El **estárter** es un pequeño carburador especial que en frío produce una mezcla apropiada para el arranque, mientras no recupere la temperatura adecuada el motor. Es una válvula de mariposa que se acciona (*hoy en día es automática*) y que hace que el paso del aire esté obstruido, con lo que se enriquece la mezcla. Antiguamente, el estárter era una palanca tiradora que antes de arrancar el vehículo se accionaba, cerrando el paso del aire al carburador, con lo que la mezcla era muy rica en combustible, y así el vehículo se ponía en marcha fácilmente.

El **chiclé** es un paso calibrado para fluidos, generalmente combustible. Se utiliza en carburadores para dosificar correctamente la mezcla aire-combustible. Cambiando su diámetro de paso, cambiamos dicha relación, pudiendo de esta forma hacer más rica o más pobre la mezcla. Está situado entre la cuba y el surtidor.

Recuerda que...

Aunque el carburador ha sido reemplazado en la mayor parte de los vehículos modernos por el sistema de inyección, no podemos decir que haya desaparecido del todo. Aún tiene utilidad en algunos vehículos de competición y alguna que otra motocicleta.

2. Inyección en el motor de gasolina

La **inyección de combustible** es un sistema de alimentación de motores de combustión interna, alternativo al carburador en los motores de explosión, que es el que usan prácticamente todos los automóviles europeos desde 1990, debido a la obligación de reducir las emisiones contaminantes.

En los motores de gasolina actualmente está desterrado el carburador en favor de la inyección, ya que permite una mejor dosificación del combustible y sobre todo desde la aplicación del mando electrónico por medio de un calculador que utiliza la información de diversos sensores colocados sobre el motor para manejar las distintas fases de funcionamiento, siempre obedeciendo las solicitudes del conductor en primer lugar y las normas de anticontaminación en un segundo lugar. En la actualidad este sistema ha alcanzado un nivel de eficiencia notable, para sobreponerse al bajo consumo de la inyección diésel, detalle este que orienta a muchos compradores de vehículos a determinarse por un motor de gasóleo.

Es necesario aclarar que los inyectores de gasolina no guardan ninguna relación con los inyectores o bomba de inyección que emplean los motores diésel, cuyo funcionamiento es completamente diferente.

El suministro de combustible mediante una bomba a presión, y no por succión como en el caso de los carburadores, evita ese retardo en el aporte de combustible frente a la demanda del conductor pisando el acelerador, lo que no hace necesaria la bomba de aceleración, de manera que este sistema de alimentar al motor se va a perder ganándose en un menor consumo, y una menor contaminación por no existir gran cantidad de hidrocarburos sin quemar.

El sistema de inyección aporta otras ventajas:

- Aprovechar la mayor temperatura de los colectores, a la altura de la culata, para vaporizar toda la gasolina. Recuerda que cuando hay menor temperatura, hay más dificultad para que el combustible se vaporice.
- Un mejor reparto del combustible hacia aquellos cilindros más alejados.
- Mejor control sobre la cantidad inyectada, no dependiendo de la depresión generada en el colector de admisión.
- Reducciones de consumo por el corte de suministro en deceleración.

En la actualidad predominan los sistemas de inyección en los que la formación de la mezcla se realiza fuera de la cámara de combustión (*inyección en tubo de admisión o colector de admisión*), y son los **sistemas de inyección externa o indirecta**. Los sistemas de inyección interna, o de **inyección directa** en la cámara de combustión, están ganando importancia por ser los más adecuados para la reducción de consumo de combustible.

3. Alimentación en motores diesel. Inyección en el motor diésel

La bomba de inyección de combustible distribuye una cantidad medida y exacta de diésel al inyector bajo alta presión y en un tiempo específico. Los motores diésel requieren que la entrega del combustible por el inyector sea directamente en el cilindro o en una precámara que sirve al cilindro. Esto difiere de los motores de gasolina. Los motores diésel pueden clasificarse por tipos de bombas, así como el método de entrega y el lugar de entrega del combustible por el inyector.

Como ya sabemos, a diferencia de los motores de gasolina, en los diésel, en el tiempo de admisión se aspira únicamente aire, e igualmente en el segundo tiempo, se comprime solo aire. Cuando la compresión está en su punto álgido, el inyector pulveriza una pequeña cantidad de gasoil a modo de espray, y precisamente para conseguir un espray con una muy fina **pulverización** del combustible, se requiere un **sistema de inyección de alta presión.**

La alta presión sirve para empujar el gasoil a través de los pequeños agujeros de la tobera del inyector, produciendo una impresionante fracción del combustible que lo convierte en una **nebulosa casi vaporizada** que, al entrar en contacto con el aire comprimido extraordinariamente caliente, **autodetona**.

La mejora de los medios de fabricación de las bombas de inyección (*actualmente sistemas de Common Rail*) ha permitido pasar de los **200 bar** de presión iniciales allá por el **año 1930,** a los **actuales 2000 bar** de presión máxima de inyección.

Siguiendo con el funcionamiento del motor diésel, al entrar el espray lanzado por el **inyector** en contacto con el **aire a elevada temperatura**, se produce la **combustión**.

Otro factor fundamental en el motor diésel es que **no se produce una explosión** sino una **combustión continuada** (*lo que hemos denominado anteriormente como autodetonación*).

El Sistema Common Rail o Conducto Común

El Sistema Common Rail o Conducto Común, fue inventado por los ingenieros de Magnetti Marelli y Alfa Romeo, pero no lograron desarrollar con el éxito el sistema y fue Bosch quien patentó la inyección. También se le da el nombre de inyección por acumulador de combustible.

En este sistema la generación de presión y la inyección se realizan de forma separada, ya que la generación de presión es mecánica, mientras que la inyección es electrónica. Una bomba de pistones axiales ubicada en el motor se encarga de generar una presión continua. Esta presión se acumula en el conducto común y suministra el combustible a los inyectores por medio de tuberías cortas.

Una unidad electrónica se encarga de regular el avance y la cantidad necesaria de gasoil de manera individual para cada inyector y a cualquier régimen de funcionamiento del motor. De esta manera conseguimos una de las principales premisas de una buena inyección: Caudal y avance individuales para cada cilindro. El hecho de disponer de una bomba independiente para la alta presión nos da la posibilidad de tener una alta presión incluso a bajas revoluciones con las ventajas que ello conlleva.

Por otro lado las electro válvulas de los inyectores ofrecen la ventaja de inyectar en varias etapas (pre inyección, inyección principal y post inyección) en el momento justo y con la cantidad de gasoil necesaria para cada estado del motor. Con este sistema además de lograr mejoras de potencia importantes en el motor y reducir los niveles de sonoridad se consigue rebajar los índices de polución de manera considerable.

En el sistema common rail, el combustible a presión almacenado en un acumulador (rail), es inyectado en el cilindro en el momento adecuado y en la cantidad necesaria, para conseguir el funcionamiento correcto del motor en todas las condiciones de servicio. La presión de inyección así como la cantidad de inyección, junto con el momento de inyección correcto, son calculadas y controladas por una unidad de control, es decir por la ECU. Gracias a ella, las señales de diferentes sensores calculan dichos parámetros y actúa sobre diversos actuadores para controlar sus componentes.

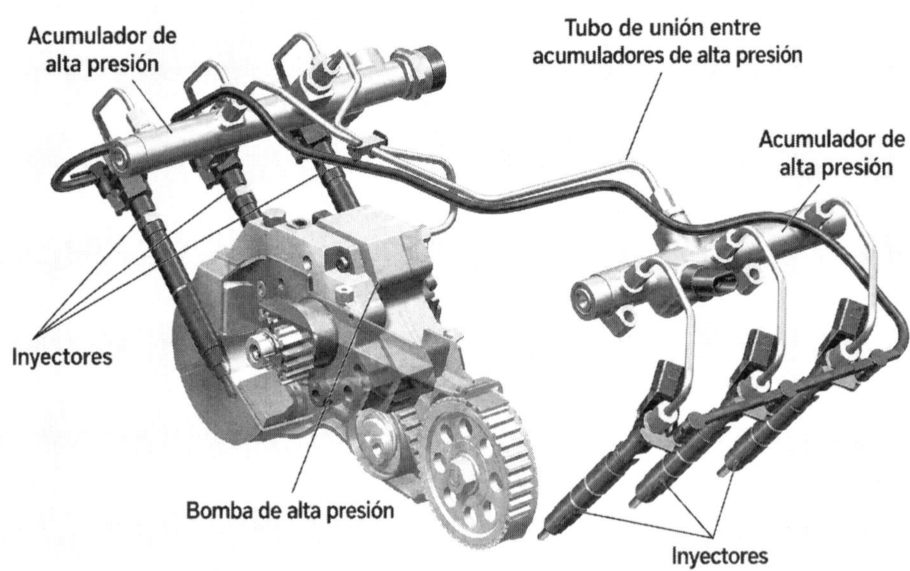

Sistema de inyección Common Rail o Conducto Común

Actividad 1

Las electro válvulas de los inyectores, en el sistema de inyección Common Rail, inyectan el combustible en:

- ☐ a) Una sola etapa.
- ☐ b) En dos etapas.
- ☐ c) En tres etapas.
- ☐ d) En cuatro etapas.

4. Sistemas de alimentación con carburador: tipos. Componentes. Funcionamiento

4.1. Introducción

Un motor quema una mezcla de combustible y comburente que debe cumplir determinadas condiciones: ser de las proporciones adecuadas (1 a 10.000 en volumen), estar debidamente comprimida, encontrarse a alta temperatura y tener un foco de ignición. Los sistemas de alimentación son los encargados de cumplir con la primera condición, es decir, realizar una mezcla de la gasolina con el aire variable según las condiciones de la marcha y controlada por un conductor a través del acelerador.

El sistema de alimentación de gasolina se divide a su vez en dos subsistemas: el de alimentación de combustible, formado por el depósito, la bomba, el filtro y el carburador, y el de alimentación de aire, constituido por el filtro y los colectores de admisión. Fundamentalmente se van a exponer en profundidad los carburadores, puesto que el resto del circuito se va a desarrollar en otros temas.

La misión de la carburación es preparar la mezcla de combustible, pulverizando la gasolina para que se mezcle íntimamente con el aire. La proporción aire/gasolina debe ser la adecuada y poderse variar según las necesidades de la marcha, oscilando entre 12/1 y 17/1.

Principio de la carburación

El funcionamiento del carburador se basa en el Principio de Venturi, según el cual el paso de toda corriente de aire rozando un orificio provoca en él una succión que será mayor cuanto mayor sea la velocidad del aire. Como la velocidad del aire es directamente proporcional a la sección de paso, cuanto más estrecha sea la canalización por donde circula, mayor será la velocidad de paso del fluido y mayor la succión.

4.2. Componentes

4.2.1. Circuito de alimentación de combustible

Está constituido por el depósito de combustible, la bomba de alimentación y el carburador.

- **Depósito**: está formado por materiales plásticos especiales o por dos semicarcasas de chapa de acero soldadas. Se emplaza alejado de zonas calientes y lo más bajo posible (baja el centro de gravedad). Habitualmente se le dota de un dispositivo de desgaseado y de un tapón hermético.
- **Bomba de combustible**: fundamentalmente se han venido usando dos tipos de bombas:
- **Bomba mecánica de membrana:**

  Son accionadas por una palanca que contacta con la excéntrica del árbol de levas. Este tipo de bombas trabajan en tres fases:

  * Fase de aspiración en la que entra el combustible.
  * Fase de impulsión en la que se envía el combustible al carburador a una determinada presión.
  * Fase de no trabajo la cuba del carburador está llena
- **Carburador**. Se tratará posteriormente.

4.2.2. Circuito de alimentación de aire

Está constituido por el filtro de aire y los colectores de admisión.

- **Filtro de aire**: somete al aire a bruscos cambios de dirección para separar las partículas más gruesas aprovechando la acción de la fuerza centrífuga. Utiliza como materia filtrante un cilindro de papel poroso impregnado en resina y doblado en acordeón. Se sitúa en la entrada de aire del carburador.

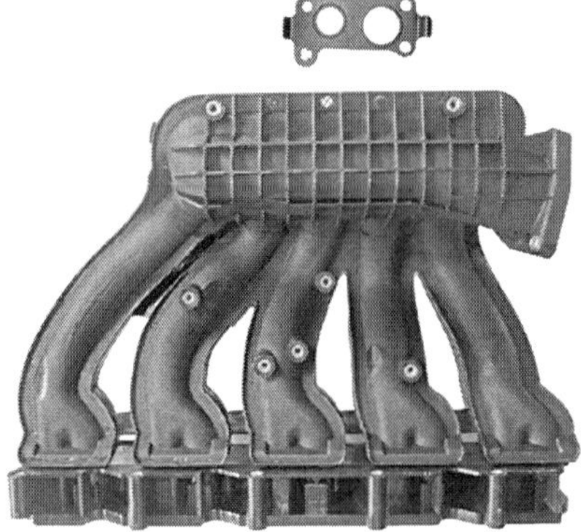

Colector de admisión

- **Colectores de admisión**: son los conductos por los que pasa la mezcla a los cilindros desde el carburador. Cumplen, además, la misión de aumentar el grado de vaporización de la mezcla. Se fijan a la culata con interposición de juntas.

4.2.3. Carburador

- **El carburador elemental**:

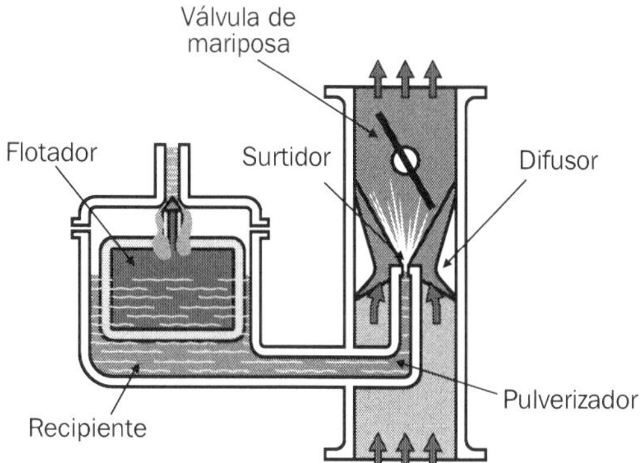

Carburador elemental (de tipo vertical)

El carburador se monta sobre el colector de admisión, llegándole el aire por la parte superior, aspirado por el motor cuando la mariposa de gases se abre. Se incrementa su velocidad en el difusor o venturi, creándose la depresión que arrastra la gasolina del surtidor por el efecto venturi. El calibre del surtidor regula la cantidad de gasolina que entra al difusor (junto con el venturi regulan la mezcla). El nivel de la gasolina en el difusor es el mismo que en la cuba (recipiente) por el principio de los vasos comunicantes. Esta toma la gasolina del depósito gracias a la bomba de alimentación y mantiene su nivel constante gracias a una aguja que obtura la entrada cuando el flotador sube y la abre cuando éste baja. La mariposa de gases es mandada por el pedal de aceleración.

- **Compensador o surtidor de mínimo**: un carburador como el visto en el anterior apartado sólo puede proporcionar una mezcla adecuada a un nivel de revoluciones determinado. Como consecuencia, si marcháramos en terreno llano con un régimen elevado y la mariposa a medio abrir, la depresión creada sería grande y se arrastraría mucha gasolina; la mezcla obtenida sería demasiado rica para lo que necesitamos. Si marcháramos en pendiente con un régimen relativamente bajo y la mariposa totalmente abierta, la depresión creada sería pequeña y se arrastraría poca gasolina; la mezcla sería demasiado pobre para lo que necesitamos. Para solucionar este problema se emplean compensadores.

- **Economizador**: Consiste en una válvula de membrana que abre un circuito en paralelo al del calibre principal. Esta membrana está sometida a la acción de un muelle por una cara y a la depresión del colector a la altura de la mariposa por la otra. Con aberturas totales de la mariposa de gases la depresión es débil, con lo que es el muelle el que empuja a la membrana, abriéndose totalmente la válvula. En este caso, el caudal de combustible aportado en paralelo al surtidor principal es máximo. Con aberturas parciales de la mariposa la depresión es mayor, con lo que la membrana tira hacia atrás venciendo la acción del muelle, cerrando la válvula el conducto. Así, el caudal aportado al surtidor se reduce.

- **Econostato (enriquecedor de potencia)**: Su función es aumentar la riqueza de la mezcla en las condiciones de funcionamiento a plena potencia. Consiste en un tubo calibrado sumergido en la cuba y que desemboca en el colector, por encima del difusor y a una determinada altura.
- **Bomba de aceleración**:

  Al acelerar queremos que el carburador enriquezca la mezcla lo más rápidamente posible, pero el carburador que hemos estudiado hasta este punto no podría cumplir esta función de forma rápida, ya que al abrir repentinamente la mariposa aumenta el aire que se suministra, empobreciéndose la mezcla. La solución es emplear bombas de aceleración.

  Estas bombas suelen ser del tipo de membrana y accionadas por un sistema de palancas movidas por el eje de la mariposa. Aportan combustible adicional por encima del difusor de forma progresiva.

  En otros casos, el sistema de accionamiento son levas montadas en el eje de la mariposa de gases. El perfil de la leva se diseña para que el caudal sea el más adecuado y el vertido sea progresivo en función de la aceleración.
- **Dispositivo para marcha al ralentí**:

  En condiciones de funcionamiento al mínimo, girando el motor a pocas revoluciones, la mariposa de gases está casi totalmente cerrada, con lo que en el difusor hay una depresión insuficiente para arrastrar gasolina del surtidor. En estas condiciones el motor se calaría. La solución es el empleo de un circuito auxiliar en paralelo con el principal para asegurar el cebado.
- **Dispositivo de arranque en frío**:

  En el arranque los vapores del carburante tienden a condensarse y depositarse en las paredes frías de los conductos de alimentación y en el propio cilindro. Para compensar esta pérdida la riqueza de la mezcla debe ser mayor.

  El dispositivo de arranque en frío lo que hace es producir un enriquecimiento de la mezcla aumentando la depresión creada a la altura del surtidor principal, haciéndose así mayor la succión. Para ello se dispone de una mariposa estranguladora que restringe el paso de aire hacia el surtidor. Al poco aire que deja pasar la mariposa el surtidor le suministra gran cantidad de combustible.
- **Dispositivos auxiliares**: determinados carburadores disponen de diversos mecanismos con funciones complementarias. Destacan los siguientes:
  * *El corrector de ralentí*: en los vehículos equipados con sistema de aire acondicionado o dirección asistida, el funcionamiento de los mismos supone un freno para el motor, que si está girando al ralentí puede producir el calado del motor.

Para evitarlo se coloca un pulmón corrector que actúa sobre la leva de mando del acelerador para aumentar ligeramente el régimen de giro mediante la apertura parcial de la mariposa de gases. El pulmón corrector es accionado por el vacío de la admisión. Una electroválvula de vacío es la encargada de activar el sistema en los momentos precisos; para ello se sitúa un interruptor en los sistemas de aire acondicionado y dirección asistida que envía señal a la misma.

* *Dispositivos de caldeo*: la evaporación de la gasolina produce un enfriamiento que puede llegar a formar hielo en algunas partes del carburador, en concreto a la altura de la mariposa de gases y, sobre todo, en la desembocadura del conducto de ralentí, que es donde más velocidad lleva la mezcla. Esto puede obstruir los conductos.

  Para evitar este inconveniente, algunos carburadores disponen una circulación de agua caliente alrededor de estas zonas frías. La zona de la mariposa de gases se suele calentar mediante una espira de caldeo.

* *Cortador de ralentí*: cuando el motor se para, los pistones siguen moviéndose por inercia, lo que hace que el circuito de ralentí siga suministrando combustible durante ese tiempo. Ese combustible no se quema en los cilindros, sino que se deposita en forma de gotas, lo cual no es deseable.

  Para evitarlo se incorpora al circuito de ralentí un mecanismo obturador del mismo, consistente en una aguja cónica que corta el calibre de ralentí con el motor parado. La aguja es comandada por medio de un electroimán que cuando se activa (al accionar la llave de contacto) libera al calibre de ralentí, pero que al parar el motor lo bloquea.

* *Aireación de la cuba del carburador*: durante la marcha del motor, el calentamiento del carburador está limitado por la propia vaporización de la gasolina, la ventilación del motor y la renovación de la gasolina en la cuba. Pero al parar el motor cesa la ventilación, con lo que el carburador se calienta y aparece el fenómeno de la "*percolación*", consistente en la vaporización de la gasolina en la cuba, en el cuerpo de bomba, en el surtidor, etc. Este vapor se vierte en los colectores, con lo que dificulta el siguiente arranque porque enriquece excesivamente la mezcla. Normalmente el problema se soluciona arrancando varias veces, siempre y cuando no se hayan ensuciado las bujías.

Actividad 2

Indica si la siguiente cuestión es verdadera o falsa:

La misión del econostato es aumentar la riqueza de la mezcla en las condiciones de funcionamiento a plena potencia.

Verdadera ☐ Falsa ☐

4.3. Tipos de carburadores. Funcionamiento

4.3.1. Carburadores monocuerpo

Todos los carburadores, salvo por las peculiaridades propias de cada marca, presentan una disposición de circuitos similar. Este carburador sería el que se ha venido explicando en los anteriores apartados. Resumiendo lo ya visto, sus componentes serían los siguientes:

- **Cuba de nivel constante**, en la que se aloja el flotador que gobierna el sistema de cierre de aguja.
- **Surtidor principal**, que es alimentado a través del calibre principal y del economizador.
- **Sistema de ralentí**, que suministra mezcla en paralelo al surtidor principal regulada en riqueza por un tornillo de punta cónica.
- **Bomba de aceleración**, que vierte combustible suplementario a la altura del difusor.
- **Econostato**, que vierte también a la altura del difusor para regímenes altos del motor.
- **Sistema de arranque en frío**, que aumenta la riqueza de mezcla durante las primeras vueltas del motor.

Carburador monocuerpo

4.3.2. Carburadores de doble cuerpo

Su función es mejorar la alimentación para regímenes altos y elevadas potencias (sobre todo se aplican en motores de más de 1.300 c.c.). En estas condiciones un carburador monocuerpo debería tener los diámetros del difusor y del calibre principal sobredimensionados, con lo que la depresión lograda sería muy limitada e incluso insuficiente a bajos regímenes.

En función de cómo sea el accionamiento de las mariposas de gases, estaremos ante un carburador de doble cuerpo o ante un doble carburador.

Las **partes de un carburador de doble cuerpo** y sus respectivas funciones son las siguientes:

- Los surtidores principales vierten en los centradores. El calibre principal regula la gasolina vertida.
- Las mariposas son de apertura diferenciada (se ensamblan mediante un sistema de levas normal, que no se aprecia en la figura).
- El economizador es único y actúa sobre el surtidor del primer cuerpo. Los econostatos actúan sobre los dos.
- La bomba de aceleración vierte en el primer cuerpo y es accionada por una leva situada en la mariposa de gases de este primer cuerpo.
- El sistema de ralentí funciona en el primer cuerpo. Así hay un circuito principal que toma gasolina de la cuba a través del calibre principal, se emulsiona con el aire que pasa por el calibre de ralentí y se regula en riqueza con el tornillo correspondiente.
- El sistema de ralentí también actúa en el segundo cuerpo vertiendo por el orificio de ralentí, pero sólo cuando la mariposa del primero está abierta en 2/3 partes.

El **funcionamiento del carburador puede esquematizarse** en los siguientes aspectos fundamentales:

- Los dos cuerpos son alimentados por una sola cuba de nivel constante. En marcha normal la alimentación se realiza mediante los surtidores principales.
- Las mariposas de gases se ensamblan mecánicamente, de tal forma que la del segundo cuerpo no comienza a abrirse hasta que la del primero no ha alcanzado los 2/3 de su abertura total. Esto supone que:
  * En condiciones normales sólo funciona el primer cuerpo.
  * A partir de cierta posición del acelerador comienza a actuar el sistema de ralentí del segundo cuerpo.
  * Con una apertura mayor se ceba el surtidor principal del segundo cuerpo, que comienza así a actuar en paralelo con el primero.
  * A partir de aquí la velocidad de apertura del segundo cuerpo es mayor, hasta llegar a una plena apertura ambos al mismo tiempo.
- El economizador corrige la riqueza de mezcla únicamente en el primer cuerpo; los econostatos actúan en ambos cuerpos a altos regímenes y plenas cargas. La bomba de aceleración actúa únicamente en el primer cuerpo.
- El funcionamiento del ralentí se obtiene en el primer cuerpo. A régimen de ralentí, la mariposa del segundo cuerpo está cerrada quedando el orificio de ralentí por encima de ella. Sólo cuando la mariposa del primer cuerpo se abre los 2/3 del recorrido comienza a actuar el circuito de baja del segundo cuerpo.

- Este carburador suele ir dotado de una placa de caldeo para refrigeración y de un sistema de aireación mixta de la cuba gobernada por la mariposa del primer cuerpo. Va provisto de igual manera de un estrangulador automático de bilámina para el arranque en frío.

Carburador de doble cuerpo

4.3.3. Carburadores dobles

Se denomina así a los carburadores de doble cuerpo dotados de un sistema de mando de las mariposas de apertura simultánea. Si cada cuerpo del carburador alimenta a un grupo de cilindros independiente del otro, para que la alimentación sea igual, ambos cuerpos deben tener igual reglaje y apertura de la mariposa. Ambas mariposas se montan sobre un mismo eje.

5. Sistemas de alimentación de gasolina por inyección electrónica: Tipos. Componentes. Funcionamiento

5.1. Sistemas de inyección electrónica multipunto: constitución, características, funcionamiento

El L-Jetronic es un sistema de inyección sin accionamiento mecánico, por control electrónico, con el que se inyecta intermitentemente combustible en el colector de admisión. Su característica diferencial es que efectúa mediante el caudalímetro la medición del volumen de aire admitido.

De él deriva la familia de los sistemas de inyección LE-JETRONIC (LE-1) y LH-JETRONIC, todos ellos equipos de inyección multipunto simultánea.

Por la admisión entra aire, no mezcla; la inyección de combustible tiene lugar a la entrada del cilindro. La cantidad de combustible inyectado depende básicamente de la información que una Unidad Electrónica de Control (UEC) recibe de: un fluidómetro que informa de la cantidad de aire aspirado y un conjunto de sensores que determinan el inicio de la inyección y su frecuencia.

Por ello, el *sistema de inyección L-Jetronic* se puede clasificar como:

- **Inyección multipunto**: un inyector por cilindro.
- **Inyección intermitente simultánea (no continua, no secuencial)**: los inyectores inyectan combustible intermitentemente, pero en todos los cilindros a la vez.
- **Inyección indirecta**: el inyector inyecta en el colector de admisión, cerca de la válvula.
- **Inyección Jetronic**: la gestión de la inyección es electrónica, pero independiente de la gestión del encendido (los sistemas Motronic gestionan ambas en conjunto).

El sistema consta básicamente de tres *bloques funcionales*:

- **Sistema de aspiración**, encargado de hacer llegar al motor el caudal de aire necesario. Compuesto por el filtro de aire, los colectores de admisión, la mariposa de gases y los distintos tubos de admisión.
- **Sistema de alimentación de combustible**, encargado de impulsar el combustible hasta los inyectores a la presión necesaria. Compuesto por la bomba de combustible, el filtro, la rampa distribuidora, el regulador de presión y los inyectores.
- **Sistema de control**, encargado de generar los impulsos de mando de los inyectores en función de las demandas del motor captadas por los sensores. Compuesto por la Unidad Electrónica de Control y los sensores.

5.1.1. Sistema de aspiración del aire

Los cuatro cilindros están alimentados por cuatro conductos unidos al colector de admisión. La llegada principal de aire está determinada por la apertura de una mariposa única situada a la entrada del colector. El aire necesario para el régimen de ralentí es canalizado por un conducto específico montado en paralelo a la mariposa de aceleración. La cantidad es regulada por un tornillo. Un circuito anexo es utilizado para arrancar con el motor en frío.

Se trata de un sistema que no varía esencialmente con el de los motores de carburación excepto en los dos subsistemas de ralentí y arranque en frío, que serán tratados en mayor profundidad en el apartado siguiente.

5.1.2. Sistema de alimentación de combustible

- **Bomba**: se trata de una bomba eléctrica de cédula de rodillos (volumétrica). El sistema de bombeo se compone de una cámara cilíndrica excéntrica en la cual gira un disco. El disco tiene en su periferia cinco alvéolos en los que se alojan cinco rodillos, los cuales son empujados contra las paredes por acción de la fuerza centrífuga.

  Está compuesta por dos válvulas, una de retención y otra limitadora de presión, puede proporcionar 4 bares de presión (la presión de servicio es de 2,5 bar).

- **Regulador de presión**: tiene por misión regular la presión de alimentación de gasolina en los inyectores en función de la presión reinante en el colector de admisión.

  Se compone de dos cápsulas engarzadas que dividen dos compartimentos por medio de una membrana.

- **Rampa distribuidora**: tiene por misión el garantizar una presión igual de combustible en todas las válvulas distribuidoras.

  Se trata de un tubo al que se conectan los inyectores y que debe de albergar el suficiente volumen de gasolina que garantice que no existan variaciones de presión.

- **Inyectores**: tienen por misión inyectar en el conducto de admisión la cantidad de gasolina necesaria para el funcionamiento del motor.

5.1.3. Sistema de control

La cantidad de gasolina inyectada es ajustada a la cantidad de aire aspirado por el motor en función de la dosificación deseada en ese instante. Dicha cantidad es función del tiempo de apertura del inyector. El cálculo de la duración del impulso de activación lo realiza la UEC en función de los informes recibidos por los diferentes detectores colocados en el motor.

En definitiva, el sistema de control está formado por las sondas y la unidad electrónica de control. Los primeros registran las condiciones de servicio del motor. La segunda gestiona electrónicamente la inyección.

A) Magnitudes de medición

Las condiciones de servicio del motor pueden diferenciarse en tres tipos: principales, a partir de las que se determina el caudal de aire por carrera (carga), de adaptación normal, por las que se adapta la mezcla para las condiciones de servicio que difieren de lo normal, y de adaptación precisa, por las que se adapta la mezcla a condiciones especiales de marcha.

- *Magnitudes principales*: régimen de motor y caudal de aire aspirado.
- *Magnitudes para adaptación normal*: arranque en frío, fase de calentamiento, adaptación de carga.
- *Magnitudes para adaptación precisa*: transición al acelerar, limitación de régimen máximo y marcha con motor retenido.

B) Medición del caudal de aire

El caudal de aire aspirado por el motor se mide mediante un fluidómetro (o caudalímetro). La fuerza ejercida por la corriente de aire sobre una paleta sonda es convertida en señal eléctrica por un potenciómetro situado en su eje, señal que luego es dirigida a la UEC.

C) Medición del número de revoluciones

La señal de revoluciones llega a la UEC desde el distribuidor. Notifica a ésta dos parámetros: inicio y cadencia de inyección (velocidad de rotación del motor).

En el inicio de la inyección los cuatro inyectores funcionan simultáneamente. En cuanto a la cadencia de la inyección, la UEC inyecta la cantidad de gasolina necesaria por ciclo de dos veces (por tanto, el inyector es excitado dos veces por ciclo). Como el distribuidor suministra cuatro impulsos por ciclo, es la UEC la que se encarga de dividir esos cuatro impulsos por dos.

D) Arranque en frío

Se enriquece en combustible la mezcla durante el arranque en frío con el fin de compensar las pérdidas producidas por la condensación que se produce en estas condiciones. Transitoriamente el coeficiente de aire es menor de 1. En el sistema L-Jetronic se emplea un inyector auxiliar controlado por un termointerruptor temporizado sometido a la temperatura del motor.

El inyector de arranque en frío es de estructura similar al convencional, pero vierte gasolina en una caja de aire justo por detrás de la mariposa. Es activado cuando se acciona el motor de arranque o cuando encuentra masa a través del termocontacto temporizado.

E) Funcionamiento en frío

La condensación del combustible sigue sucediendo, aunque en menor medida, durante esta fase; por ello se continúa enriqueciendo la mezcla. En el sistema L-Jetronic está función la cumple la propia UEC aumentando los tiempos de inyección en función de la temperatura del motor, que le es notificada por una sonda de temperatura del líquido refrigerante. El enriquecimiento correspondiente en aire de la mezcla se encomienda a una caja de aire adicional.

Actividad 3

Cuando los inyectores inyectan combustible intermitentemente, pero en todos los cilindros a la vez nos estamos refiriendo a:

- ☐ a) La inyección multipunto.
- ☐ b) La inyección intermitente simultánea.
- ☐ c) La Inyección Jetronic.
- ☐ d) La inyección indirecta.

F) Ralentí

La mezcla debe enriquecerse ligeramente para evitar fallos en la combustión. Ese enriquecimiento lo efectúa la UEC aumentando el tiempo de inyección.

La mezcla al ralentí se ajusta en el by-pass regulable existente en paralelo a la mariposa de gases. Para que la UEC conozca que el motor se encuentra en régimen de ralentí y que, por tanto, debe enriquecer la mezcla, se emplea un interruptor de mariposa en el que dos contactos se unen cuando el régimen corresponde al de ralentí.

G) Adaptación a la carga

Distintos regímenes de carga requieren distintas proporciones de mezcla. Estas adaptaciones de la mezcla las efectúa la UEC modificando los tiempos de inyección, pero para ello debe conocer si el motor se encuentra a ralentí (ligero enriquecimiento), carga parcial (dosificación según mapa de UEC) y plena carga (enriquecimiento programado). El encargado de notificar a la UEC estos estados es el interruptor de mariposa.

H) Adaptación a la temperatura del aire

Las variaciones en la proporción de oxígeno que tiene el aire en función de la temperatura es tenida en cuenta por la UEC a la hora de dosificar la mezcla. Para conocer dicha temperatura se sitúa una sonda térmica en el caudalímetro. La sonda térmica es de tipo NTC.

I) Adaptaciones adicionales

También se controlan desde la UEC los estados de servicio correspondientes a tope de marcha y marcha con motor retenido.

Para adaptar la mezcla en condiciones de motor retenido (régimen alto y mariposa cerrada), la inyección se corta hasta que el régimen descienda a un cierto valor o se abra el contacto de ralentí (la UEC compara las informaciones que le llegan del interruptor de mariposa y del distribuidor).

Para adaptar la mezcla en condiciones de motor a tope de marcha, la inyección se corta cuando se supera un número de revoluciones preprogramado en la UEC.

5.2. Sistema electrónico integral de inyección y encendido

La evolución tecnológica lógica a los sistemas vistos en anteriores apartados fue unir encendido e inyección en un único sistema, gestionado por una única centralita. Las ventajas de la integración de ambos sistemas radican en la minimización del consumo y de las emisiones contaminantes mediante la adaptación conjunta de inyección y encendido dentro de todos los parámetros de funcionamiento, lográndose una armonía del motor en todos los estados de servicio.

Para su estudio se puede dividir en dos subsistemas: subsistema de encendido y subsistema de inyección.

5.2.1. Subsistema de encendido

Realiza el mando por mapa tridimensional del momento de encendido y del avance en función de los parámetros normales (avance inicial, avance centrífugo y avance por depresión) corregidos por los parámetros de adaptación precisa (temperatura del motor, temperatura del aire aspirado y posición de la mariposa de gases).

- **Unidad electrónica de control (UEC)**: efectúa el mando electrónico del momento del salto de chispa y del ángulo de avance. La UEC proporciona la ley de encendido en función de régimen y carga del motor como parámetros principales y temperatura del motor, temperatura del aire de admisión y posición de mariposa como parámetros secundarios.
- **Sensores**: son de destacar los siguientes aspectos:
  * La captación del régimen y de la referencia del punto muerto superior se realiza por medio de un único transmisor inductivo en el volante. La corona del volante se divide en un número determinado de dientes, siendo uno de ellos del doble de longitud que el resto.
  * El captador de presión se coloca en el colector de admisión, constituido por un chip de cristal sensible a la presión.
  * Por supuesto, también están presentes los sensores de temperatura de líquido refrigerante (NTC), de temperatura del aire de admisión (NTC) y de picado (sensor piezoeléctrico situado entre el segundo y el tercer cilindro).
- **Circuito de alta tensión**: el encendido es de tipo integral y estático. Recordemos que en este caso el distribuidor tiene como función únicamente repartir la chispa. Ya no es necesaria la cápsula de depresión, el variador de avance centrífugo ni el generador de impulsos, puesto que la gestión es electrónica.

5.2.2. Subsistema de inyección

La "Motronic" utiliza para el subsistema de inyección una "L-Jetronic" con algunas variaciones. En estas variaciones se va incidir a continuación.

- **Sistema de aspiración de aire**: no presenta novedades destacables.
- **Sistema de alimentación de combustible**: tampoco presenta muchas diferencias. Si acaso destacar que en este caso se monta siempre un amortiguador de oscilaciones, cosa que en la "L" no se hacía en todos los casos.

- **Sistema de control**:

  En este apartado es en el que las diferencias son más destacables:

  * En cuanto a las magnitudes de medición, se amplía el campo de la adaptación precisa: en este caso, se regula la combustión detonante (modificando el avance), se controla presión de carga del turbo (comando de la electroválvula), se dota de un acelerador electrónico (potenciómetro en el pedal del acelerador) y se corta la alimentación a los cilindros en retención.

6. Sistemas de alimentación mecánica de los motores diesel: tipos. Componentes. Funcionamiento

6.1. Sistemas de alimentación mecánica diesel basados en bombas en línea

6.1.1. Descripción básica

Las bombas de inyección en línea constan de una serie de elementos de bombeo –tantos como cilindros– accionados por un árbol de levas que gira a mitad de revoluciones que el motor. Las levas accionan a unos taqués que impulsan al émbolo dentro del cilindro. En su subida se abren unas lumbreras que permiten el paso de combustible desde una canalización a una cámara.

En su ascenso, el pistón puede girar un cierto ángulo en torno a su eje vertical, accionado por una cremallera, de manera que se gradúa el caudal de impulsión. La parte superior de la cámara está cerrada por una válvula de retención que abre a partir de una cierta presión. Todo el sistema se complementa con un regulador y un variador de avance.

6.1.2. Elementos constituyentes y funcionamiento

Elementos de bombeo

Su función es conseguir la presión necesaria en base al desplazamiento de un pequeño émbolo dentro del cilindro. Este cilindro comunica con la galería de admisión por medio de lumbreras y con el conducto de salida por medio de la válvula de retención.

De esta forma, el elemento de bombeo realiza las siguientes fases:

- *Admisión combustible*: al descender el pistón y abrir las lumbreras, por presión en el conducto de admisión.
- *Comienzo de inyección*: en la subida de pistón, al vencer la presión de tarado del muelle de la válvula, una vez cerradas las lumbreras.

- *Final de inyección*: depende de la posición de la rampa helicoidal que comunica cilindro y rampa alimentación.

La cantidad de gasóleo inyectado depende de la carrera útil del pistón, cuya longitud es regulada por medio de la cremallera.

La modificación del caudal inyectado obedece a los desplazamientos longitudinales de la cremallera, que puede variar la posición de rampa.

Cremallera reguladora de caudal

Su desplazamiento, movida por el acelerador, modifica la posición de la rampa helicoidal. Determina el régimen y la potencia actuando únicamente sobre la cantidad de gasóleo inyectado, puesto que cambia la duración de la inyección. Se puede mover entre dos límites.

- *Suministro nulo*: para poder cortarse completamente el caudal debe de haber una posición de la rampa en la que no se aporte el mínimo caudal (accionable con cable desde dentro del coche).
- *Suministro de plena carga*: para no sobrepasar la debida proporción de combustible/aire se limita la carrera de la cremallera (tope de humos).

El regulador también puede modificar la posición de la cremallera, como posteriormente se verá.

Válvula de impulsión

Esta válvula, también llamada de descarga o de retención, tiene una doble función: garantizar que los tubos que se unen con el inyector permanezcan siempre llenos, puesto que la presión debe transmitirse a través del líquido a elevada velocidad, e impedir el retroceso del combustible. Normalmente se emplean del tipo "de asiento".

Árbol de mando

Recibe movimiento de la distribución y al él se acoplan regulador y variador de avance. Tiene tantas levas como elementos de bombeo más una excéntrica adicional para mover la bomba de alimentación de combustible, normalmente incorporada a la propia bomba en línea.

Variador de avance a la inyección

Su función es similar al avance al encendido en los motores de explosión: lograr que el momento de la inyección se adelante a la llegada del émbolo al PMS.

Está constituido por un plato dentado (recibe movimiento del motor), un buje (transmite el giro a la bomba), unas excéntricas (modifican la posición relativa del buje), unos contrapesos (empujan a las excéntricas) y unos muelles (posicionan los contrapesos).

Los contrapesos, en función del giro, al separarse, provocan un giro de las excéntricas en el mismo sentido de la rotación, adelantando al buje en el giro con respecto al plato dentado y produciendo el consecuente avance al punto de inyección.

6.2. Sistemas de alimentación mecánica diesel basados en bombas rotativas

El estudio de la bomba se va a basar en el diseño de Bosch, en concreto, en la familia V de esta marca (bombas VE, VA, etc.).

6.2.1. Descripción básica

El combustible del depósito es aspirado por la propia bomba de inyección, pasa a través del filtro y llega con baja presión a la bomba.

La bomba de transferencia (de aletas) aspira combustible y lo envía a dos sitios: al variador de avance por un lado y al propio interior de la bomba por el otro.

El variador de avance, en función de la presión a la que llega el combustible (proporcional al giro del motor) varía la posición relativa entre dos platos: el plato portarrodillos y el plato de levas. El primero es solidario al eje de la bomba. El segundo lo es al cabezal hidráulico y es el responsable de la carrera que describe el émbolo. De esta manera, se regula el inicio de la inyección.

En el interior de la bomba la presión es regulada por una válvula que vierte el sobrante a aspiración de bomba.

La cabeza hidráulica realiza dos tipos de movimientos:

- **Movimiento longitudinal del émbolo**: el plato portalevas gira sincronizado con el motor rodando sus levas sobre los rodillos del plato portarrodillos, que permanece fijo, sometido a la acción del variador de avance. La acción de los rodillos y las levas producen un empuje sobre el émbolo del cabezal hidráulico, produciéndose así alta presión en el combustible alojado en la cámara. La unión entre ambos platos queda garantizada por la acción de un muelle.
- **Movimiento rotacional del émbolo**: por acción del eje de giro de la bomba, que rota a mitad de revoluciones que el motor. Se distribuye de esta manera el combustible a cada inyector.

Un tope de caudal, gobernado por el regulador y el acelerador, gobierna el final de la inyección.

Un regulador, formado por unos contrapesos accionados por el árbol de mando, posicionan el tope de caudal en función de la fuerza centrífuga. Se dispone un mecanismo intermedio entre el acelerador y el tope de caudal para modular los bajos y altos regímenes, variaciones de carga, el arranque, etc.

Recuerda que...

Distintos regímenes de carga requieren distintas proporciones de mezcla. Estas adaptaciones de la mezcla las efectúa la UEC modificando los tiempos de inyección.

6.2.2. Elementos constituyentes y funcionamiento

Bomba de transferencia

Aspira el combustible y lo envía al variador de avance y al interior de la bomba, como ya se ha indicado anteriormente. Regula el llenado de la parte de alta presión y el inicio de inyección; también refrigera y purga.

Es del tipo "paletas", que para alcanzar presión somete al fluido a variaciones de volumen. Posee una válvula reguladora de la presión de transferencia que vierte el sobrante a la aspiración. Esta válvula modula la presión en el interior de la bomba de inyección (1-8 kg/cm^2) de forma proporcional a la velocidad de la bomba.

Cabeza hidráulica

El émbolo somete al combustible a alta presión y lo manda al inyector venciendo a la válvula de retención. Las ranuras longitudinales permiten el paso de combustible a la cámara de presión cuando coinciden en la rotación del émbolo con el canal de alimentación de la cámara.

El émbolo rota (enlace estriado con árbol de mando) y se traslada (plato de levas y de rodillos). La ranura de distribución une la cámara de presión con el canal de comunicación con la válvula de impulsión (hacia el final del recorrido ascendente del émbolo y en su giro) lo que permite que el combustible sea impulsado hacia el inyector correspondiente.

Variador

Dispositivo hidráulico al que le llega la presión de transferencia proporcional al giro del motor. Determina el inicio de la inyección con arreglo a las necesidades del motor en funcionamiento adelantando o retrasando el plato portarrodillos con respecto al de levas.

El émbolo se desplaza en función de la presión (en la otra cara actúa un muelle tarado) y determina, mediante una cremallera, la posición del plato de rodillos respecto al de levas. De esta manera se consigue más avance cuanto mayor sea el régimen de giro del motor.

Dispositivo de arranque en frío

Mecanismo hidráulico que actúa sobre el plato portarrodillos junto con el avance. El dispositivo es gobernado por una cápsula termostática sometida a la temperatura del líquido refrigerante.

Una rótula excéntrica actúa en una ranura longitudinal practicada en el plato portarrodillos de manera que lo adelanta con respecto al de levas si la temperatura del motor es baja.

Dispositivo de parada de motor

Interruptor electromagnético que obtura el conducto de llegada de combustible a la cámara de alta presión y provoca así la parada del motor.

Está constituido por una aguja capaz de obstruir el conducto de llegada a la cámara de presión de la cabeza hidráulica. Esta aguja está sometida a la acción del campo magnético creado por un solenoide que es alimentado al conectar la llave de contacto (cuando se acciona ésta se levanta la aguja).

6.2.3. Regulación

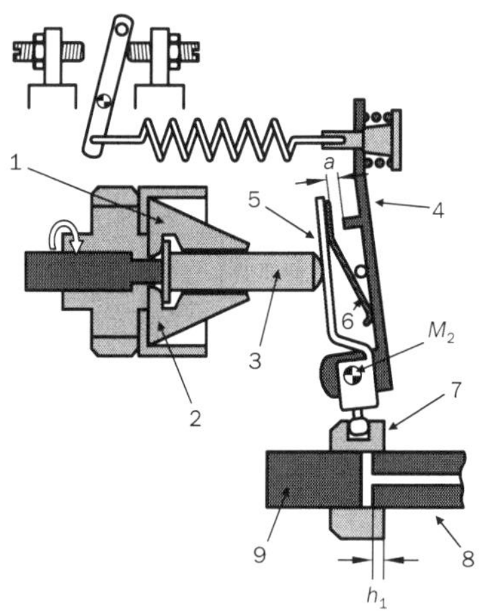

1 y 2 Pesos centrífugos
3 Manguito regulador
4 Palanca tensora
5 Palanca de arranque
6 Muelle de arranque
7 Corredera de regulación
8 Taladro de mando del émbolo distribuidor
9 Émbolo distribuidor
10 Tornillo de ajuste, régimen de ralentí
11 Palanca de control de todo régimen
12 Muelle de regulación
13 Perno de fijación
14 Muelle de ralentí
a Carrera del muelle de arranque
c Carrera del muelle de ralentí
h_1 Carrera útil máxima, arranque
h_2 Carrera útil mínima, ralentí
M_2 Punto de giro para 4 y 5

Regulador en sus posiciones de arranque y ralentí.

Accionados por un piñón que engrana con el árbol de mando, unos contrapesos determinan la posición de un manguito desplazable que a su vez posiciona a un conjunto de palancas, las cuales desplazan la posición del tope de caudal. Determina, por tanto, la duración y el caudal de inyección.

A continuación se va a estudiar la función del conjunto de palancas:

- **Palanca de mando del acelerador**: obliga al desplazamiento del resto, accionando, por tanto, el tope de caudal directamente si se acelera.
- **Palanca de arranque**: sobre ella actúa directamente el manguito desplazable de los contrapesos. Si se vence el muelle de arranque se solidariza con la palanca tensora.
- **Palanca tensora**: recibe la acción de los contrapesos por un lado y del muelle de regulación por el otro (si se vence el muelle de ralentí, todo depende de la palanca del acelerador).

El regulador controla las siguientes fases del funcionamiento de la bomba:

- **Fase de arranque**: la palanca de mando del acelerador empuja a la palanca de arranque contra el manguito desplazable. Ello consigue un largo recorrido del tope y, por tanto, mucho caudal (posición de máximo suministro).
- **Fase de ralentí**: la palanca del acelerador ocupa la posición de ralentí contra un tope; los contrapesos empujan a la palanca de arranque (venciendo el muelle de arranque) y apoyándose en la palanca tensora. Son ahora el muelle de ralentí y los contrapesos los que regulan la posición del tope (desplazándolo a suministro mínimo) y, por tanto, el ralentí.
- **Fase de aceleración**: la palanca de mando del acelerador anula los muelles de arranque y ralentí y entra en acción el muelle de regulación, con lo que se consigue una transición suave desde el ralentí; si continúa la aceleración se anula el muelle intermedio y se anula también el regulador (control del conductor).
- **Disminución de carga (posición fija de acelerador)**: los contrapesos empujan más sobre el manguito deslizante; este presiona más a la palanca tensora, la cual tira del perno de fijación, comprimiendo el muelle regulador y permitiendo que desplace el tope hacia caudal nulo.

7. Sistemas de alimentación diesel con gestión electrónica: Tipos. Componentes. Funcionamiento

7.1. Sistemas de alimentación diesel con gestión electrónica basados en bombas en línea

La gestión electrónica, en el caso de las bombas en línea, se efectúa sobre el regulador. La UEC, de acuerdo con el programa grabado en su memoria, proporciona las órdenes eléctricas que se transmiten a la cremallera y al variador de avance (las bombas de inyección con regulador electrónico no necesitan estar dotadas de avance, ya que es

la misma UEC la que adelanta la inyección al subir las rpm). Uno de los sistemas de más éxito ha sido el EDC (*Electronic Diesel Control*) desarrollado por Bosch.

Algunos de los dispositivos controlados electrónicamente son:

- Corrector de avance.
- Electroválvula de ralentí acelerado.
- Electroválvula EGR.
- Bujías de precalentamiento.
- Stop eléctrico codificado.
- Control del climatizador, etc.

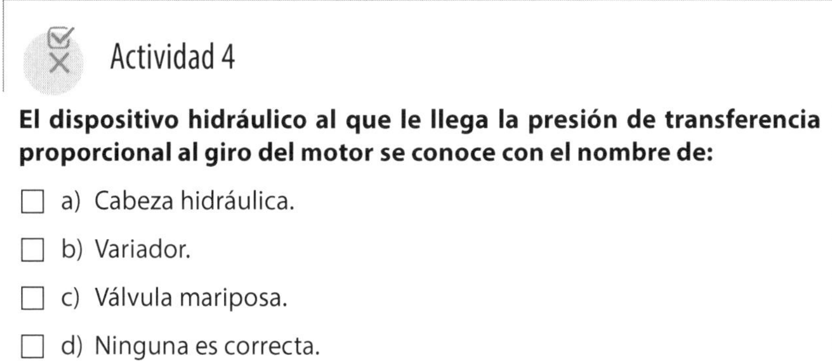

Actividad 4

El dispositivo hidráulico al que le llega la presión de transferencia proporcional al giro del motor se conoce con el nombre de:

- ☐ a) Cabeza hidráulica.
- ☐ b) Variador.
- ☐ c) Válvula mariposa.
- ☐ d) Ninguna es correcta.

7.2. Sistemas de alimentación diesel con gestión electrónica basados en bombas rotativas

Se desarrollaron diversos sistemas electrónicos de control de inyección diesel por bomba rotativa. El estudio que se va a desarrollar a continuación trata dos de los más habituales: el EDC y el EPIC. La gestión electrónica se efectúa sobre el regulador y el variador de avance (sistema EDC) y, además, sobre la propia bomba de inyección rotativa (sistema EPIC). Como caso especial, también se va a tratar el motor TDI.

7.2.1. Regulación electrónica convencional

7.2.1.1. Sistema EDC

Este sistema fue muy utilizado en los primeros motores con inyección electrónica Diesel. Posteriormente se adaptó, con modificaciones, también a los turbodiesel de inyección directa (TDI) de primera generación.

En el sistema EDC (*Electronic Diesel Control*), la unidad electrónica de control coordina el estado del motor en cada momento; para ello recibe y procesa los datos transmitidos por las sondas y da las órdenes oportunas que rigen el comportamiento de muy diferentes órganos. Su constitución y funcionamiento, como el de cualquier ordenador, se basa en la organización de la información en las etapas iniciales (entrada de datos) y su transformación en impulsos eléctricos de control (salida de órdenes), todo ello realizado mediante circuitos integrados.

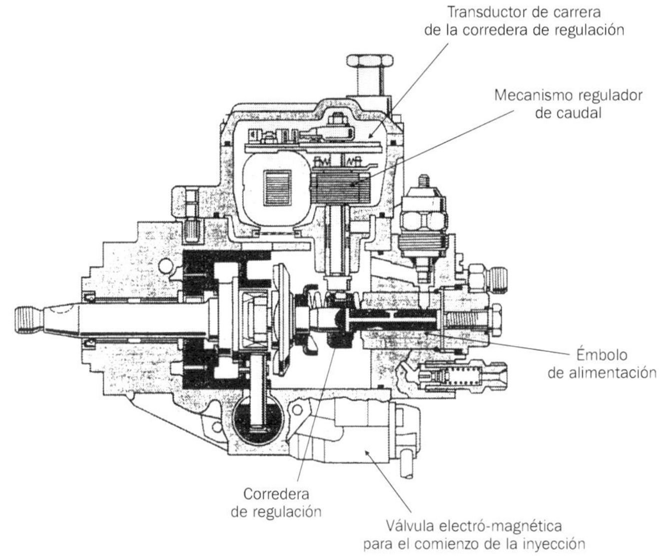

Bomba rotativa de inyección para regulación electrónica

Los parámetros de control y sensores son los siguientes:

- **Temperatura del aire de admisión**: permite corregir la cantidad de combustible a aportar en función del nivel de oxígeno del aire. Se utiliza como sensor una termistencia en el colector de admisión.
- **Temperatura del líquido refrigerante**: permite incrementar la cantidad de combustible a aportar con motor frío. Se utiliza otra termistencia en contacto con el líquido refrigerante.
- **Régimen del motor**: para conocer la velocidad de giro del motor. Suele disponerse dentro de la propia bomba, dada su sincronización con el giro del motor.
- **Posición del PMS**: para posibilitar el control del avance a la inyección. El sensor se aloja en la propia bomba.
- **Presión de sobrealimentación del turbo**: se utiliza para deducir la masa de aire que entra en los cilindros y corregir la cantidad de combustible aportada. Como sensor se utiliza un captador de presión de admisión que puede ir colocado en la misma UEC.

- **Carga del motor**: para saber la velocidad que quiere el conductor. Para ello se dispone un potenciómetro en el acelerador que sustituye al cable.
- **Sincronización de la inyección**: lleva también un sensor en el inyector de un cilindro (microcontacto activado por el empujador) para conocer la sincronización de la inyección con el régimen y así poder ajustar el avance a la perfección.

7.2.1.2. Sistema EPIC

Se trata de una aplicación integral de la electrónica al equipo de una bomba de inyección rotativa. La bomba está provista de sus correspondientes circuitos hidráulicos, pero con los circuitos de mando controlados no por válvulas hidráulicas sino por válvulas electromagnéticas dependientes de la UEC e introducidas en el mismo cuerpo de bomba, formando con ella un cuerpo compacto.

La UEC y los sensores no presentan novedades destacables con respecto al sistema anterior, pero sí las tiene el sistema de mando. En este caso, dentro de la propia bomba de inyección se disponen cuatro electroválvulas de dos posiciones que actúan sobre los circuitos hidráulicos abriendo o cerrando el paso y modulando así el comportamiento de la bomba. Normalmente son cuatro válvulas: una de paro, dos para regular el caudal de combustible (controlan presión en el interior del cabezal hidráulico) y otra para el avance.

7.2.2. Regulación electrónica en motores TDI

Los motores TDI adoptaron en sus inicios una inyección basada en el sistema EDC con algunas modificaciones, sobre todo en el apartado de parámetros de control. Siendo muy sintéticos, estas modificaciones pueden resumirse en las siguientes:

- La captación del régimen se realiza mediante un captador inductivo y un volante de dientes.
- Se añade en el acelerador un interruptor de posición de reposo que facilite la gestión del ralentí.
- Se mide la masa de aire aspirado por medio de un caudalímetro de hilo caliente situado en el colector de admisión. Con ello se logra una mayor precisión en la medida del oxígeno real que entra a formar parte de la combustión, así como un mejor control de las emisiones contaminantes.
- La temperatura del combustible se mide mediante una NTC emplazada dentro de la bomba.
- Se añade un interruptor de freno activado, situado en el propio pedal, con el fin de facilitar el corte de inyección.
- Se añade también otro interruptor de embrague pisado, situado en el pedal, para mejorar la transición de marchas, suavizándola.

7.3. Sistemas de alimentación diesel con gestión electrónica basados en inyectores bomba

7.3.1. Descripción básica de la parte mecánica

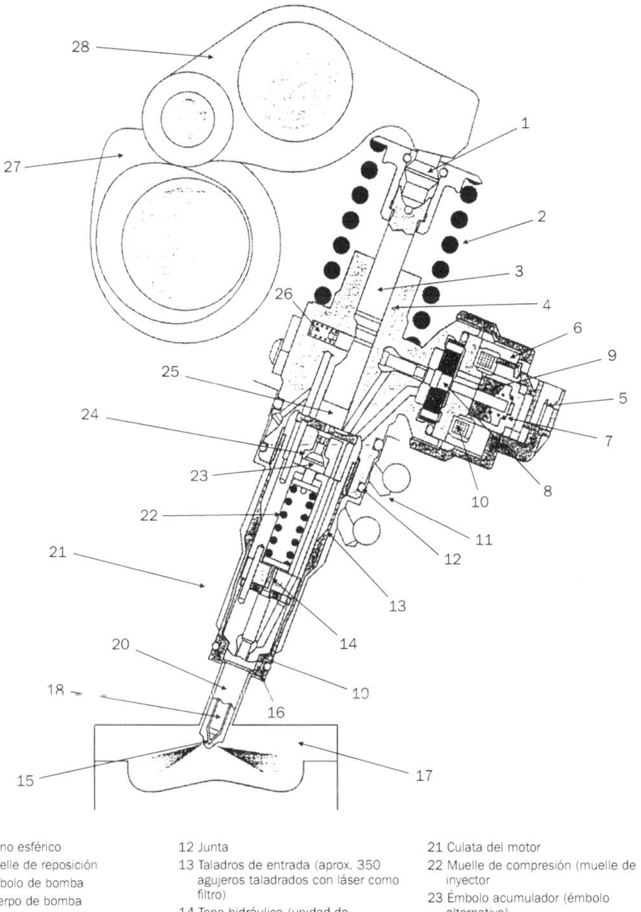

1 Perno esférico
2 Muelle de reposición
3 Émbolo de bomba
4 Cuerpo de bomba
5 Conector
6 Núcleo magnético
7 Muelle de compensación
8 Aguja de electroválvula
9 Inducido
10 Bobina del electroimán
11 Retorno de combustible (parte de baja presión)
12 Junta
13 Taladros de entrada (aprox. 350 agujeros taladrados con láser como filtro)
14 Tope hidráulico (unidad de amortiguación)
15 Asiento de aguja
16 Arandela estanqueizante
17 Cámara de combustión del motor
18 Aguja del inyector
19 Tuerca de fijación
20 Inyector integrado
21 Culata del motor
22 Muelle de compresión (muelle de inyector)
23 Émbolo acumulador (émbolo alternativo)
24 Cámara acumuladora
25 Cámara de alta presión (recinto del elemento)
26 Muelle de electroválvula
27 Árbol de levas de accionamiento
28 Balancín de rodillo

Estructura de un inyector-bomba

El inyector-bomba es una unidad de bomba, inyector y control en un único componente y para cada cilindro. Genera la alta presión e inyecta la cantidad correcta de combustible en el momento preciso. No existen, por tanto, tuberías de alta presión.

El accionamiento es por árbol de levas, mediante una serie de levas adicionales a las normales, tantas como cilindros tenga el motor. Se recurre a balancines con cojinete central y rodillo. Las levas presentan un flanco de ataque pronunciado, con el fin de incrementar la presión de la forma más rápida posible, y un flanco de salida suave, cuya finalidad es alimentar la cámara de alta presión sin formación de burbujas. Evidentemente, el orden de encendido y el punto de inyección están gobernados por este árbol de levas.

7.3.2. Funcionamiento del inyector bomba

Tiene lugar en cuatro fases:

- **Fase de llenado**: el émbolo se encuentra en fase ascendente (por acción del muelle) y la válvula del inyector abierta (no excitada). En consecuencia, se aspira combustible desde la canalización principal hacia la cámara de alta presión.
- **Fase de preinyección**: se dota de alta presión y temperatura al combustible. La finalidad de esta fase previa a la inyección principal es la de conseguir un desarrollo suave de la combustión con la creación de un colchón hidráulico. El émbolo está bajando y la válvula cerrada (excitada). Cuando se supera una presión de 180 bares aproximadamente, abre el inyector (este valor de presión limita esta fase).
- **Fase de inyección**: se produce después de un pequeño periodo de reposo que sigue a la preinyección. El émbolo se encuentra bajando y la válvula cerrada. El inyector inicia la inyección cuando se superan los 300 bares de presión. El fin de esta fase es controlado por la válvula, puesto que cuando recibe la señal correspondiente desde la UEC abre y deriva el combustible hacia el retorno. Este cierre es instantáneo, lo que evita la inyección de combustible sin pulverizar en la cámara. Se reducen, por tanto, las emisiones.
- **Fase de retorno**: el émbolo sigue bajando pero la válvula está abierta, por lo que el combustible está retornando. Esta fase garantiza la refrigeración y la eliminación de burbujas, que podrían dar lugar a fenómenos de cavitación o de estrangulamiento de las vías de retorno.

7.3.3. Gestión electrónica

7.3.3.1. UEC

Gestiona los siguientes parámetros de funcionamiento:

- Tiempo de inyección y momento de apertura del inyector durante las fases de arranque, funcionamiento en frío, aceleración, etc.
- Avance a la inyección y funcionamiento al ralentí.
- Presión de sobrealimentación en función de las condiciones de marcha.
- Recirculación de gases de escape.

- Chapaleta de conmutación del colector de admisión para que el paro del motor se efectúe sin tirones.
- Refrigeración del combustible: el sistema se activa a partir de una cierta temperatura de motor (70 ºC).
- Precalentamiento del aire de admisión si la temperatura del líquido refrigerante es inferior a 9 ºC (se reducen las emisiones y la sonoridad y se mejora la estabilidad del ralentí).
- Desactivación del compresor del aire acondicionado en determinadas condiciones de marcha: hasta 6 segundos después del arranque, en aceleraciones, si la temperatura del motor supera los 120 ºC y en marcha en fase degradada.
- Ventilación post-marcha: se activa tras parar el motor si la temperatura es elevada y en función del estado de carga en el último ciclo de marcha.

7.3.3.2. Sensores

Los parámetros de funcionamiento que controlan los sensores son los siguientes:

- *Sincronización de fases del motor*: para detectar qué cilindro se encuentra en tiempo de compresión y, por tanto, debe recibir la inyección, se sitúa un sensor de tipo Hall en la rueda dentada del árbol de levas. Esta rueda se dota de un número y distribución de dientes adecuado para que las señales enviadas por el Hall sean entendidas por la UEC.
- *Régimen*: captador inductivo que explora una rueda dentada fijada al cigüeñal (de 56 dientes y dos huecos a 180º entre sí).

Temperatura del combustible: NTC en el retorno, normalmente entre la bomba y el radiador de combustible.

- *Temperatura del líquido refrigerante*: NTC en el circuito de refrigeración, habitualmente en el empalme entre radiador y culata.
- *Masa de aire admitido*: mediante un medidor de masa de aire del tipo "película caliente".
- *Grado de aceleración*: potenciómetro en el pedal. En el pedal también se suele poner un conmutador de ralentí, que notifica esta posición a la UEC, y un Kick Down si el vehículo monta un cambio automático.
- *Presión en el colector de admisión*: sensor piezoeléctrico.
- *Temperatura del aire aspirado*: NTC, que normalmente se monta junto con el sensor de presión, formando un único componente.
- *Altitud sobre el nivel del mar*: sensor barométrico de tipo piezoeléctrico que se suele situar en la propia UEC.

- *Velocidad de marcha y activación del compresor*: señales necesarias para optimizar el ralentí.
- *Freno actuado*: interruptor en el pedal. Se busca mejorar la fase de corte de inyección.

7.3.3.3. Actuadores

Son destacables los siguientes:

- *Válvulas de los inyectores-bomba*: a través de ellas, la UEC regula el comienzo de la inyección y la cantidad de combustible inyectado. Para ello gestiona el momento de excitación de la válvula y la duración de esta excitación.
- *Válvula de conmutación de la chapaleta en el colector de admisión*: se trata de una válvula de tipo electromagnético que controla la aplicación de vacío a un depresor.
- *Relé de la bomba de refrigeración de combustible.*
- *Electroválvula para la limitación de la presión de sobrealimentación*: modula el vacío en el depresor que controla el grado de apertura de las paletas del turbo (de geometría variable).
- *Válvula de recirculación de gases de escape*: de igual forma que en el caso anterior, modula el vacío en el depresor que controla el grado de apertura de la EGR.
- *Bujías de precalentamiento del aire de admisión.*
- *Bujías para la calefacción adicional del líquido refrigerante*: se sitúan normalmente tres bujías en el empalme entre culata y radiador que se activan si la temperatura del líquido es excesivamente baja.

8. Procesos y procedimientos de reparación de los sistemas electrónicos de encendido e inyección integrados

8.1. Sistema de autodiagnóstico del vehículo

La UEC, durante la marcha normal del vehículo, recibe informaciones de las diferentes sondas y las compara entre sí para comprobar si existen parámetros absurdos (por ejemplo, una señal de régimen que indique las revoluciones correspondientes al ralentí no se puede corresponder con una señal de plena carga en el medidor de mariposa). Las averías reconocidas las almacena en memoria junto con las condiciones de servicio que reinaban al producirse la avería. Posteriormente pueden ser leídas en la revisión en taller a través de un interfaz de diagnóstico.

El autodiagnóstico completo de un vehículo es demasiado complejo para exponerlo en su totalidad. A título de ejemplo, se indica a continuación cómo se ejecutaría en la práctica para tres sistemas básicos: la medición del aire aspirado, el catalizador y el sistema de alimentación.

- *Autodiagnóstico del medidor de masa de aire*: la UEC calcula el tiempo de inyección a partir de la masa de aire aspirada, pero dicho tiempo puede establecerse con aproximación a partir del ángulo de mariposa y del número de revoluciones. Si los tiempos de inyección calculados a partir de estos dos caminos difieren en demasía, la UEC compara las informaciones recibidas por ambos sensores en diferentes condiciones de funcionamiento para determinar cuál es el defectuoso y generar el correspondiente código de avería.
- *Autodiagnóstico del catalizador*: se montan dos sondas lambda, una antes y otra después del catalizador. Mediante la comparación entre ambas señales, la UEC puede determinar el estado del catalizador y en caso de avería notificarlo al conductor a través del testigo que corresponda.
- *Autodiagnóstico de la alimentación de combustible*: si el regulador de presión está defectuoso o la rampa distribuidora tiene fugas o un inyector falla, la relación aire/combustible se ve afectada y varía con respecto a la estequiométrica. La UEC está permanentemente informada de la corrección de la mezcla a través de la sonda lambda y así, si estas divergencias sobrepasan los límites preprogramados, la UEC genera el código de avería.

8.2. Marcha en fase degradada

En los vehículos con motor Motronic una avería no obliga necesariamente a la inmovilización del vehículo. La UEC es capaz de marchar en fase de emergencia (fase degradada) hasta llegar al taller. Si el sistema reconoce una avería, la UEC toma el control del actuador o de la sonda que falle y utiliza magnitudes sustitutivas para permitir la marcha del vehículo, aunque no sea en condiciones óptimas (por ejemplo, si el sensor de temperatura del aire aspirado es el defectuoso, la UEC tomará para el cálculo una temperatura fija invariable que permita la marcha; obviamente, el funcionamiento no será perfecto, pero sí suficiente para llegar al taller).

Solución a las actividades

Actividad 1.

- ☐ a) Una sola etapa.
- ☐ b) En dos etapas.
- ☑ c) En tres etapas.
- ☐ d) En cuatro etapas.

Actividad 2.

Verdadera.

Actividad 3.

- ☐ a) La inyección multipunto.
- ☑ b) La inyección intermitente simultánea.
- ☐ c) La Inyección Jetronic.
- ☐ d) La inyección indirecta.

Actividad 4.

- ☐ a) Cabeza hidráulica.
- ☑ b) Variador.
- ☐ c) Válvula mariposa.
- ☐ d) Ninguna es correcta.

TEMA 7

Equipo eléctrico del automóvil

Equipo eléctrico del automóvil: generadores, semiconductores, limitadores y reguladores, baterías y sistema de arranque, alumbrado y aparatos de medida y esquema general eléctrico. Averías más comunes y consecuencias posibles. Conocimientos básicos de funcionamiento

Subrayar es todo un arte y no vale usar cualquier color. ¿Conoces los secretos de un subrayado de calidad? Nosotros sí. Te lo contamos todo en las Técnicas de Memoria 360.

Índice

1. Electricidad del automóvil

El equipo eléctrico del automóvil comprende, además del sistema de encendido, en el caso de los motores de gasolina, la batería, el alternador, el motor de arranque, el sistema de alumbrado, y otros sistemas auxiliares como pueden ser el limpiaparabrisas, el climatizador, elevalunas eléctricos, etc., todos ellos con su cableado y soportes correspondientes.

1.1. Misión del sistema de encendido

Su misión es la de producir una chispa eléctrica en el interior de los cilindros en el momento adecuado y en el orden establecido. Si tenemos en cuenta la gran presión a la que se comprimen los gases, la tensión necesaria para conseguir una chispa eficaz debemos situarla en torno a los 20.000 voltios y de muy corta duración *–entre 1 y 2 centésimas de segundo–*, ya que el pistón se desplaza muy rápidamente y la combustión de la mezcla ha de ser casi instantánea. En un motor de explosión de cuatro tiempos se producen, aproximadamente, 170 chispas por segundo a una velocidad de giro de 5.000 rpm.

1.2. Tipos de sistema de encendido

Existen diferentes sistemas de encendido:

- **Por magneto** *(sin batería)*. Generalmente se usa en tractores y motocicletas. La magneto *–generador–*, que recibe el movimiento del cigüeñal, incorpora una bobina móvil transformadora de tensión y un distribuidor. A través del eje de giro de la bobina llega la corriente al ruptor que la interrumpe. Por inducción se produce una corriente de alta tensión que va al colector y de éste a la bujía, donde salta la chispa que inflama la mezcla.
- **Por batería**:
  - Mecánico *(por ruptor)*.
  - Transistorizado *(ruptor y transistor)*.
  - Electrónico (por generador de impulsos).

2. Batería

La función de la batería es «almacenar la energía química» y transformarla en energía eléctrica que será usada, entre otras cosas, para poner en marcha el automóvil. Una vez puesto en marcha el generador *–alternador–*, produce nueva energía que es almacenada otra vez en la batería, reponiendo el gasto de energía ocasionado cuando se usan los diferentes sistemas eléctricos del automóvil *(radio, luces, alarmas, etc.)* sin que el motor esté en funcionamiento.

Una batería de acumuladores está compuesta por varios «elementos o vasos», ubicados dentro de un recipiente de caucho endurecido, que no tienen comunicaciones entre ellos. Cada acumulador consta de dos planchas de plomo *(Pb)* bañadas en un líquido *–electrolito–* formado, generalmente, por tres partes de ácido sulfúrico *(SO_4H_2)* y ocho partes de agua destilada (H_2O_2). Las placas positivas están unidas entre sí y con el borne positivo, intercalándose con las placas negativas *(exteriores y siempre una más que las positivas)*, que van unidas al borne del mismo signo, separadas por aisladores dobles. La unión entre los vasos se hace en serie, es decir, terminal positivo con terminal negativo. Cada vaso posee un tapón con orificio de salida para los gases y puede almacenar una tensión de hasta 2,1 v *(lo normal es que la tensión almacenada sea de 2 v por elemento, por lo que una batería de 6 elementos proporcionará una tensión de 12 v)*. El polo positivo (+) se conecta al generador y el negativo (–) a masa.

> **NOTA**: Para el mantenimiento de una batería hemos de tener en cuenta que el ácido no se evapora y que, cuando observemos que ha bajado de nivel –las placas no están cubiertas por el electrolito–, debemos reponer el nivel ***sólo*** con agua destilada.

Se entiende por capacidad de una batería la intensidad de electricidad que puede proporcionar durante un tiempo determinado, dependiendo de:

- Tamaño de las placas.
- Régimen de descarga.
- Densidad del electrolito.
- Temperatura ambiente.

2.1. Características eléctricas de las baterías

- La capacidad de una batería se mide en Amperios hora (A/h) y viene expresada por la fórmula:

$$C = I \cdot t$$

- Tensión en vacío (U_o) de una batería es la suma de las tensiones U_z de los 6 o 12 elementos de la batería:

$$U_o = (6 \text{ o } 12) \cdot U_z$$

- Resistencia interna. Es la suma de las resistencias internas de cada elemento (Ri).
- Tensión en bornes (Uk). Es la tensión entre los dos terminales de la batería, y depende de la tensión en vacío y de la caída de tensión por la resistencia interna (Ri) de la batería.

PARTES DE UNA BATERIA DE AUTOMOVIL

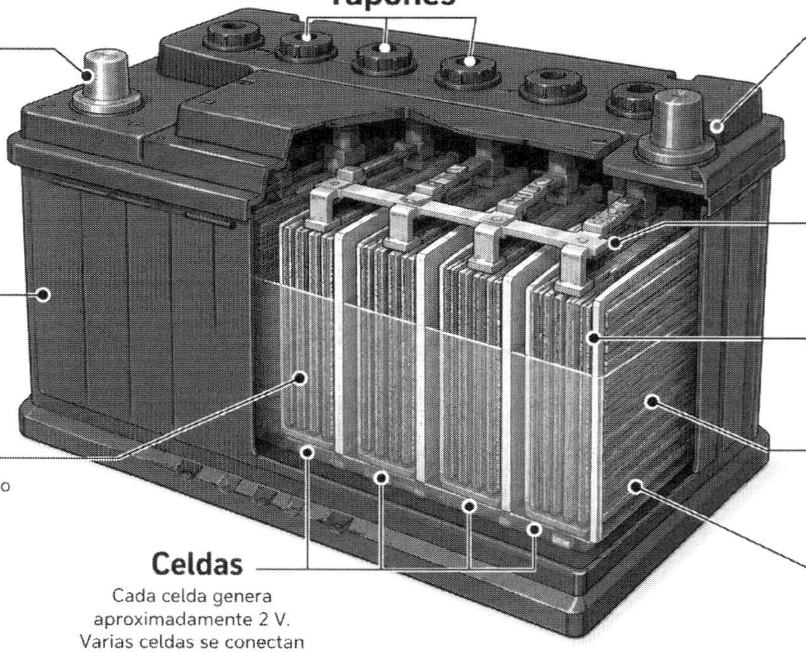

Tapones

Borne negativo
Terminal (-) conecta al sistema eléctrico del vehículo (negativo).

Carcasa
Caja de plástico resistente que protege los componentes internos.

Electrolito
Solución de ácido sulfúrico y agua que permite el flujo de iones entre las placas.

Celdas
Cada celda genera aproximadamente 2 V. Varias celdas se conectan en serie para obtener 12 V.

Borne positivo
Terminal (+) conecta al sistema eléctrico del vehículo (positivo).

Puente de conexión
Conectan las placas de celdas adyacentes para formar el circuito.

Placa positiva
Placas de dióxido de plomo (PbO_2) almacenan carga y liberan electrones.

Placas negativas
Placas de plomo (Pb) almacenan carga y liberan electrones.

Separadores
Aisladores microporosos que evitan el contacto entre placas positivas y negativas, permitiendo el paso de iones.

2.2. Tipos de baterías

En función de sus características podemos hablar de baterías:

- **De bajo mantenimiento**, si el armazón de las placas tiene poco antimonio *(Sb)* y sus separadores son más delgados y de mayor porosidad. Tiene la ventaja de una menor autodescarga en reposo, mayor duración y menor entretenimiento *(anual)*.
- **Sin mantenimiento**, el antimonio *(Sb)* de las placas ha sido sustituido por una aleación de calcio *(Ca)* con el fin de evitar los efectos corrosivo, de autodescarga y de evaporación del agua. Sus ventajas son que no necesitan mantenimiento y no existe, prácticamente, pérdida de tensión en los bornes. Carecen de tapones de relleno.
- **Alcalinas**, pueden ser de compuestos ferroniquelosos *(Fe-Ni)* o cadmioniquelosos *(Cd-Ni)*. Entre sus ventajas podemos citar un menor peso, mayor duración y vida útil, y entre sus inconvenientes, menor voltaje por vaso y menor rendimiento que las de plomo.

Sabías que...

El ingeniero Lewis Urry, intentando encontrar una manera de aumentar la vida útil de las pilas de cinc-carbono, modificó los electrodos llegando al desarrollo de las conocidas como pilas alcalinas, aunque con una fabricación de mayor coste. La batería de Urry se componía de un cátodo de dióxido de manganeso y un ánodo de cinc en polvo con un electrolito alcalino. Estas pilas salieron al mercado en 1959.

2.3. Conexión de varias baterías

Podremos observar, con frecuencia, que los vehículos industriales y autobuses llevan varias baterías conectadas entre sí, dependiendo su forma de conexión en función de las necesidades del vehículo:

- **En serie** *(si se necesita mayor voltaje)*, para lo cual conectaremos el borne negativo de la 1.ª con el positivo de la 2.ª; el borne positivo de la 1.ª con el generador y el borne negativo de la 2.ª masa.
- **En paralelo** *(si se precisa mayor capacidad de almacenaje debido al elevado consumo)*, para lo cual conectaremos el borne negativo de la 1.ª con el borne negativo de la 2.ª, y el borne positivo de la 1.ª con el borne positivo de la 2.ª, y ésta al generador.

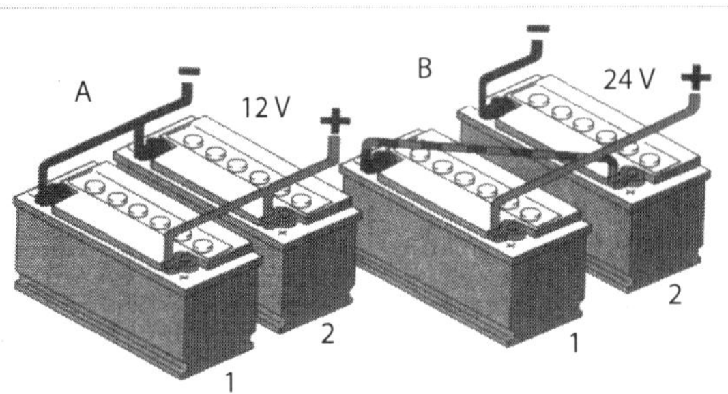

Conexión de baterías: en paralelo (A) en serie (B)

2.4. Elementos del encendido por batería

- La batería, encargada de proporcionar una corriente de baja tensión *(12 voltios para turismos y 24 para vehículos industriales)*.
- La llave de contacto que, con su giro, cierra el circuito eléctrico de encendido permitiendo el paso de la corriente eléctrica de la batería hacia el circuito primario y resto de servicios.
- La bobina. Encargada de transformar la corriente de baja tensión, 12 v, en corriente de alta tensión 15.000 a 20.000 v.
- El ruptor. Necesario para producir «el corte» en la corriente de baja tensión y de esa forma provocar la elevación de la tensión en la bobina.
- El condensador. Al objeto de limitar el arco eléctrico que se produce entre los contactos del ruptor, se coloca un condensador, que absorbe cierta cantidad de electricidad autoinducida y disminuye el tiempo de la variación del flujo magnético en el secundario. Consta de un envase cilíndrico del que sale un cable *(borne positivo del acumulador)* que se conecta al contacto móvil del ruptor *(martillo)*.
- El distribuidor. Envía, sucesivamente, la corriente de alta tensión a cada bujía.
- La bujía. Son las encargadas de conducir la corriente de alta tensión al interior de la cámara de compresión y hacer saltar la chispa entre sus electrodos.

Bujía

Actividad 1

Indica si la siguiente cuestión es verdadera o falsa:

La capacidad de una batería se mide en Vatios hora (W/h) y viene expresada por la fórmula: C = w · t

Verdadera ☐ Falsa ☐

3. Bobina

Es la encargada de transformar la corriente de baja tensión de la batería *–12 v–* en corriente de alta tensión 15.000 a 20.000 v. Está compuesta de un núcleo de hierro dulce alrededor del cual giran dos bobinas de hilo de cobre *(arrollamiento primario, externo, formado por 200 – 300 espiras de hilo de 1 mm de diámetro; arrollamiento secundario, interno, en torno al núcleo, formado por unas 20.000 espiras de hilo de 0,1 mm de diámetro).* Los bornes "A" y "B" del primario están unidos, respectivamente, a la batería y al ruptor. El borne "C", del secundario, se encuentra unido al borne central de la tapa del distribuidor.

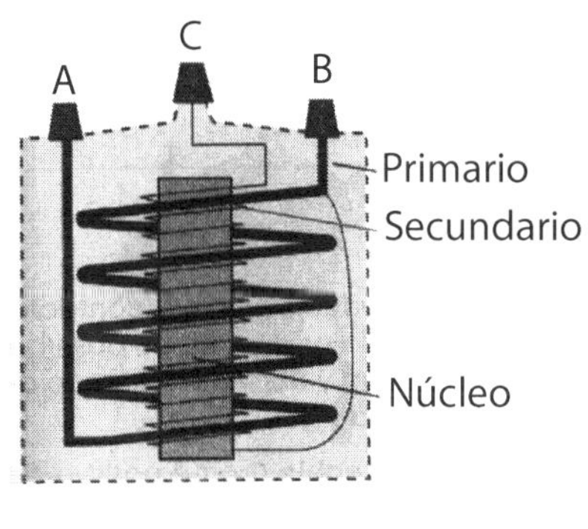

Bobina

4. Ruptor

Necesario para producir «el corte» en la corriente de baja tensión y de esa forma provocar la elevación de la tensión en la bobina. Está constituido por dos contactos: el martillo *(que es móvil)* y el yunque *(que es fijo)*. Son de tungsteno o volframio (W) y recubiertos, en muchas ocasiones, de platino (Pt), de ahí su nombre común de «platinos». Una leva montada en el eje del distribuidor, con tantos salientes como cilindros tenga el motor, se encarga de separar los contactos a una distancia de 0,40 mm. A cada paso de un saliente de la leva el martillo se separa y el circuito se corta.

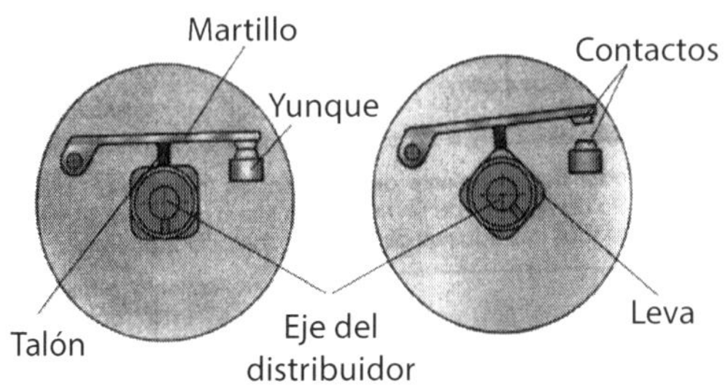

Ruptor

5. Condensador

Con la finalidad de limitar el arco eléctrico que se produce entre los contactos del ruptor, se coloca un condensador, cuya finalidad es absorber una cierta cantidad de electricidad autoinducida y disminuir el tiempo de la variación del flujo magnético en el secundario. Consta de un envase cilíndrico del que sale un cable –borne positivo del acumulador– que se conecta al contacto móvil del ruptor. El envase metálico constituye el borne negativo y va conectado a masa.

Recuerda que...

La bobina es la encargada de transformar la corriente de baja tensión de la batería *–12 v–* en corriente de alta tensión 15.000 a 20.000 v.

6. Distribuidor

Es el encargado de repartir ordenadamente, y de forma sucesiva, la corriente de alta tensión a cada bujía. Forma parte del circuito secundario del sistema de encendido. Tanto el distribuidor como el ruptor se instalan juntos en la denominada cabeza de delco. El eje del distribuidor recibe, generalmente, el movimiento del piñón del árbol de levas y sobre él se montan el ruptor, la leva de accionamiento y los dispositivos de avance al encendido. La tapa del distribuidor consta de una tapa de baquelita con un borne central *–para el cable de la bobina–* y tantos bornes como cilindros tenga el motor. La corriente del borne central se transmite al "dedo" distribuidor (pipa). El extremo de la pipa, al girar, pasa rozando los bornes metálicos de salida a las bujías situadas en la tapa del distribuidor, transmitiendo la corriente de alta tensión que procede de la bobina cada vez que el ruptor abre sus contactos. La tapa del distribuidor no debe tener ninguna fisura, por pequeña que sea, pues entonces la corriente se perdería. El cuerpo del distribuidor o delco aloja:

- El ruptor.
- Los sistemas de avance al encendido.

- El condensador.
- El eje.

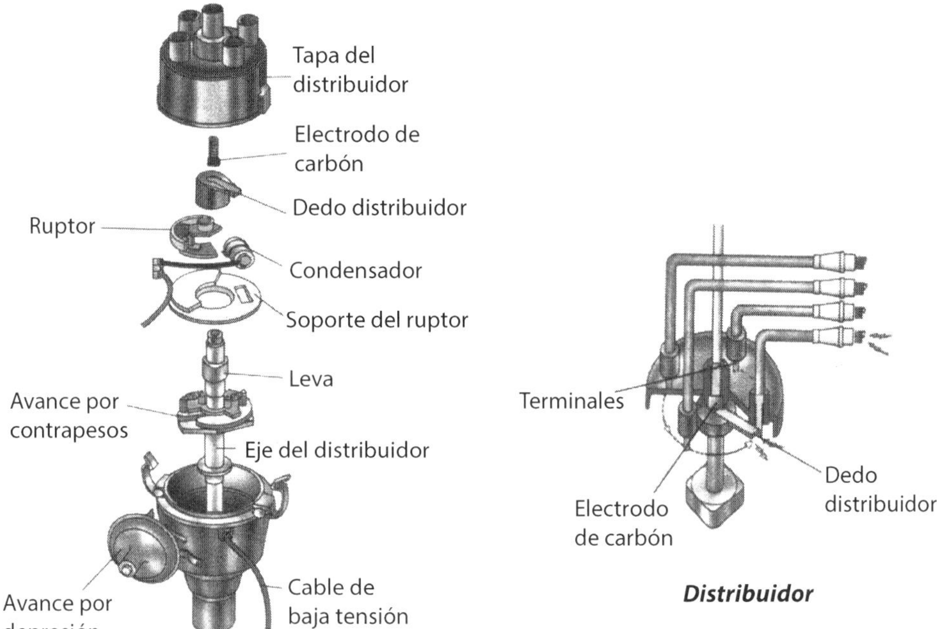

Despiece del distribuidor

Distribuidor

7. Bujías

Son los elementos encargados de proporcionar la chispa que prenderá la mezcla de carburante en la cámara de combustión y disipar el calor generado en dirección al sistema de refrigeración. Al recibir voltaje de la bobina de encendido, proporciona un arco de corriente entre sus electrodos y provoca la chispa que inflama la mezcla.

La bujía ha de ser estanca para evitar pérdidas de gases del interior del cilindro, además de poder mantener un rango de temperatura de entre 500º C y 900º C, en caso contrario, el hollín generado en la combustión incompleta acabaría impidiendo la generación de la chispa o, por el contrario, fundiría sus elementos y dañaría los cilindros.

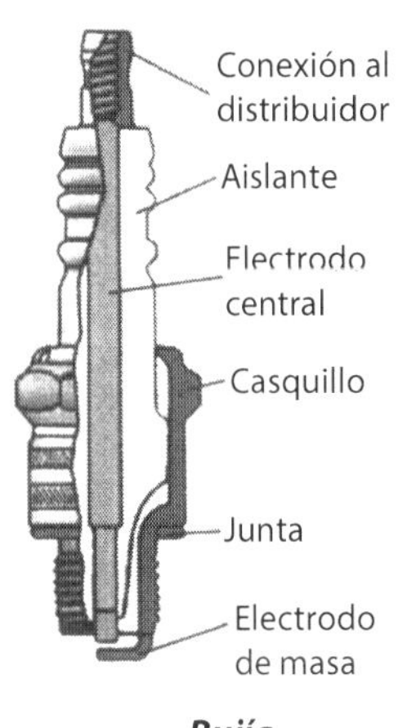

Bujía

En el mercado nos encontramos con diferentes tipos de bujías. Entre otros haremos alusión a los siguientes:

- **Atendiendo a su grado térmico (capacidad de disipar el calor)**:
    * Bujías frías. El aislante del electrodo central es más corto y grueso lo que le permite evacuar rápidamente el calor. Se usan en motores potentes.
    * Bujías calientes. El aislante es más largo y fino lo que origina que la evacuación del calor se retarde. Se usan en motores de menor potencia.
- **Por el tipo de combustible**:
    * Para motores de gasolina. Este tipo de motor es el que suele ir asociado con el uso de las bujías, que, también pueden verse en otro tipo de motores.
    * Para motores diesel. Propias de los motores sin inyección directa con el fin de facilitar la autoignición en frío. Son incandescentes o de precalentamiento y se sitúan en la culata, calentando el aire de la cámara de combustión.
- **Por la clase de material**:
    * De cobre. Son las más habituales, garantizan un flujo de corriente superior al conducir mejor la electricidad.
    * De platino o iridio. Son las más costosas y longevas. Poseen menor con-ductividad, contando con un electrodo central punteado para mejorar el salto de corriente.
- **Por el número de electrodos**:
    * Las bujías multielectrodo ofrecen un encendido más homogéneo y se alternan en su función, por lo que su vida útil es superior que las de un único electrodo
- **Por tamaño del arco de corriente**
    * Abertura normal cuando el arco de corriente es de 0,035 pulgadas.
    * Abertura grande cuando el arco de corriente es de 0,080 pulgadas y requieren bobinas de alto voltaje.

Actividad 2

¿Cómo denominamos al componente de la instalación de encendido que está situado en el distribuidor e interrumpe periódicamente la corriente en el primario de la bobina?

8. Sistema de encendido

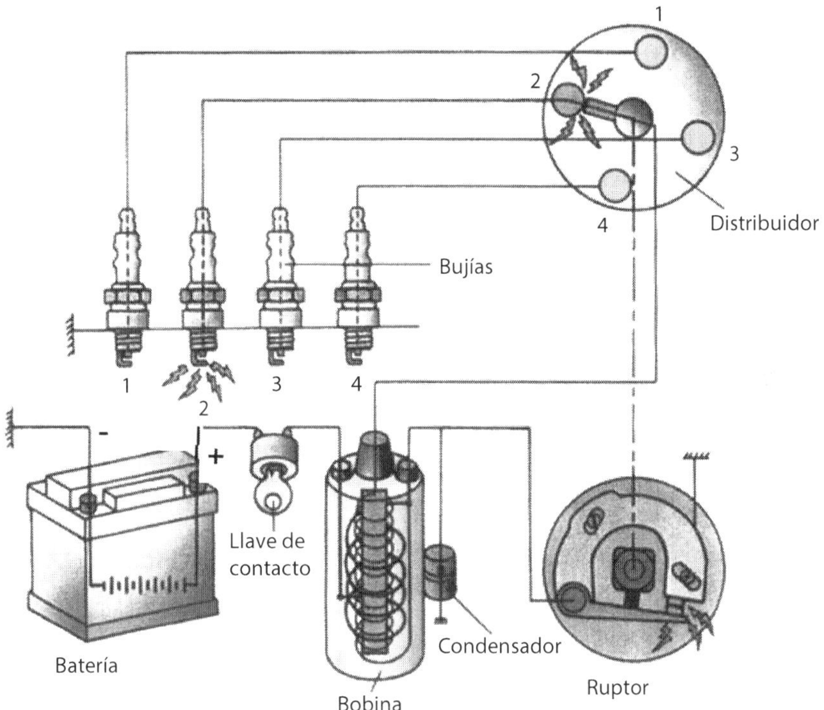

Esquema de funcionamiento del encendido por batería y ruptor

8.1. Según el tipo de corriente

En el sistema de encendido tenemos que diferenciar dos circuitos según el tipo de corriente que circule por ellos:

- **El primario**:
  * Batería.
  * Llave de contacto.
  * Amperímetro *(si dispone el vehículo)*.
  * Bobinado grueso de la bobina *(arrollamiento primario)*.
  * Ruptor.
  * Condensador.

- **El secundario**:
  * Bobinado fino de la bobina *(arrollamiento secundario).*
  * Distribuidor.
  * Bujías.

A) Circuito primario

Con el giro de la llave de contacto se cierra el circuito y la corriente sale del polo positivo (+) de la batería hacia el arrollamiento primario de la bobina, originándose un electroimán en ella. Una vez creado el campo magnético, sale de la bobina por el borne de salida y la corriente pasa al ruptor, que tiene los contactos cerrados, lo que obliga a la corriente a pasar a través del yunque cerrándose el circuito. Al abrirse los contactos del ruptor debido a la acción de la leva del eje del distribuidor, se interrumpe la corriente primaria y se produce una variación de flujo magnético en la bobina, induciendo una corriente de alta tensión en el circuito secundario. Para evitar el desgaste de los contactos del ruptor, limitar la chispa y conseguir una variación más rápida de flujo, se coloca el condensador que, al volver a cerrarse los contactos del ruptor, se descarga a masa.

B) Circuito secundario

Cuando se interrumpe la corriente primaria se induce en el arrollamiento secundario de la bobina una corriente de alta tensión proporcional al número de espiras del primario con relación al secundario *(proporción de 1/100)*. Esta corriente sale por el borne central de la bobina y llega al distribuidor por el cable de alta tensión que, mediante la pipa giratoria o dedo reparte, en el momento y orden adecuados, la corriente a las bujías donde salta la chispa entre sus dos electrodos *(arco voltaico)*, que inflama la mezcla comprimida en el interior de la cámara de compresión.

8.2. Avance al encendido

Consiste en que la chispa salte un instante antes de que el pistón llegue al PMS con el objeto de aprovechar mejor los gases que se producen en la explosión. Depende de la velocidad de giro del motor. **Existen dos tipos de mecanismos**:

8.2.1. Avance fijo o manual

Se consigue variando la posición del platillo que lleva el ruptor girándolo de derecha a izquierda para que se adelante o retrase en el momento en que la leva del eje separa el martillo del yunque. Actualmente se encuentra en desuso.

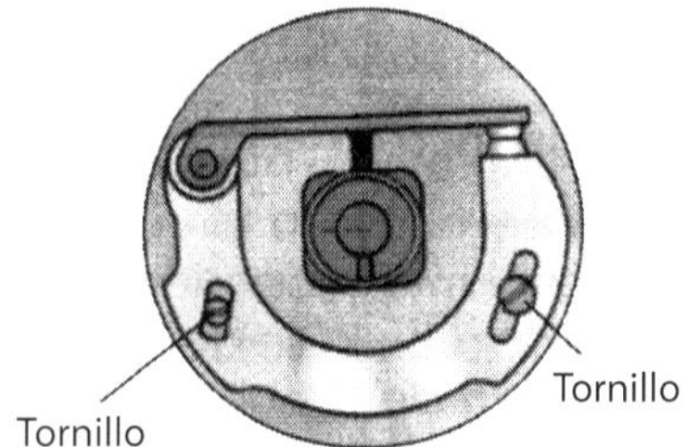

Avance fijo o manual

8.2.2. Avance variable o automático

Actúa en función de la velocidad de giro del motor *(rpm)* y del llenado de los cilindros. **Hay dos modalidades**:

A) Por contrapesos o centrífugo. El avance al encendido depende de las revoluciones de giro del motor. **El eje del distribuidor se divide en dos partes**:

- La placa superior con la leva, que presenta dos ranuras en las que se encastran los tetones de la otra placa y se fija por unos muelles.
- La placa inferior, que monta dos contrapesos articulados y excéntricos con unos tetones y dos muelles.

Cuando el motor gira a ralentí los muelles mantienen a los contrapesos en reposo *(1)*. Si aumentan las revoluciones los contrapesos se abren hacia el exterior haciendo girar, determinado ángulo, la placa superior con la leva, avanzando la acción de la leva sobre el martillo del ruptor *(2)*.

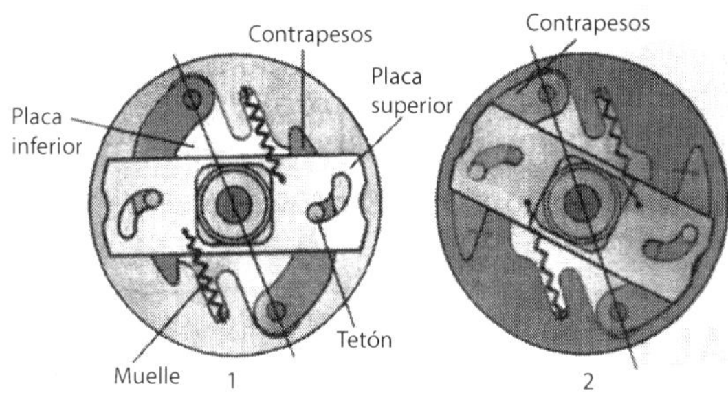

Avance por contrapesos o centrífugo

B) Por depresión en el colector de admisión. Para una misma velocidad de giro, en ocasiones se precisa proporcionar mayor cantidad de mezcla al motor *(por ejemplo: mantener la velocidad subiendo una pendiente)*, para lo cual el conductor pisará más fuerte el pedal del acelerador.

El sistema corrector está formado por una cámara dividida en dos por una membrana que va unida a una palanca. En función de la depresión del momento en el colector de admisión, la membrana se deforma y la palanca modifica la posición del ruptor con relación a la leva. La variación de la depresión depende de las posiciones de la válvula mariposa:

- Casi cerrada o ralentí.
- Medio abierta o media carga.
- Máxima apertura o máxima carga.

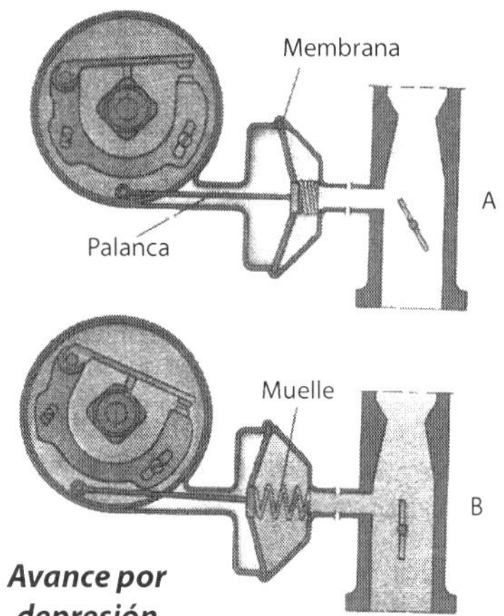

Avance por depresión

9. Dinamo

La dinamo o generador de corriente continua transforma la energía mecánica que recibe en su eje en energía eléctrica que se recoge en sus bornes. Consta de una «carcasa» en cuyo interior van alojados los siguientes elementos:

- Inductor fijo, imán destinado a producir el flujo magnético que consta de un número par de polos excitados por bobinas magnetizantes, unidos por un núcleo de hierro dulce denominado culata.
- Inducido, arrollamiento cerrado sobre sí mismo y sobre una armadura cilíndrica constituida por un apilamiento de chapas de hierro y silicio.
- Un sistema formado por un colector cilíndrico unido al inducido y por un juego de flotadores, delgas o escobillas que, al girar a la vez que el rotor, producen corriente continua.

10. Alternador

El alternador, al igual que la dinamo, es un generador de corriente que transforma la energía mecánica que recibe en su árbol en energía eléctrica que se recoge en sus bornes. Debido al gran número de aparatos eléctricos instalados en los vehículos actuales y a su demanda de corriente, el alternador ha desplazado a la dinamo por su mayor capacidad generadora de corriente y, también, por su mejor funcionamiento al tener menor riesgo de averías. Recibe su nombre porque genera corriente alterna que, al no poderla almacenar, se transforma en continua a través de un puente rectificador. **Está constituido por los siguientes elementos**:

- **Rotor**. Formado por un eje en el que va arrollada una bobina cuyos extremos, aislados entre sí, se encuentran conectados a dos anillos lisos *(+ y –)* situados en el propio eje, sobre los que se apoyan unas escobillas de carbón grafitado a través de las cuales recibe la corriente por excitación de la batería. Se le conoce como conjunto inductor.
- **Estátor**. Está formado por tres arrollamientos, alojados en unas chapas magnéticas en forma de corona, que conforman las fases del alternador *(trifásico)* y la salida de cada fase se conecta a los diodos del puente rectificador. Es el inducido.
- **Carcasa porta-diodos o puente rectificador**. Formado por 6 o 9 diodos de silicio montados en una corona circular, lo que permite que las ondas de las tres fases del alternador se conviertan en corriente continua.

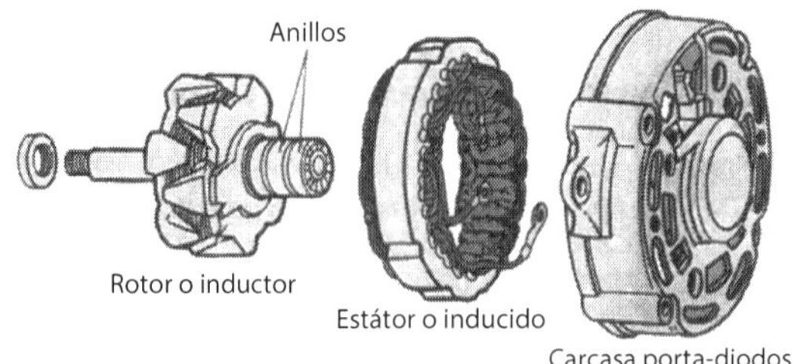

Partes del alternador

10.1. Funcionamiento del alternador

El rotor gira dentro del estátor y es accionado a través de una polea por la correa de la bomba de agua que enlaza con la polea cigüeñal. Cuando la corriente de la batería pasa a través de la bobina del rotor, éste se convierte en un electroimán, creando un campo magnético que atraviesa, en su giro, cada una de las tres bobinas del estátor generando una corriente alterna. Como el alternador no dispone de un colector del que se toma la corriente continua, al atravesar una serie de polos positivos y negativos por cada bobina del estátor, generan en ella corriente positiva o negativa, alternativamente. Al pasar esta corriente alterna por los diodos, estos sólo dejan pasar corriente positiva o negativa, de tal modo que en los bornes del alternador se obtiene corriente continua.

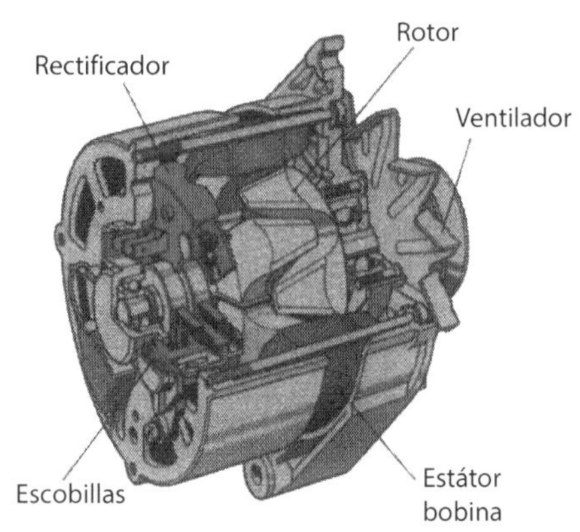

Alternador

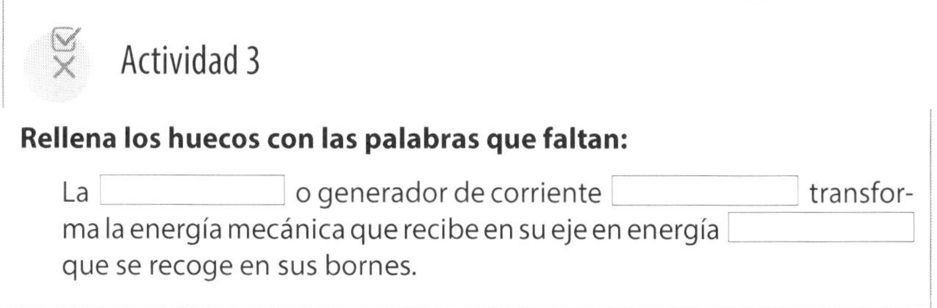

Actividad 3

Rellena los huecos con las palabras que faltan:

La [______] o generador de corriente [______] transforma la energía mecánica que recibe en su eje en energía [______] que se recoge en sus bornes.

10.2. Regulador de tensión

La tensión de la corriente inducida no es constante, encontrándose determinada por la intensidad del campo magnético inductor y el régimen de giro del motor. Debido a ello debemos introducir en el circuito de carga un mecanismo que estabilice la tensión inducida para que no dañe a la batería ni a los elementos eléctricos. Los reguladores se limitan a controlar la corriente de excitación que alimenta el rotor para mantener estabilizada la tensión en los bornes del alternador, no la intensidad.

10.3. Ventajas del alternador sobre la dinamo

- Mayor velocidad de giro (hasta 14.000 rpm). Además suministra corriente hasta en ralentí.
- Conjunto rotor muy compacto.

- El regulador se hace cargo de las labores de disyuntor y de regulador de intensidad.
- Son más ligeros.
- Pueden trabajar funcionando en ambos sentidos.
- Mayor vida útil.

Las características, tanto de construcción como de funcionamiento del alternador con relación a la dinamo, podemos resumirlas en:

- La polaridad de la corriente es independiente del sentido de giro del alternador, ya que cualquier alternancia en su curva característica es rectificada a la salida del mismo por el puente rectificador.
- Tiene menor volumen y peso para una misma potencia útil.
- Carece de colector para la conmutación de la corriente, consiguiendo la rectificación de la misma posteriormente a su producción, con lo que se elimina el peligro de centrifugación del colector a altas velocidades.
- Sus escobillas sólo se utilizan para alimentar la bobina inductora y, como la corriente de excitación es de unos 2 A, aproximadamente, la sección de las mismas es mucho más reducida, careciendo casi de desgaste debido a la superficie continua de los anillos rozantes.
- La bobina inductora se encuentra fuertemente asegurada entre las masas polares, formando un conjunto compacto que, unido a la ausencia de colector, hace que el rotor pueda girar a grandes revoluciones sin peligro alguno *(hasta las 14.000 rpm)*. Incluso suministra corriente en ralentí.
- No precisa limitador de intensidad *(a tensión regulada constante la corriente se autolimita por saturación magnética del campo inductor)*.
- No precisa disyuntor en su grupo regulador *(los diodos del puente rectificador impiden la descarga de la batería a través de los arrollamientos del estátor o inducido)*.
- Mayor vida útil y menor mantenimiento.

11. Motor de arranque

De todos es sabido que los motores térmicos, una vez puestos en marcha, funcionan por sí solos a expensas de la energía interna producida por la combustión de la mezcla en sus cilindros en sus sucesivos ciclos de trabajo. Pero para la puesta en funcionamiento del motor térmico es preciso provocar el movimiento de sus elementos internos *(producir las primeras explosiones para hacerlo girar unas 50-60 rpm)* por medio de una fuente auxiliar de energía: el motor de arranque. Se trata de un pequeño pero potente motor eléctrico *(alrededor de 350 A)* que se alimenta de la energía eléctrica almacenada en la batería o acumulador, transformando ésta en energía mecánica que, aplicada a la corona dentada del volante del motor, será usada para arrancar el vehículo.

11.1. Componentes

Sus componentes son:

- **Carcasa o cuerpo**. En su interior existen unas masas polares rodeadas de unas bobinas inductoras, generalmente cuatro, unidad dos a dos *(estátor o inductor)* que crean un campo magnético.
- **Rotor o inducido**. El eje rotor tiene una bobina arrollada a él. Las espiras se encuentran unidas a las delgas que forman el colector en un extremo del eje. Se alimentan a través de unas escobillas de cobre montadas sobre el colector que reciben corriente del inductor.
- **Mecanismo de acoplamiento o arrastre**. Es el encargado de transmitir el movimiento del rotor de arranque a la corona del volante e impedir lo contrario con la puesta en funcionamiento del motor térmico del vehículo.

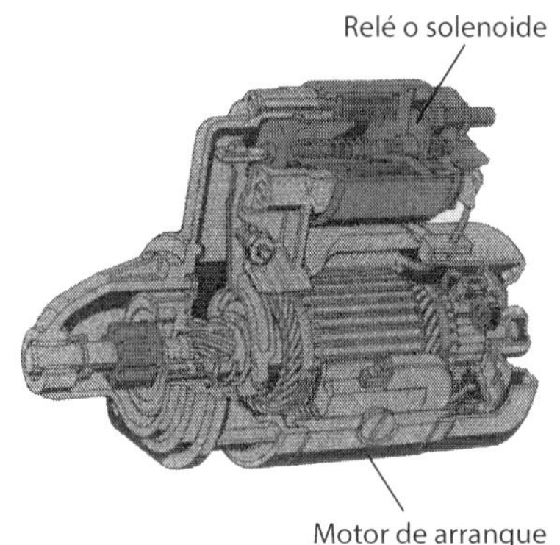

Motor de arranque con relé o solenoide

11.2. Funcionamiento del motor de arranque

Su funcionamiento se basa en la fuerza de atracción y repulsión de los imanes: polos del mismo signo se repelen; polos opuestos se atraen. Al accionar la puesta en marcha eléctrica, la corriente pasa por las bobinas inductoras y su núcleo se convierte en electroimán. Esa corriente pasa a las escobillas a través del colector de delgas y alimenta a una de las bobinas del rotor creando otro electroimán. Las atracciones y repulsiones entre el estátor y el rotor hacen girar a éste y al colector de delgas, de tal forma que las escobillas que están fijas hacen contacto con el siguiente par de delgas, produciendo un giro continuo del rotor.

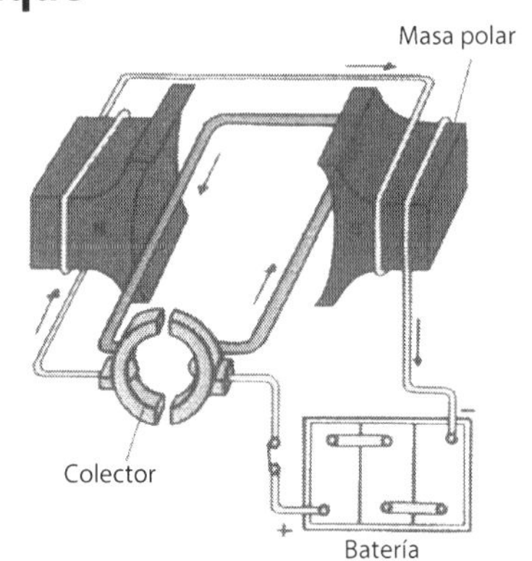

Esquema funcionamiento motor de arranque

12. Bendix o mecanismo de inercia

Para transmitir el giro del motor de arranque al motor del automóvil, el eje del primero lleva un piñón desplazable que engrana con la corona del volante motor del cigüeñal y, con su movimiento se inicia el funcionamiento de la distribución, encendido, alimentación... es decir, del motor del vehículo. Este mecanismo de inercia se conoce con el nombre de Bendix. **Está formado por**:

- Disco de arrastre, con un muelle sujeto a él.
- Manguito, provisto de estrías rectas en su interior y helicoidales en el exterior para facilitar el deslizamiento del piñón.
- Piñón con contrapesos que engrana con el volante.

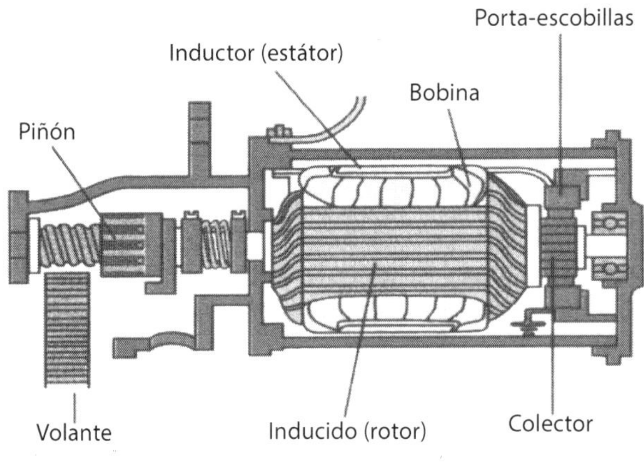

Bendix

13. Sistemas de alumbrado

13.1. Dispositivos

Según lo establecido en el artículo 16 del Real Decreto 2822/1998, de 23 de diciembre, por el que se aprueba el Reglamento General de Vehículos, los dispositivos obligatorios de alumbrado y señalización óptica que se regulan en la reglamentación que se recoge en los Anexos I y X para los vehículos de motor y remolcados, son los que se especifican a continuación:

1. **Todo automóvil**, con excepción de los que se reseñan en los apartados siguientes, **deberá estar provisto de**:
   - Luz de cruce.
   - Luz de carretera.

- Luz de marcha atrás.
- Luces indicadoras de dirección con señal de emergencia.
- Luz de frenado.
- Luz de la placa posterior de matrícula.
- Luz de posición delantera.
- Luz de posición trasera.
- Luz antiniebla trasera.
- Luz de gálibo para vehículos de más de 2,10 metros de anchura.
- Catadióptricos traseros no triangulares.
- Catadióptricos laterales no triangulares para vehículos de más de 6 metros de longitud.
- Luz de posición lateral en vehículos cuya longitud supere los 6 metros, excepto en las cabinas con bastidor.
- Además, los destinados al servicio público de viajeros y los de alquiler con conductor deberán estar dotados de alumbrado interior del habitáculo.

2. **Toda motocicleta deberá estar provista de**:
   - Luz de cruce.
   - Luz de carretera.
   - Luz de frenado.
   - Luz de la placa posterior de matrícula.
   - Luz de posición delantera.
   - Luz de posición trasera.
   - Catadióptrico no triangular.
3. **Toda motocicleta con sidecar deberá estar provista de**:
   - Luz de cruce.
   - Luz de carretera.
   - Luz de frenado.
   - Luz de la placa posterior de matrícula.
   - Luz de posición delantera.
   - Luz de posición trasera.
   - Catadióptricos traseros no triangulares.
4. **Todo vehículo de tres ruedas y cuatriciclo no ligero deberá estar provisto de**:
   - Luz de cruce.
   - Luz de carretera.

- Luces indicadoras de dirección, con señal de emergencia.
- Luz de frenado.
- Luz de la placa posterior de matrícula.
- Luz de posición delantera.
- Luz de posición trasera.
- Un catadióptrico trasero no triangular en los vehículos con anchura de hasta 1.000 milímetros, a partir de la cual deberán equiparse de dos.

5. **Todo remolque y semirremolque**, con excepción de los agrícolas, **deberá estar provisto de**:
   - Luces indicadoras de dirección con señal de emergencia.
   - Luz de frenado.
   - Luz de la placa posterior de matrícula.
   - Luz de posición delantera para remolques de más de 1,60 metros de anchura.
   - Luz de posición trasera.
   - Luz antiniebla trasera.
   - Luz de gálibo, si su anchura es superior a 2,10 metros.
   - Catadióptricos traseros triangulares.
   - Catadióptricos delanteros no triangulares.
   - Catadióptricos laterales no triangulares.
   - Luz de posición lateral en vehículos cuya longitud supere los 6 metros.
6. **Todo portador, todo tractor, agrícola, de obras o de servicios, todo tractocarro y toda máquina automotriz de servicios deberán estar provistos de**:
   - Luz de cruce.
   - Luces indicadoras de dirección con señal de emergencia.
   - Luz de la placa posterior de matrícula.
   - Luz de posición delantera.
   - Luz de posición trasera.
   - Catadióptricos traseros no triangulares.
   - Luz de frenado, para vehículos cuya velocidad máxima autorizada supere los 25 km/h.
7. Toda máquina automotriz, agrícola o para obras, apta para circular de noche, por tramos de vías señalizados con la señal de «túnel» o cuando existan condiciones meteorológicas o ambientales que disminuyan sensiblemente la visibilidad, deberán estar provistos de los mismos dispositivos de alumbrado y señalización óptica relacionados en el apartado anterior.

8. **Toda máquina automotriz, agrícola o para obras, no apta** para circular de noche, por tramos de vías señalizados con la señal de «túnel» o cuando existan condiciones meteorológicas o ambientales que disminuyan sensiblemente la visibilidad, **deberá estar provista de**:
   - Catadióptricos traseros no triangulares.
   - Luz de frenado, para vehículos cuya velocidad máxima autorizada supere los 25 km/h.
9. **Todo motocultor apto** para circular de noche, por tramos de vías señalizados con la señal de «túnel» o cuando existan condiciones meteorológicas o ambientales que disminuyan sensiblemente la visibilidad, **deberá estar provisto de**:
   - Luz de cruce.
   - Luz de posición delantera.
   - Luz de posición trasera.
   - Luces indicadoras de dirección con señal de emergencia.
   - Catadióptricos traseros no triangulares.
   - Luz de placa posterior de matrícula.
10. **Todo motocultor no apto** para circular de noche, por tramos de vías señalizados con la señal de «túnel» o cuando existan condiciones meteorológicas o ambientales que disminuyan sensiblemente la visibilidad, **deberá estar provisto** de catadióptricos traseros no triangulares. Además, siempre que tenga equipo eléctrico deberá estar dotado de luces indicadoras de dirección con señal de emergencia.
11. **Todo remolque agrícola y toda máquina remolcada de servicios deberán estar provistos de**:
   - Luz de posición delantera, cuando su anchura exceda de 20 centímetros por el lado más desfavorable de la anchura del vehículo tractor.
   - Catadióptricos delanteros no triangulares.
   - Luz de posición trasera.
   - Luz de la placa posterior de matrícula.
   - Luces indicadoras de dirección posteriores.
   - Luces de gálibo anteriores y posteriores, si el vehículo tiene más de 2,10 metros de anchura.
   - Catadióptricos traseros triangulares con un vértice hacia arriba.
   - Catadióptricos laterales no triangulares.
12. **Toda máquina remolcada, agrícola o de obras, apta** para circular de noche, por tramos de vías señalizados con la señal de «túnel» o cuando existan condiciones meteorológicas o ambientales que disminuyan sensiblemente la visibilidad, **deberá estar provista** de los mismos dispositivos de alumbrado y señalización óptica relacionados en el apartado anterior.

13. **Toda máquina remolcada, agrícola y de obras, no apta** para circular de noche, por tramos de vías señalizados con la señal de «túnel» o cuando existan condiciones meteorológicas o ambientales que disminuyan sensiblemente la visibilidad, **deberá estar provista de**:
    - Luces indicadoras de dirección posteriores. Se exceptúa a las máquinas que por su construcción permitan la visibilidad de las luces indicadoras de dirección posteriores del tractor.
    - Catadióptricos no triangulares delanteros.
    - Catadióptricos traseros triangulares con un vértice hacia arriba.

Dispositivos facultativos de alumbrado y señalización óptica (Artículo 17)

Con las excepciones que se señalan en el artículo 18, los únicos dispositivos facultativos de alumbrado y señalización óptica que se regulan en la reglamentación que se recoge en los Anexos I y X para los distintos tipos de vehículos de motor y remolcados, son los que se especifican a continuación:

1. **Todo automóvil**, con excepción de los que se reseñan en los apartados siguientes, **puede llevar**:
    - Luz antiniebla delantera.
    - Luz de estacionamiento, si la longitud del vehículo no es mayor de 6 metros y su anchura no es mayor de 2 metros. En los vehículos que no reúnan ambas condiciones estará prohibida.
    - Luz de alumbrado interior del habitáculo.
    - Catadióptricos no triangulares o luces de posición laterales, si la longitud del vehículo no es mayor de 6 metros.
    - Dispositivos luminosos o reflectantes de señalización de apertura de puerta, sólo visible en esta circunstancia.
    - Luz de gálibo para vehículos comprendidos entre 1,80 y 2,10 metros de anchura.
    - Luz de gálibo trasera en las cabinas con bastidor.
    - Catadióptricos delanteros no triangulares.
    - Tercera luz de freno.
2. **Toda motocicleta puede llevar**:
    - Luz antiniebla delantera.
    - Luz antiniebla trasera.
    - Catadióptricos laterales no triangulares.
    - Luces indicadoras de dirección con señal de emergencia.

3. **Toda motocicleta con sidecar puede llevar**:
   - Luz antiniebla delantera.
   - Luz antiniebla trasera.
   - Catadióptricos laterales no triangulares.
   - Luces indicadoras de dirección con señal de emergencia..
   - Todos los dispositivos autorizados para los vehículos automóviles de cuatro ruedas a que se refiere el punto 1.
4. **Todo vehículo de tres ruedas y cuatriciclo no ligero puede llevar**:
   - Luz antiniebla delantera.
   - Luz antiniebla trasera.
   - Luz de marcha atrás.
   - Catadióptricos laterales no triangulares.
   - Todos los dispositivos autorizados para los vehículos automóviles de cuatro ruedas a que se refiere el punto 1.
5. **Todo remolque y semirremolque**, con excepción de los agrícolas, **puede llevar**:
   - Luz de marcha atrás.
   - Luz de posición delantera, si su anchura total es igual o inferior a 1,60 metros.
   - Catadióptricos traseros no triangulares, si están agrupados a otros dispositivos traseros de señalización.
6. **Todo portador, todo tractor, agrícola, de obras o de servicios, todo tractocarro y toda máquina automotriz de servicios puede llevar**:
   - Luz de carretera.
   - Luz de marcha atrás.
   - Catadióptricos laterales no triangulares.
   - Luz de alumbrado interior del habitáculo.
   - Luz antiniebla delantera.
   - Luz antiniebla trasera.
   - Luz de trabajo.
   - Luz de gálibo, si su ancho es mayor de 2,10 metros. Está prohibido en el resto.
   - Luz de estacionamiento.

7. **Toda máquina automotriz, agrícola o para obras, apta** para circular de noche, por tramos de vías señalizados con la señal de «túnel» o cuando existan condiciones meteorológicas o ambientales que disminuyan sensiblemente la visibilidad, **puede llevar**:

   - Luz de carretera.
   - Luz de marcha atrás.
   - Catadióptricos laterales no triangulares.
   - Luz de alumbrado interior del habitáculo.
   - Luz antiniebla delantera.
   - Luz antiniebla trasera.
   - Luz de trabajo.
   - Luz de gálibo, si su ancho es mayor de 2,10 metros. Está prohibido en el resto.

8. **Toda máquina automotriz, agrícola o para obras, no apta** para circular de noche, por tramos de vías señalizados con la señal de «túnel» o cuando existan condiciones meteorológicas o ambientales que disminuyan sensiblemente la visibilidad, **puede llevar**:

   - Luz de cruce.
   - Luz de carretera.
   - Luz de marcha atrás.
   - Luces indicadoras de dirección con señal de emergencia.
   - Luz de la placa posterior de matrícula.
   - Luz de posición delantera.
   - Luz de posición trasera.
   - Catadióptricos laterales no triangulares.
   - Luz de alumbrado interior del habitáculo.
   - Luz antiniebla delantera.
   - Luz antiniebla trasera.
   - Luz de trabajo.
   - Luz de gálibo, si su ancho es mayor de 2,10 metros. Está prohibido en el resto.

9. **Todo motocultor, apto** para circular de noche, por tramos de vías señalizados con la señal de «túnel» o cuando existan condiciones meteorológicas o ambientales que disminuyan sensiblemente la visibilidad, **puede llevar luz de frenado**.

10. **Todo motocultor, no apto** para circular de noche, por tramos de vías señalizados con la señal de «túnel» o cuando existan condiciones meteorológicas o ambientales que disminuyan sensiblemente la visibilidad, **puede llevar**:
    - Luces indicadoras de dirección con señal de emergencia.
    - Luz de cruce.
    - Luz de frenado.
    - Luz de la placa posterior de matrícula.
    - Luz de posición delantera.
    - Luz de posición trasera.
11. **Todo remolque agrícola y toda máquina remolcada de servicios pueden llevar**:
    - Luz de marcha atrás.
    - Luz de frenado.
    - Luz de antiniebla trasera.
    - Luz de posición delantera, cuando por la anchura del vehículo no sean de instalación obligatoria.
    - Luz de iluminación interior del habitáculo (en las máquinas de servicios remolcadas).
12. **Toda máquina remolcada, agrícola o para obras, apta** para circular de noche, por tramos de vías señalizados con la señal de «túnel» o cuando existan condiciones meteorológicas o ambientales que disminuyan sensiblemente la visibilidad, puede llevar los mismos dispositivos de alumbrado y señalización óptica relacionados en el apartado anterior.
13. **Toda máquina remolcada, agrícola o para obras, no apta** para circular de noche, por tramos de vías señalizados con la señal de «túnel» o cuando existan condiciones meteorológicas o ambientales que disminuyan sensiblemente la visibilidad, puede llevar:
    - Luz de marcha atrás.
    - Luz de frenado.
    - Luz de la placa posterior de matrícula.
    - Luz de posición delantera.
    - Luz de posición trasera.
    - Luz de trabajo.
    - Catadióptricos delanteros no triangulares.

- Catadióptricos laterales no triangulares.
- Luz de alumbrado interior del habitáculo.
- Luz antiniebla trasera.
- Luz de gálibo, si su ancho es mayor de 2,10 metros.

Señales en los vehículos (Artículo 18)

1. Las señales en los vehículos que tengan por objeto dar a conocer a los usuarios de la vía determinadas circunstancias o características del vehículo en que están colocadas, del servicio que presta, de la carga que transporta o de su propio conductor, se ajustarán en cuanto a sus características y colocación a lo dispuesto en el anexo XI.
2. No obstante lo anterior, las señales en los vehículos exigidas en otras reglamentaciones específicas se ajustarán a lo dispuesto en el anexo I.

Accesorios, repuestos y herramientas de los vehículos en circulación (Artículo 19)

Los vehículos de motor y los conjuntos de vehículos en circulación deben llevar, como mínimo, la dotación que se indica en el anexo XII.

Actividad 4

Uno de los componentes del motor de arranque tiene como misión transmitir el movimiento del rotor de arranque a la corona del volante e impedir lo contrario con la puesta en funcionamiento del motor térmico del vehículo. ¿A qué elemento nos referimos?

☐ a) Carcasa.

☐ b) Inducido.

☐ c) Mecanismo de acoplamiento.

13.2. Conceptos básicos

A efectos de este Reglamento se entiende por:

- **Dispositivo**: el elemento o conjunto de elementos que desempeñan una o varias funciones.
- **Luz de cruce o de corto alcance**: la luz utilizada para alumbrar la vía por delante del vehículo, sin deslumbrar ni molestar a los conductores que vengan en sentido contrario, ni a los demás usuarios de la vía.

- **Luz de carretera o de largo alcance**: la luz utilizada para alumbrar una distancia larga de la vía por delante del vehículo.
- **Luz de posición delantera**: la luz utilizada para indicar la presencia y la anchura del vehículo, cuando se le vea desde delante.
- **Luz de posición trasera**: la luz utilizada para indicar la presencia y la anchura del vehículo, cuando se le vea desde atrás.
- **Luz de posición lateral**: la luz utilizada para indicar la presencia del vehículo cuando se le ve de lado.
- **Luz de marcha atrás**: luz utilizada para iluminar la vía por detrás del vehículo y para advertir a los demás usuarios de la vía que el vehículo va, o está a punto de ir, marcha atrás.
- **Luz indicadora de dirección**: la luz utilizada para indicar a los demás usuarios de la vía que el conductor quiere cambiar de dirección hacia la derecha o hacia la izquierda.
- **Señal de emergencia**: el funcionamiento simultáneo de todas las luces indicadoras de dirección del vehículo para advertir que el vehículo representa temporalmente un peligro para los demás usuarios de la vía.
- **Luz de frenado**: luz utilizada para indicar, a los demás usuarios de la vía que circulan detrás del vehículo, que el conductor de éste está accionando el freno de servicio.
- **Luz de la placa posterior de matrícula**: el dispositivo utilizado para iluminar el lugar en el que se colocará la placa posterior de matrícula; podrá consistir en diferentes elementos ópticos.
- **Luz antiniebla delantera**: la luz utilizada para mejorar el alumbrado de la carretera en caso de niebla, nevada, tormenta o nube de polvo.
- **Luz antiniebla trasera**: la luz utilizada para hacer el vehículo más visible por detrás en caso de niebla densa.
- **Luz de estacionamiento**: la luz utilizada para señalar la presencia de un vehículo estacionado en zona edificada. En tales circunstancias sustituye a las luces de posición delanteras y traseras.
- **Luz de gálibo**: la luz instalada lo más cerca posible del borde exterior más elevado del vehículo y destinada claramente a indicar la anchura total del vehículo. En determinados vehículos y remolques, esta luz sirve de complemento a las luces de posición delanteras y traseras del vehículo para señalar su volumen.
- **Catadióptrico *(o retrocatadióptrico)***: dispositivo utilizado para indicar la presencia del vehículo mediante la reflexión de la luz procedente de una fuente luminosa independiente de dicho vehículo, hallándose el observador cerca de la fuente.

No se considerarán catadióptricos:

- Las placas de matrículas retrorreflectantes.
- Las señales retrorreflectantes aludidas en el ADR *(transporte de mercancías peligrosas por carretera)*.
- Las placas y señales retrorreflectantes que deban llevarse para cumplir la reglamentación vigente sobre la utilización de determinadas categorías de vehículos o de determinados modos de funcionamiento.
- **Luz de trabajo**: dispositivo destinado a alumbrar un lugar de trabajo o un proceso de trabajo.
- **Luz de alumbrado interior**: la destinada a la iluminación del habitáculo del vehículo en forma tal que no produzca deslumbramiento ni moleste indebidamente a los demás usuarios de la vía.

Recuerda que...

La dinamo o generador de corriente continua transforma la energía mecánica que recibe en su eje en energía eléctrica que se recoge en sus bornes.

13.3. Sistemas de iluminación

El sistema de iluminación de un vehículo está compuesto por un **alumbrado exterior** *–principal y auxiliar–* **y un alumbrado interior**, combinándose en ellos:

- **Faros**. Son proyectores *–reflectores parabólicos–* **constituidos por**:
  * *Lámpara* (la fuente de luz).
  * *Reflector* (proyecta los rayos luminosos. Es de forma parabólica con la superficie interior pulimentada y brillante).
  * *Cristal* (protege al reflector y a la fuente de luz).
  * *Soporte* (a él se fijan todos los elementos).

  Los faros pueden ser de tipo:
  * *Sellado* (cuando todos sus elementos forman un conjunto hermético y al vacío en el que se introdujo un gas inerte o halógeno).
  * *Abierto* (cuando el cristal y el proyector están sellados y la lámpara se monta por detrás).

En función de la posición del foco luminoso, en relación con el foco del proyector, el haz de rayos puede ser:

* Convergente.
* Divergente.
* Paralelo.

- **Pilotos**. Constituidos por un soporte metálico o de plástico que se adosa a la carrocería con un portalámparas tipo bayoneta con uno o dos polos y una o dos lámparas cubiertas con un plástico de color determinado por su uso *(intermitencia, dirección, freno, etc.)*.

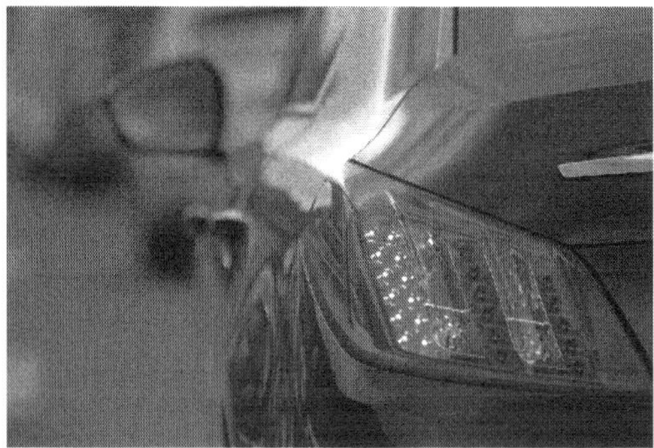

- **Lámparas**. Son las encargadas de transformar la energía eléctrica en energía luminosa. **Pueden ser**:

  * *Convencionales* (pueden llevar uno o dos filamentos de tungsteno. Si en la misma lámpara van dos filamentos, uno será para la luz de cruce y el otro para la de carretera. Su potencia está comprendida entre la 40 y los 55 w).
  * *Halógenas* (cuando a una lámpara convencional se le introduce un gas halógeno, como el yodo, se descompone al contacto con el filamento de tungsteno, difundiéndose la energía en el interior de la lámpara. Debido a las altas temperaturas el cristal se debe sustituir por cuarzo, que no debe ser tocado con la mano ya que las sales del sudor alteran el proceso. La potencia de estas lámparas es de 70 w).
  * *De descarga o Xenón* (constituidas, interiormente, por una lámpara de electrodos con ampolla o bulbo de cuarzo, cuyo interior contiene xenón a altísima presión, sales metálicas y halogenuros en estado sólido; exteriormente, por un proyector provisto de reflector elíptico de superficie compleja, que realiza el reparto vertical y horizontal del flujo luminoso, y una lente bifocal que reduce el contraste entre zonas de sombra e iluminadas. Todo el sistema está controlado por un módulo electrónico, transformador de tensión, que permite obtener, en el momento inicial de la puesta en funcionamiento, una descarga en forma de arco eléctrico, a tensión elevada y controlada de 20.000 v, pasando, posteriormente, a tensión estabilizada de funcionamiento de 85 v).

- **Lámparas para pilotos** (de tipo normal, formadas por una ampolla de cristal con uno o dos filamentos de tungsteno y un casquillo con dos «tetones» para su acoplamiento).
- **Lámpara de alumbrado interior** (de muy poca potencia –entre 5 y 7 w–, son cilíndricas o tubulares con los polos en los extremos).
- **Casquillos**. Son los elementos que llevan las lámparas para su fijación al portalámparas. Suelen ser de tipo bayoneta.
- **Cables conductores**. Conjunto de cables a través de los cuales circula la corriente eléctrica que pone en funcionamientos los diferentes sistemas eléctricos del vehículo.
- **Elementos de mando y protección**. Pueden ser:
  * *Interruptores* (encargados de conectar/desconectar los circuitos que hacen funcionar determinados sistemas eléctricos).
  * *Conmutadores de luces* (su misión es distribuir la corriente a uno o varios circuitos eléctricos).
  * *Fusibles* (son hilos conductores de menor resistencia que los del circuito eléctrico y que se funden cuando pasa por ellos una corriente mayor a la normal. Su misión es evitar que un aumento anormal de intensidad de corriente pueda dañar los distintos elementos de un circuito. Son de distintos colores –en función de su intensidad– y suelen ir agrupados en una «caja de fusibles»).
- **Elementos de control**. Podemos definirlos como el conjunto de luces de diferentes colores que nos avisan de alguna anomalía del vehículo o de su perfecto funcionamiento, de la puesta en funcionamiento de algún sistema eléctrico, de la distancia recorrida, del nivel de carburante, etc. **Un ejemplo sería**:
  1. Indicador de temperatura del líquido de refrigeración.
  2. Testigo de temperatura del líquido de refrigeración.
  3. Reloj cuentarrevoluciones electrónico.
  4. Puesta en hora del reloj.
  5. Testigo intermitente izquierdo.
  6. Testigo de alerta centralizada *(STOP)*.
  7. Testigo intermitente derecho.
  8. Totalizador kilométrico.
  9. Totalizador kilométrico parcial.
  10. Puesta a cero del cuentakilómetros parcial.
  11. Indicador de velocidad *(velocímetro)*.
  12. Testigo de nivel mínimo de carburante *(reserva)*.
  13. Indicador de nivel de carburante.

14. Testigo de presión mínima de aceite del motor.
15. Testigo de nivel mínimo de líquido de frenos y testigo de freno de mano.
16. Testigo de carga de batería.
17. Testigo de luces de población.
18. Testigo de luces de cruce.
19. Testigo de luces de carretera.
20. Testigo de desgaste de pastillas de freno delanteras.
21. Testigo de «starter».
22. Testigo de nivel mínimo de líquido de refrigeración.

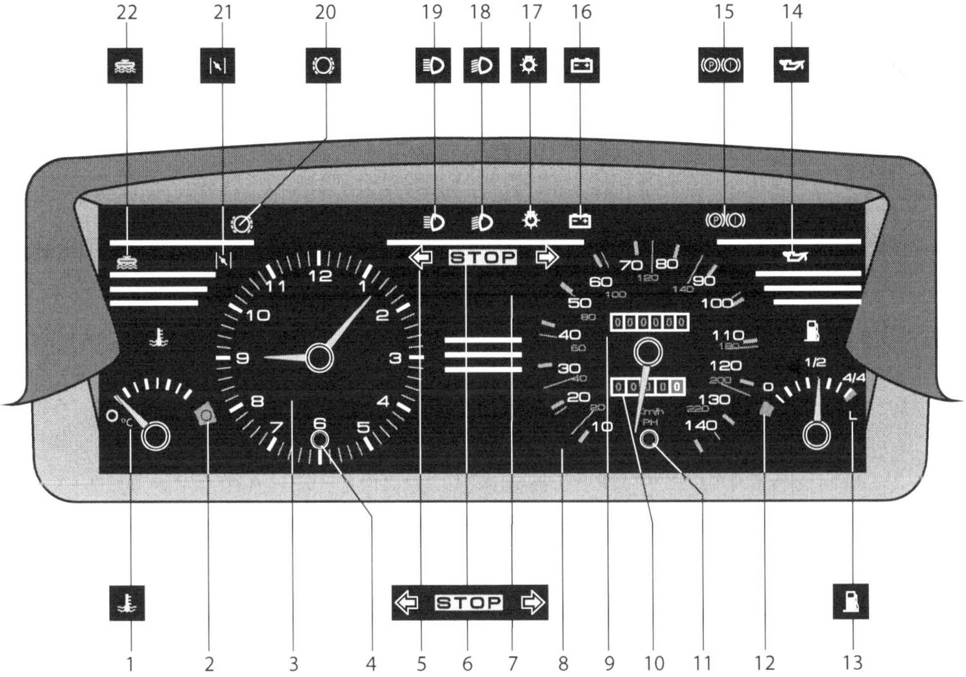

Actividad 5

La luz instalada lo más cerca posible del borde exterior más elevado del vehículo y destinada claramente a indicar la anchura total del vehículo es lo que conocemos como:

14. Simbología: corriente continua, corriente alterna, fusible, resistencia, condensador, amperímetro, voltímetro, motor generador, interruptor

Podemos definir la corriente eléctrica como el movimiento de cargas eléctricas –*electrones*– a través de un medio. La corriente eléctrica puede ser de conducción o de convección. Sus símbolos de representación más habituales son:

Corriente trifásica

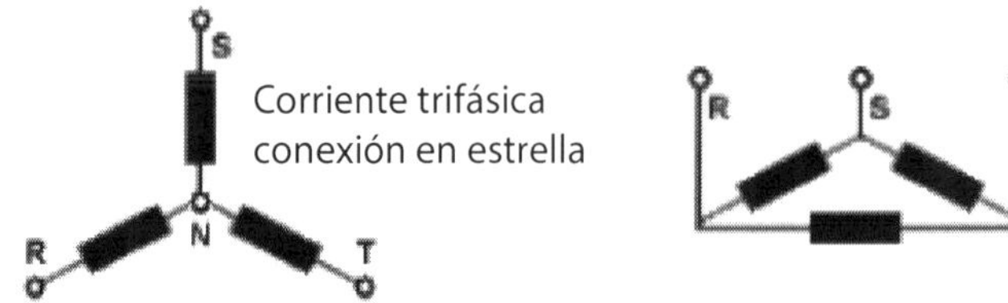

Corriente trifásica conexión en triángulo

Símbolos eléctricos de utilización genérica

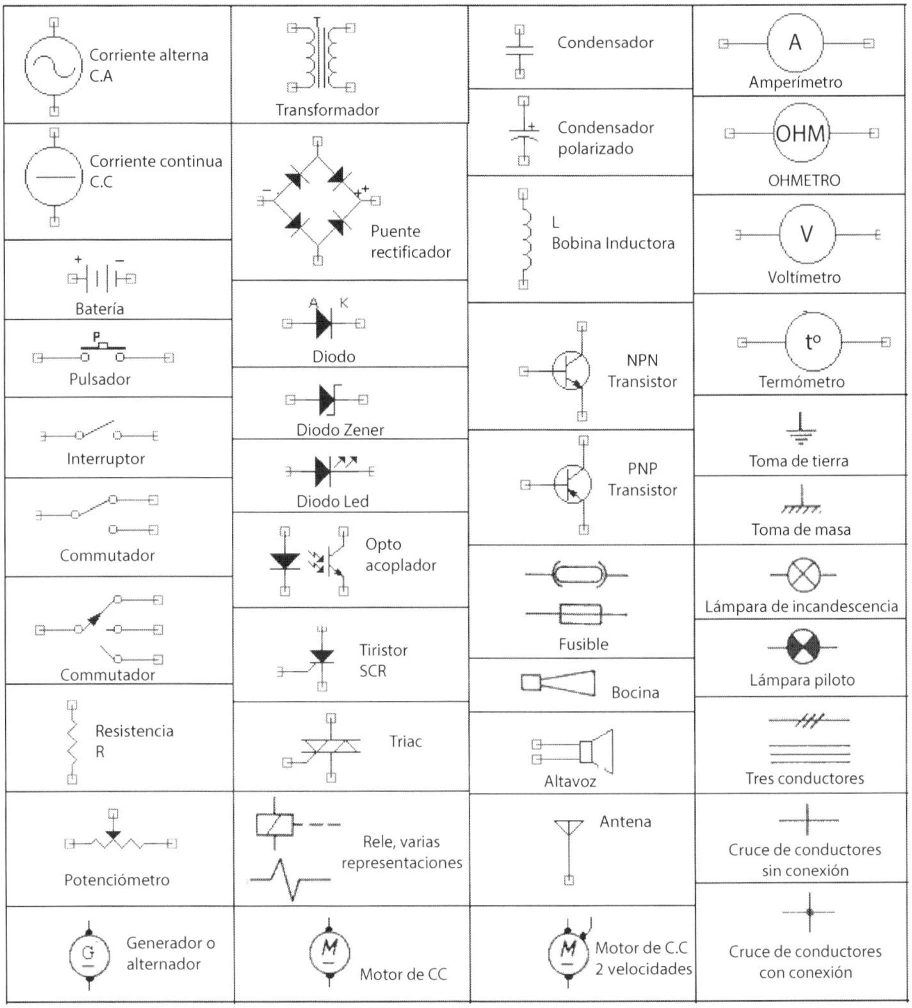

Corriente alterna C.A

Corriente continua C.C

+ −
Batería

P
Pulsador

Interruptor

Commutador

Commutador

Resistencia R

Potenciómetro

Generador o alternador

Transformador

− +
Puente rectificador

A K
Diodo

Diodo Zener

Diodo Led

Opto acoplador

Tiristor SCR

Triac

Rele, varias representaciones

M
Motor de CC

Condensador

+
Condensador polarizado

L
Bobina Inductora

NPN Transistor

PNP Transistor

Fusible

Bocina

Altavoz

Antena

M
Motor de C.C 2 velocidades

A
Amperímetro

OHM
OHMETRO

V
Voltímetro

tº
Termómetro

Toma de tierra

Toma de masa

Lámpara de incandescencia

Lámpara piloto

Tres conductores

Cruce de conductores sin conexión

Cruce de conductores con conexión

Símbolos eléctricos de utilización particular en el sector del automóvil

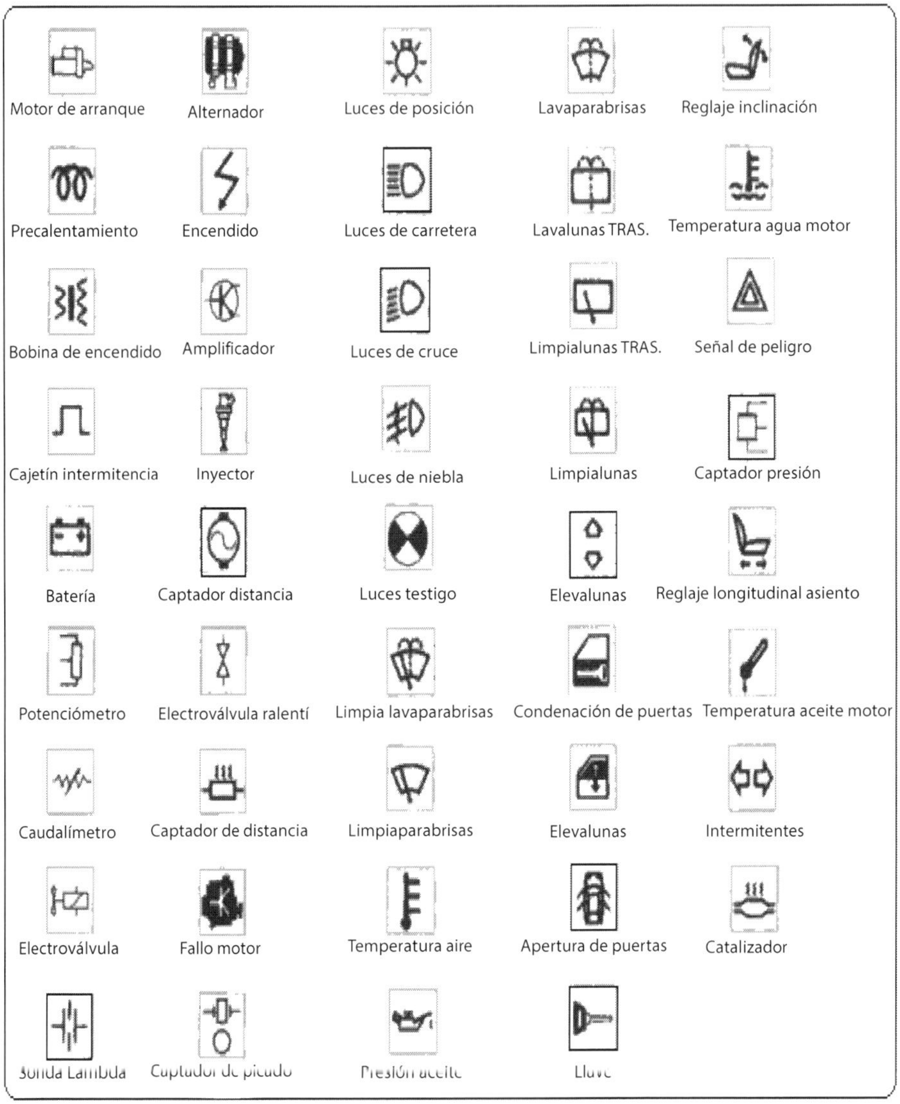

Motor de arranque	Alternador	Luces de posición	Lavaparabrisas	Reglaje inclinación
Precalentamiento	Encendido	Luces de carretera	Lavalunas TRAS.	Temperatura agua motor
Bobina de encendido	Amplificador	Luces de cruce	Limpialunas TRAS.	Señal de peligro
Cajetín intermitencia	Inyector	Luces de niebla	Limpialunas	Captador presión
Batería	Captador distancia	Luces testigo	Elevalunas	Reglaje longitudinal asiento
Potenciómetro	Electroválvula ralentí	Limpia lavaparabrisas	Condenación de puertas	Temperatura aceite motor
Caudalímetro	Captador de distancia	Limpiaparabrisas	Elevalunas	Intermitentes
Electroválvula	Fallo motor	Temperatura aire	Apertura de puertas	Catalizador
Sonda Lambda	Captador de picado	Presión aceite	Llave	

Solución a las actividades

Actividad 1.

Falsa.

Actividad 2.

Ruptor

Actividad 3.

La **dinamo** o generador de corriente **continua** transforma la energía mecánica que recibe en su eje en energía **eléctrica** que se recoge en sus bornes.

Actividad 4.

- ☐ a) Carcasa.
- ☐ b) Inducido.
- ☑ c) Mecanismo de acoplamiento.

Actividad 5.

Luz de galıbo

TEMA 8

Transmisiones

Transmisiones: tipos y elementos. Embragues: tipos, funcionamiento y averías. Cajas de cambio: tipos, funcionamiento y averías. Árboles de transmisión y rótulas. Conocimientos de grupo cónico, palieres y mandos finales. Tracción y propulsión y sus averías más frecuentes. Transmisiones hidrostáticas e hidrodinámicas. Sistema hidráulico

¿Sabes cuáles son las claves para hacer un **esquema** realmente útil para estudiar? Las Técnicas de Memoria 360 te dan todos los detalles

Índice

1. Embrague

El embrague es el mecanismo encargado de transmitir el par motor proporcionado por el grupo propulsor a la caja de cambios y ésta, a su vez, a las ruedas a voluntad de conductor (manual) o automáticamente (automático). Este es muy necesario ya que para iniciar el movimiento de nuestros coches hay que transmitir el par del motor a bajo régimen de una forma progresiva por resbalamiento mecánico o viscoso hasta que consigamos el acoplamiento completo.

De una forma sencilla podríamos decir que su misión es desconectar el motor de las ruedas en el momento de arrancar o realizar un cambio de marcha.

El embrague debe cumplir una serie de características:

- Poseer suficiente fuerza para que no patine con el motor funcionando a pleno rendimiento y a la vez proporcionar una marcha suave.
- Debe ser resistente, rápido y seguro:
  - Resistente debido a que por él pasa todo el par motor.
  - Rápido y seguro para poder aprovechar al máximo dicho par en todo el abanico de revoluciones del motor.

El embrague va situado entre el motor y la caja de cambios, y más concretamente entre el árbol motor o cigüeñal y el eje primario de la caja de cambios.

Para cumplir su misión con eficacia debe lograrse que la transmisión sea progresiva, elástica y sin cambios bruscos.

La puesta en funcionamiento del sistema puede efectuarse a través de un pedal, en función del régimen, o automáticamente.

Existen diversos tipos de embragues, que pueden clasificarse en:

- **De fricción**: el elemento de unión son piezas.
- **Hidráulicos**: el elemento de unión es aceite.
- **Electromagnéticos**: el elemento de unión es un campo magnético.

2. Embragues de fricción. Disco y maza de embrague. Collarín

La transmisión de movimiento se realiza mediante una serie de discos de fricción acoplados a través de un mecanismo de presión entre el volante motor y el primario de la caja de cambios.

2.1. Constitución

2.1.1. Disco de embrague

Disco de embrague

Todo este conjunto gira solidario a la caja de cambios. Está formado por los siguientes componentes:

- **Disco de acero**: al que se unen los ferodos; lleva unos cortes radiales (para flexibilizar el acoplamiento), unos muelles (para amortiguar la inercia del contacto) y un estriado (al que se acopla el primario de la caja de cambios).
- **Ferodos**: se remachan o pegan a cada lado del disco de acero y transmiten el movimiento sin resbalamiento (lisos por el lado del plato de presión y estriados por la cara de fricción con el volante) por lo que deben ser de materiales resistentes a la fricción. Hoy en día se ha suprimido el amianto como material de fricción por su naturaleza cancerígena.

2.1.2. Plato o disco de presión

El plato de presión, la carcasa y los muelles giran solidarios con el volante de inercia (elemento que da movimiento a la transmisión a través del embrague). El disco de presión está constituido por:

- **Disco de acero**: en forma de corona circular, une elásticamente disco de embrague y carcasa (empuja al disco de embrague sobre el volante).
- **Elementos de presión**: muelles o diafragma (unen carcasa y plato de presión).

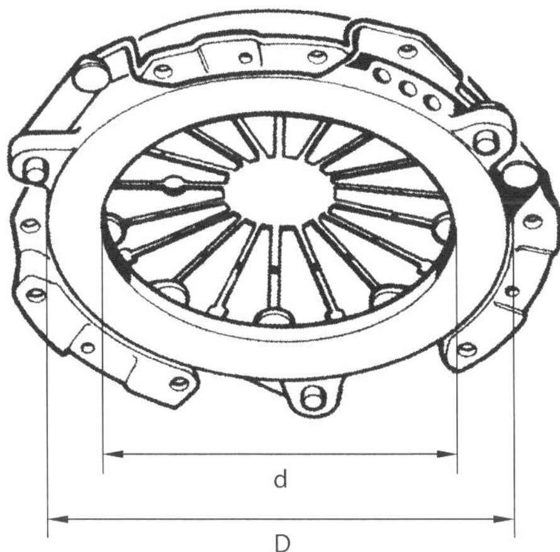

Disco de presión de diafragma

2.1.3. Cubierta o carcasa

Su finalidad es proteger exteriormente al disco de embrague y al plato de presión.

Al conjunto de plato de presión, carcasa y todos los mecanismos de unión con carcasa (muelles, palancas...) se les denomina maza de embrague.

Actualmente se tiende, en los motores de elevada potencia, al empleo de embragues de doble volante o doble masa. Reducen las vibraciones y mejoran la suavidad en el acoplamiento al repartir las masas entre corona y volante.

Actividad 1

¿Cómo se denomina al mecanismo intercalado entre el motor y la caja de cambios cuyo fin es transmitir a las ruedas el par obtenido en el volante motor, a voluntad del conductor?

2.2. Funcionamiento

- **Posición de desembragado**. En esta posición (pedal pisado) el movimiento del motor no se transmite a la caja de cambios. El collarín está empujando, por lo que el plato de presión se encuentra retirado y, en consecuencia, el disco de fricción libre.
- **Posición de embragado**. En esta posición (pedal libre) el movimiento del motor llega a la caja de cambios. Los resortes obligan al plato de presión a actuar sobre el disco de fricción.

2.3. Mandos de embrague

Mecanismo de mando

Es el encargado de transmitir la acción del conductor sobre el pedal hasta la palanca de desembrague. Puede ser de varios tipos:

- **Sistema de mando mecánico del embrague**: el pedal de embrague se une a un cable de acero que por su extremo opuesto se acopla a una horquilla que actúa sobre el collarín de embrague. Cuando el pedal de embrague no está pisado, la horquilla se mantiene retirada junto con el collarín, no atacando al plato de presión, puesto que queda una distancia entre ellos (guarda de embrague). Cuando se pisa el pedal de embrague, el cable tira de la horquilla, la cual empuja el collarín que activa el plato de presión.

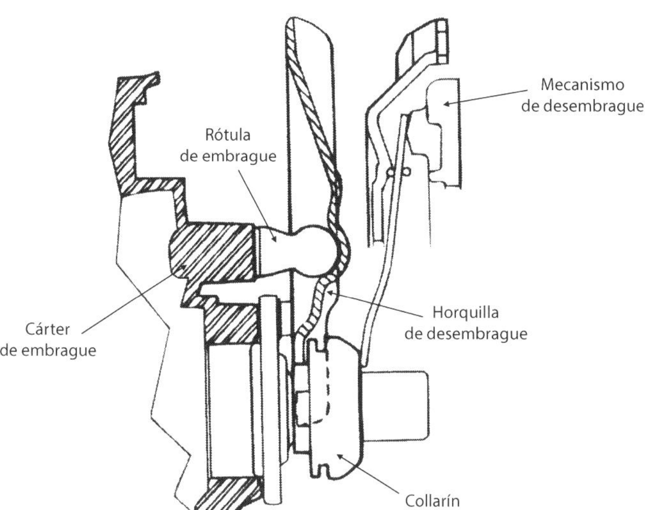

- **Sistema de mando hidráulico del embrague**: el pedal de embrague actúa sobre un cilindro emisor que impulsa el fluido hacia un cilindro receptor que a su vez provoca el desplazamiento del collarín de empuje. Logra una mayor suavidad y progresividad.
- **Sistema de mando neumático del embrague**: empleado en algunos cambios automáticos, un servo permite dar o aumentar la presión en el cilindro de mando que actúa sobre la palanca de desembrague.

Recuerda que...

La transmisión de movimiento se realiza mediante una serie de discos de fricción acoplados a través de un mecanismo de presión entre el volante motor y el primario de la caja de cambios.

2.4. Tipos y características

2.4.1. De muelles

La presión es efectuada por un conjunto de muelles. Hoy en desuso, sustituidos sobre todo por los de diafragma.

2.4.2. De diafragma

Un diafragma elástico de acero ejerce la presión.

- **En posición de embragado**, la conicidad del diafragma está orientada hacia fuera, por lo que hace presión sobre el plato.

- **En posición de desembragado**, la conicidad se dispone hacia dentro, separando el plato.

Posee ciertas ventajas con respecto a los muelles: menor esfuerzo de accionamiento, rozamiento más leve, tamaño reducido, mayor sencillez y mejor equilibrado.

2.4.3. Automático centrífugo

La presión es realizada por contrapesos que actúan según la fuerza centrífuga producida por el giro del motor.

- **Posición de embragado**: con el motor en velocidad, los contrapesos empujan al plato de presión.
- **Posición de desembragado**: con el motor al ralentí, los contrapesos no presionan al plato.

Su ventaja es que no necesita ser accionado por el conductor y es totalmente progresivo.

2.4.4. Semiautomático

La presión es generada por muelles o diafragma ayudado por contrapesos. Esto hace que el diafragma sea pequeño y que la presión a ejercer sea inferior.

2.4.5. De discos múltiples

Su funcionamiento es idéntico a los de muelles o diafragma pero con un recorrido de collarín mayor y un sistema de presión más potente al haber más discos. Esto lo hace idóneo para transmitir elevados pares.

En las motocicletas se suele emplear este tipo de embrague, girando en este caso los discos en un baño de aceite (se desgastan poco pero pierden rendimiento).

2.4.6. Automático servocomandado

Consiste en un embrague centrífugo (progresivo según r.p.m.) acoplado al volante y otro convencional (gobernado por un mecanismo servoneumático controlado por una electroválvula que se activa por la palanca de cambio de velocidad y por el pedal del acelerador); ambos están unidos mediante un mecanismo de rueda libre. Las acciones de embragado y desembragado se efectúan automáticamente (se suprime el pedal de embrague).

- **Al acelerar**: actúa el embrague centrífugo progresivamente.
- **En las retenciones**: trabaja la rueda libre para evitar el desembragado.
- **Cambio de velocidad**: al activar la palanca, se moviliza una electroválvula que comunica el servo con la depresión del motor, consiguiéndose el accionamiento de la palanca de desembrague. Cuando la palanca vuelve a la posición de reposo, se corta el servo, vuelve atrás la palanca de desembrague y se realiza un embragado

progresivo (en función de la posición del acelerador que influye sobre el valor de la depresión transmitida al servo).

2.4.7. Pilotado electrónicamente

Se basa en una gestión electrónica que comanda a un sistema hidráulico que activa o no la palanca de desembrague, todo ello combinado con un embrague convencional normalmente (pero carente de pedal de embrague). De esta forma, un calculador, cuyos sensores le informen sobre la posición de la palanca de cambios y del pedal del acelerador así como del régimen motor y velocidad del vehículo, activa una electroválvula que permite o no que la presión generada por un grupo hidráulico actúe sobre la palanca de presión.

- Con el vehículo parado y el encendido desconectado el vehículo se encuentra embragado siempre (no es posible arrancar).
- Con el encendido conectado el sistema se inicia y el grupo hidráulico adquiere presión de servicio.
- Para salir de parado, el conductor mueve la palanca hacia la primera velocidad: el embragado es automático y progresivo (en función de la posición del acelerador y el régimen).
- Para cambiar de marcha basta con presionar la palanca y levantar el pedal acelerador.

2.5. Reparación

2.5.1. Reglaje

Para efectuar el reglaje se actúa sobre el cable de mando que une la palanca de desembrague con el pedal. Pueden darse dos casos:

- **Sistemas con guarda en cojinete de empuje**: el dispositivo regulador se sitúa en el pedal. Debe ajustarse de manera que el juego libre sea de 2-3 cm.
- **Sistemas con contacto permanente de tope con diafragma**: en este caso la regulación se realiza tirando de la punta del cable en la horquilla, hasta tener un juego de 2,5 mm.

2.5.2. Comprobación

Si es necesario desmontar el embrague debe marcarse su posición en el volante. Es conveniente la revisión de los siguientes puntos para su verificación:

- **Muelles**: que no se encuentren rotos o deformados.
- **Palancas**: no deben presentarse desgastadas; su altura respecto al plano horizontal debe ser la especificada.
- **Embragues de diafragma**: se comprueba la altura de las puntas y su estado de desgaste.

- **Plato de presión y cara del volante en que se apoya el disco**: verificar la ausencia de ralladuras y deformaciones. En caso de que existan, puede rectificarse la superficie de asiento.
- **Casquillo de apoyo del eje primario de la caja de cambios**: no debe estar roto ni desgastado.

Comprobación de alabeos en el disco de embrague

- **Tope de empuje**: no debe presentar defectos en su cojinete axial.
- **Holguras entre el disco y su acoplamiento al eje primario de la caja de cambios**: comprobar la ausencia de oscilaciones en el giro.
- **Forros del disco**: probar que no sea excesivo el desgaste y que no se encuentre engrasado (por fugas en el retén del cigüeñal o de la caja de cambios).
- **Disco de embrague**: verificar la ausencia de alabeos con un reloj comparador.
- **Durezas de accionamiento**: si es necesario un esfuerzo excesivo en el pedal, puede ser debido a un mal deslizamiento del cable en su funda.
- **Sistemas de mando hidráulico**: evidenciar que el recorrido de la horquilla es el adecuado, y si no es así, purgar el circuito.

3. Funcionamiento general del embrague

3.1. Embragues electromagnéticos

Su funcionamiento se basa en la acción electromagnética que ejerce una masa polar montada en el volante de inercia que hace que se transmita o no el movimiento a la caja de cambios.

3.1.1. Constitución

Los componentes principales son:

- **Bobina**: recibe el paso de corriente a través de dos anillos rozantes y unas escobillas.
- **Armadura**: es atraída o repelida por la bobina.
- **Casquillo de arrastre**: solidario a armadura, recibe al estriado del primario de la caja de cambios.
- **Polvo magnético**: situado en el entrehierro entre bobina y armadura, efectúa la unión entre ambas.

La armadura y el casquillo giran con la caja de cambios; la bobina lo hace con el volante de inercia.

3.1.2. Funcionamiento

Al ralentí, el campo magnético es insuficiente para solidarizar corona y armadura pero suficiente para concentrar el polvo magnético en el entrehierro y dar progresividad al embrague. Al acelerar, el campo magnético es capaz de solidarizar corona y armadura. Al cambiar de velocidad se interrumpe el campo.

3.1.3. Tipos y características

- **Electromagnético**: el visto en el anterior apartado.
- **De fricción con accionamiento electromagnético**: este tipo de embrague mantiene el disco de fricción, pero es accionado magnéticamente. La bobina, alojada en el volante, ejerce su acción sobre un plato secundario, a través de la armadura, y éste, empuja el disco de fricción contra un plato intermedio unido al volante.
- **De fricción con accionamiento electromagnético-centrífugo**: se trata de un embrague automático de tipo electromagnético que combina la acción de un disco de fricción y unos contrapesos. Al ralentí el motor se mantiene desembragado, pero al acelerar, actúan unos contrapesos sobre el disco de fricción para dar progresividad. Al desembragar, el campo magnético libera los contrapesos mediante un interruptor situado en la palanca de cambios.

3.2. Embragues hidráulicos

El principio de funcionamiento del embrague hidráulico se basa en transmitir energía, mediante un fluido, desde una bomba hacia una turbina. La primera toma el movimiento del motor, la segunda lo transmite a la caja de cambios. Ambas coronas tienen forma geométrica de semitoroide y van provistas de álabes.

3.2.1. Constitución

Consta de tres partes fundamentales:

- **Corona motriz**: unida al árbol motor, impulsa el aceite sobre la turbina, por tanto, actúa como bomba centrífuga.
- **Corona arrastrada**: unida a la caja de cambios, recibe el aceite impulsado por la bomba para producir un giro, funcionando por tanto como una turbina.
- **Carcasa**: protege el conjunto y lo mantiene sumergido en aceite.

3.2.2. Funcionamiento

Cuando el motor gira rápido, el aceite lleva mucha energía cinética, por lo que la transmisión a la caja de cambios se realiza con resbalamiento casi nulo (el fluido toma la forma de un torbellino tórico). Cuando el motor gira al ralentí, el aceite lleva poca energía cinética y no vence al par resistente (resbalamiento total), por lo que se corta la transmisión.

3.2.3. Características

A continuación se exponen las características de este tipo de embrague, puesto en comparación con los de tipo convencional:

- El desgaste es menor, de hecho, su duración es superior a la vida útil del vehículo. El mantenimiento también se ve reducido, limitándose al necesario cambio de aceite periódico.
- Su mayor ventaja es su progresividad, lo que hace que la producción de vibraciones por torsión sea menor y el arranque más suave. Esto les hace ideales para su aplicación a los motores Diesel.
- Sólo es aplicable a cajas de cambios automáticas, puesto que incluso al ralentí, siempre existe un pequeño empuje que actuaría sobre los engranajes.
- El gasto de combustible es mayor debido a la inevitable pérdida de energía que se produce por el deslizamiento del aceite en su acoplamiento.
- También es mayor el coste económico.

3.3. Convertidores de PAR

Su principio de funcionamiento es similar al del embrague hidráulico, pero aumentando el par a la salida (aprovecha la fuerza centrífuga perdida por el resbalamiento del aceite). En realidad, lo que hace es actuar como un embrague cuando se inicia el movimiento, ejerciendo la máxima tracción (par máximo), para progresivamente ir reduciéndose la multiplicación obtenida hasta igualarse los pares de entrada y salida.

3.3.1. Constitución

También está constituido por una bomba y una turbina, pero en este caso se intercala entre la corona motriz y la corona arrastrada un reactor (o estator) montado en una rueda libre. Los álabes no son rectos, como en los embragues hidráulicos, son curvados y coordinados entre sí. De esta forma, el aceite que resbala por el centro de la turbina en sentido contrario a la bomba es recogido por el reactor y reorientado hacia la bomba con una dirección adecuada. El reactor gira en sentido contrario a las coronas, pues es retenido por una rueda libre.

3.3.2. Funcionamiento

Su funcionamiento es de la siguiente forma:

- Al subir una pendiente, acelerar o arrancar, la bomba gira más rápido que la turbina, por lo que hay resbalamiento. El reactor está quieto, puesto que está retenido por la rueda libre (es el "apoyo" para producir el par), y recoge aceite devolviéndolo a la bomba, provocando un aumento de par.
- Al ir en terreno llano y sin acelerar, la bomba y la turbina giran igual, existiendo poco resbalamiento. El reactor gira con las coronas y no actúa, por lo que la transmisión es directa, sin multiplicar el par.

3.3.3. Características

Con el convertidor de par se consiguen multiplicaciones de par de 2/1 aproximadamente, no obstante, debe ir obligatoriamente acoplado a una caja de cambios automática, puesto que el empleo exclusivo del convertidor exigiría montarlo con motores muy potentes, para poder vencer la inercia en el arranque.

También puede acoplarse a cajas de cambios convencionales, pero con un embrague de fricción intercalado entre él y la caja de cambios, para poder realizar los cambios de marcha. A este tipo de transmisiones se les denomina "semiautomáticas".

4. Caja de cambios: tipos y funcionamiento básico

4.1. Introducción

La caja de cambios es un elemento de transmisión que funciona como un transformador de velocidad y como un convertidor de par. Como transformador de velocidad permite modificar el número de revoluciones de las ruedas (velocidad del coche) y el sentido de su giro (marcha atrás). Como convertidor de par, transmite el par motor a las ruedas y transfiere una potencia; esa potencia generada en el motor debe ser igual a la absorbida en llanta.

La potencia transmitida, equivalente a la generada en el motor, se puede calcular de la siguiente forma:

$$Wf = Cm \cdot n / 716{,}2 = Cr \cdot n_1 / 716{,}2$$

Siendo Cm el par motor, n las revoluciones del motor, Cr el par resistente en las ruedas y n_1 las revoluciones descritas por las ruedas.

Asimismo, el par motor generado y el par motor transmitido a las ruedas siguen la siguiente proporción:

$$Cm \cdot n = Cr \cdot n_1$$

La necesidad de poseer un mecanismo de este tipo es consecuencia de la falta de elasticidad que tienen los motores, puesto que sólo dan el máximo par dentro de una gama de revoluciones limitada. Según esto, si no hubiera caja de cambios el número de revoluciones del motor se transmitiría íntegramente a las ruedas ($n = n_1$) con lo que el par a desarrollar por el motor (Cm) sería el necesario para vencer el par resistente en las ruedas (Cr). Para mantener estas condiciones sería necesario un motor de potencia exagerada. Lo que se hace es disponer una caja de cambios que obtiene mediante engranajes el par motor necesario para las diferentes condiciones de marcha. Se consigue aumentar el par de salida a cambio de reducir el número de revoluciones de las ruedas.

La relación de transmisión (Rc) es la desmultiplicación que hay que aplicar en la caja para obtener el aumento de par necesario en las ruedas. Depende del diámetro y/o del número de dientes de las ruedas dentadas.

$$Cr/Cm = n/n_1 = Rc$$

El emplazamiento puede variar, existiendo tres posibilidades:

- Entre el embrague y el puente trasero.
- En la parte delantera, junto al motor, embrague y par reductor.
- En la parte trasera, acoplada al puente trasero o al motor.

Sabías que...

Leonardo da Vinci llegó a diseñar en sus tiempos lo que sería el precursor de las cajas de cambios de los modernos coches. Influido por la fiebre del desarrollo industrial que fomentaba Ludovico el Moro, Leonardo da Vinci diseñó un cambio de velocidad compuesto por dos piezas, una cilíndrica y otra cónica que mediante una serie de engranajes convertía el mecanismo en un cambio de velocidades.

4.2. Cajas de cambio manuales: tipos y funcionamiento básico

4.2.1. Cajas de cambio de tres ejes

Esencialmente está constituida por tres árboles en paralelo con cuatro pares de piñones de transmisión y un piñón adicional de marcha atrás. Como principales componentes podemos destacar:

- **Árbol primario**: recibe movimiento del embrague. Lleva un único piñón (de arrastre) engranando en toma constante con otro del árbol intermediario.
- **Árbol intermediario**: se dispone en paralelo al primario, engranado con él a través de un único piñón. Lleva tres piñones labrados en el eje, más el de toma constante y el de marcha atrás.
- **Árbol secundario (eje secundario)**: se coloca en prolongación al primario, apoyado en su interior. Lleva tres piñones receptores, locos sobre el eje (no son solidarios al eje) y un piñón recto de marcha atrás. También se emplazan en él los sincronizadores, cuya función es solidarizar el giro del piñón con el giro del árbol. Se acoplan al árbol mediante un estriado.

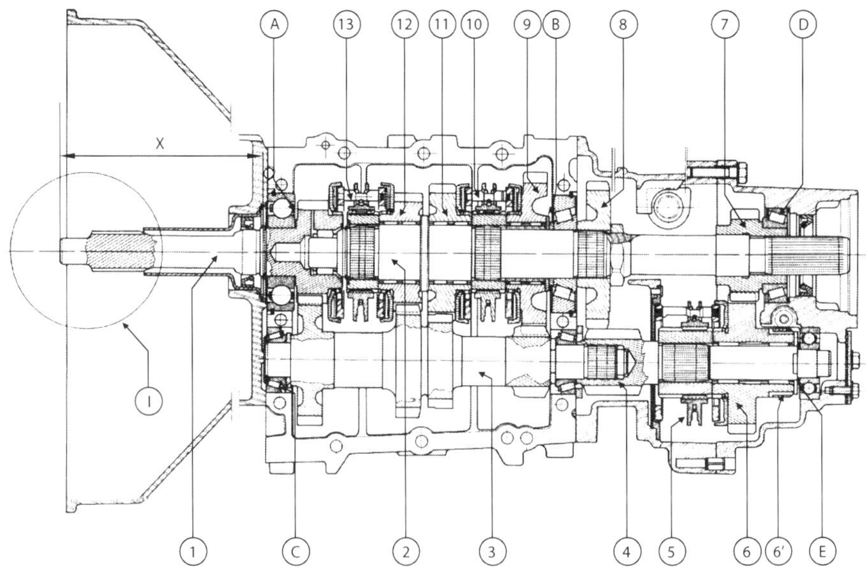

I. Identificación de las cajas
X. 138 mm (152 para 604 V6)
1. Árbol motor
2. Árbol receptor
3. Árbol intermedio
4. Árbol intermedio 5a/M. ATRÁS
5. Sincronizador 5a/M. ATRÁS
6. Piñón motor de 5a
7. Piñón receptor de 5a
8. Piñón receptor de M-ATRÁS
9. Piñón receptor de 1a
10. Sincronizador de 1a
11. Piñón receptor de 2a
12. Piñón receptor de 3a
13. Sincronizador de 3a/4a

Delgas de regulación

A. Posición del cono sincron. de 4a
B. Posición del cono sincron. de 2a
C. Precontracción de los rodamientos de rodillos cónicos del árbol intermedio
D. Precontracción de los rodillos cónicos del árbol receptor
E. Juego de funcionamiento árbol intermedio

Caja de cambios de tres ejes

- **Carcasa**: da apoyo a los ejes (con interposición de cojinetes de agujas).
- **Sincronizadores**: como los piñones de los árboles intermediario y secundario engranan continuamente (uno de ellos loco), es el sincronizador el que consigue la unión de ambos ejes, solidarizando el piñón loco con su eje. Para cumplir adecuadamente esta función, primero iguala las velocidades de giro de los piñones (conos macho y hembra) y después los acopla (dentado de desplazable y corona de arrastre del piñón), reduciendo así los rozamientos hasta un nivel admisible. Podemos decir, por tanto, que la transmisión se efectúa siguiendo este orden: piñón intermedio - piñón secundario - sincronizador - eje (por estriado).

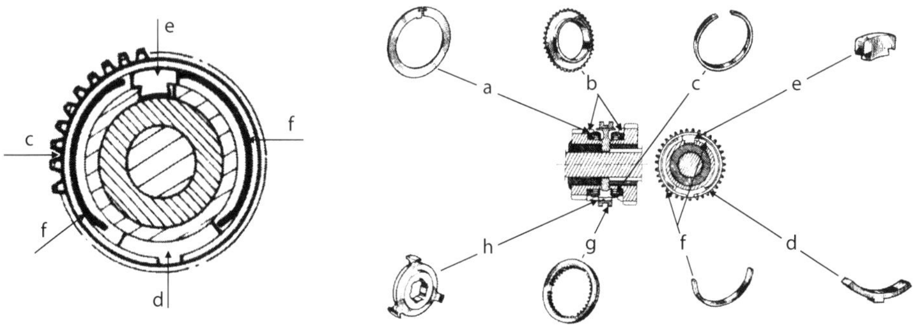

a. Circlip
b. Corona de sincronización
c. Resorte de sincronización
d. Cerrojo
e. Tope
f. Resorte de arrastre
g. Manguito de cambio
h. Cubo de arrastre

Desmontaje de un sincronizador

- **Mandos de la caja**: el mando general se efectúa mediante un conjunto de palanca, varillas, horquillas y desplazables. La palanca desplaza las varillas, las cuales, por medio de las horquillas, accionan los desplazables, que actúan sobre el sincronizador, deslizándolo hacia la posición deseada. También es necesario un sistema de enclavamiento de velocidades compuesto por unos fiadores de bolas y muelles.
- **Grupo de reducción final**: realiza la última reducción de par. Formado por el piñón de ataque (salida del secundario) y la corona del diferencial. Puede tener varias disposiciones:
  - **Grupo cónico**: formado por un piñón de ataque y una corona, ambos de dentado helicoidal. Los ejes de piñón y corona se cortan en el centro de la circunferencia exterior característica de la corona.

* **Grupo cónico hipoide**: similar al anterior, pero el eje del piñón corta al de la corona por debajo de su centro.

* **Grupo recto**: la corona está dentada exteriormente y es tomada por el piñón en su zona superior. Se suele utilizar en motores transversales.

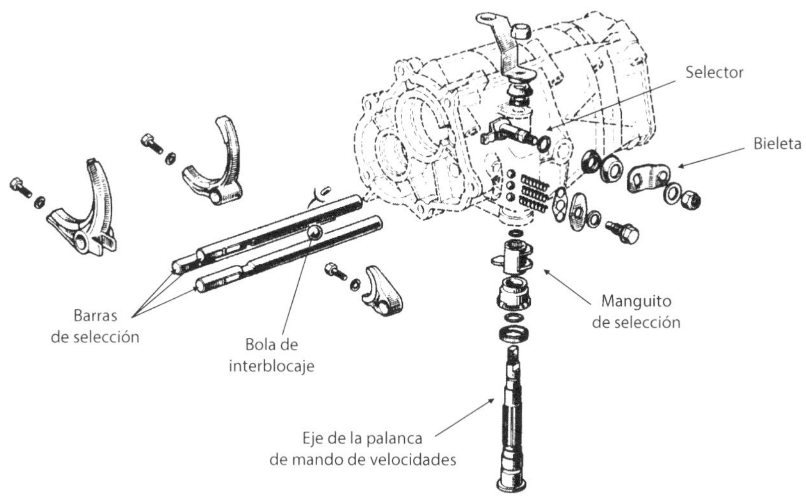

Mandos de una caja de cambios

Las distintas velocidades se obtienen por combinación de piñones.

- **Primera velocidad**: se consigue con el desplazamiento del sincronizador de 1.ª y 2.ª, que engrana los piñones correspondientes con la reducción que sea.
- **Segunda velocidad**: se logra desplazando el mismo sincronizador en el sentido contrario al caso de la 1.ª velocidad.
- **Tercera velocidad**: se obtiene de forma similar, pero utilizando un nuevo sincronizador, el de 3.ª y 4.ª.
- **Directa o cuarta velocidad**: acoplamiento directo de secundario y primario a través del sincronizador de 3.ª y 4.ª.
- **Marcha atrás**: engarce de un piñón loco adicional que invierte el giro.

Actividad 2

Rellena los huecos con las palabras que faltan:

La caja de cambios es un elemento de [   ] que funciona como un transformador de velocidad y como un [   ] de par. Como transformador de velocidad permite modificar el número de revoluciones de las ruedas (velocidad del coche) y el sentido de su giro (marcha atrás). Como [   ] de par, transmite el par motor a las ruedas y transfiere una potencia; esa potencia generada en el motor debe ser igual a la absorbida en llanta.

4.2.2. Cajas de cambio de dos ejes

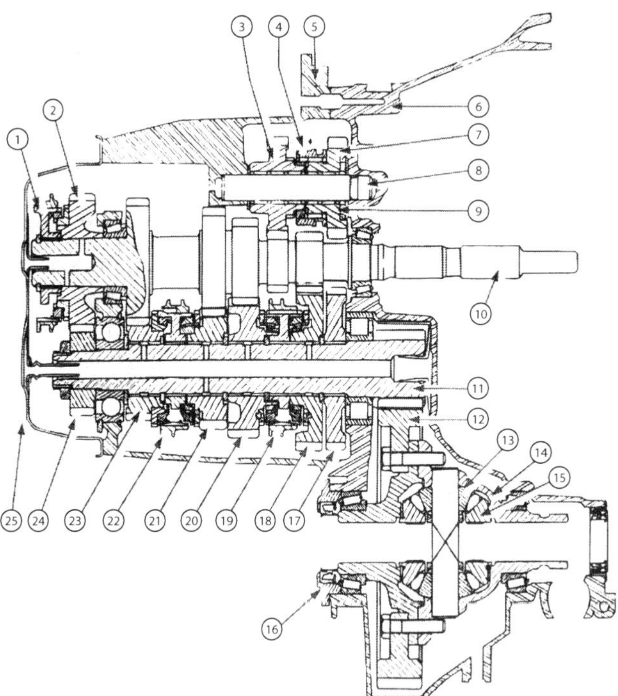

1. Sincronizador de la 5.ª
2. Piñón motor de 5.ª
3. Piñón intermedio de marcha atrás
4. Piñón desplazable de marcha atrás
5. Cárter de la caja de velocidades
6. Cárter de embrague
7. Piñón desplazable de marcha atrás
8. Eje de marcha atrás
9. Tope de aguja de marcha atrás
10. Árbol primario
11. Árbol secundario
12. Corona diferencial
13. Piñones satélites
14. Caja de diferencial
15. Piñones planetarios
16. Placa de freno del rodamiento del diferencial
17. Piñón receptor de marcha atrás
18. Piñón receptor de la 1.ª
19. Sincronizador de 1.ª/2.ª
20. Piñón receptor de la 2.ª
21. Piñón receptor de 3.ª
22. Piñón receptor de 3.ª/4.ª
23. Piñón receptor de 4.ª
24. Piñón receptor de 5.ª
25. Cárter de chapa

Caja de cambios de dos ejes, 5 velocidades, para motores transversales

Aplicable a coches con tracción y motor delantero, se aúna en un solo bloque caja de cambios, diferencial y par de reducción (busca la simplificación). Consta de los siguientes componentes:

- **Tren fijo o árbol primario**: recibe movimiento del eje de mando (embrague). Lleva cuatro piñones helicoidales (labrados en el eje) y uno de dientes rectos (marcha atrás).
- **Carcasa**: en ella se apoyan los ejes con interposición de rodillos tronco-cónicos.
- **Árbol secundario (eje secundario)**: transmite el movimiento a las ruedas. Lleva los cuatro piñones receptores (locos sobre el eje), los dos sincronizadores y otro piñón para marcha atrás. Termina en el piñón cónico, que engrana con la corona del diferencial. En los motores transversales suele terminar en un piñón recto.

El funcionamiento es similar a la de tres ejes, con la salvedad de que la cuarta ahora se consigue con dos piñones aproximadamente iguales, no por acoplamiento a través de sincronizador.

Sufre cargas mayores, puesto que efectúa la transmisión del par a través de un único par de piñones y no de dos pares. Esto implica que debe construirse con mejores materiales y que las relaciones de transmisión deben ser menores (se compensa después en el par de reducción).

4.2.3. Casos especiales

- **Cajas de cambio aplicables a motores transversales**: como ya se citó anteriormente, la diferencia fundamental radica en que el par cónico de reducción pasa a par recto.

  Cajas de cambio de cinco velocidades: en las cajas de cambio de cinco velocidades, la 4.ª es una directa y la 5.ª una supermarcha. Para obtener la 5.ª se montan dos engranajes adicionales en los ejes, que multiplican, no reducen. Se sitúan fuera de la carcasa de la caja, pero formando un único recinto hermético con ella, por lo que se les cubre con una tapa.

4.2.4. Características complementarias

Existen ciertos aspectos que merecen ser destacados en cuanto al funcionamiento de las cajas de cambio:

- **Lubricación**: los piñones se pulverizan con aceite (SAE 90). En los ejes y los cojinetes de apoyo, el aceite entra por perforaciones adecuadas. La carcasa debe garantizar la estanqueidad, lo cual se consigue con la interposición de juntas y retenes en todas las uniones.
- **Ventilación interna**: se efectúa por medio de un aireador o respiradero. Se evita así que se creen sobrepresiones que puedan provocar fugas.

- **Engranajes**: se utilizan fundamentalmente los de tipo helicoidal, por ser más silenciosos y repartir óptimamente el desgaste. Esto es así debido a que trabajan dos dientes al mismo tiempo, descomponiendo los esfuerzos en tres direcciones.

4.2.5. Reparación

4.2.5.1. Montaje y desmontaje

Para el desmontaje de la caja de cambios deben tenerse en cuenta los siguientes aspectos:

- Vaciar previamente el aceite.
- Marcar cada uno de los componentes según se van desmontando, para posteriormente poder acoplarlos correctamente.
- El orden normal del desmontaje es: carcasa delantera - tapa trasera - semicarcasas - diferencial - tren secundario - tren primario - horquillas, barras de mando y fiadores. Si la caja es de cinco velocidades, se retira primero el conjunto de piñones de la 5.ª, antes de separar las semicarcasas.
- Evidentemente, el proceso de desmontaje varía de unas cajas a otras: así, en las destinadas a vehículos de tracción y disposición transversal del motor, el desarmado comienza por la tapa trasera y las barras desplazables, continuando después por los piñones de 5.ª, para posteriormente acceder al conjunto de engranajes.
- Los engranajes se desmontan teniendo en cuenta que van unidos al eje a través de un conjunto de arandelas, cojinetes y clips de fijación. Es importante marcar la posición de la corona con respecto al buje del sincronizador, puesto que el propio desgaste por el uso genera una posición de asiento que no debe modificarse, para evitar holguras.

El montaje de la caja de cambios implica realizar las operaciones inversas a las anteriores, teniendo en cuenta lo siguiente:

- Las juntas, retenes y pasadores deben ser sustituidos por unos nuevos.
- Se lubrifican todos los componentes antes de ser montados, manteniéndose además una limpieza escrupulosa durante todo el proceso.
- Al ensamblar los piñones y sincronizadores sobre el eje, verificar que las holguras axiales de los piñones locos sea inferior a 0,25 mm y que el juego de montaje entre los anillos sincronizadores y el cubo no supere los 0,20 mm.
- Al posicionar los trenes de engranajes sobre la carcasa, comprobar las holguras laterales y reglar con arandelas calibradas si es necesario. Además, el posicionamiento relativo entre ambos ejes debe ser exacto: se fija el secundario en su posición y se regula el primario con arandelas calibradas.

- Una vez montadas las horquillas de mando y las barras desplazables, se continúa con las tapas y carcasas, probando el funcionamiento correcto de cada marcha posteriormente.

4.2.5.2. Reparación de componentes

Generalmente, los puntos a verificar en los componentes individuales de una caja de cambios son:

- **Carcasa**:
  * No debe presentar grietas ni deformaciones.
  * Los alojamientos de cojinetes y barras desplazables no deben estar excesivamente desgastados.
  * Las superficies de acoplamiento deben carecer de ralladuras.
- **Cojinetes de apoyo**:
  * Examinar que no hay holguras ni en sentido axial ni radial.
  * Probar que se desplazan sin dificultad en ambos sentidos.
- **Trenes**:
  * Comprobar el centrado con un reloj comparador.
  * Verificar el desgaste de las muñequillas con un micrómetro.
  * Las acanaladuras no deben presentarse desgastadas ni rayadas.
- **Engranajes**:
  * Los dientes no deben estar desgastados ni rotos.
  * Ausencia de juego en el contacto entre dientes.
  * Holgura nula en su acoplamiento al eje (reloj comparador).
- **Sincronizadores**:
  * Verificar las holguras con una galga colocada entre cono y anillo.
- **Horquillas de mando**:
  * Sin desgaste (galga colocada en la unión a la corona del sincronizador).
- **Barras desplazables**:
  * Verificar si están deformadas o desgastados sus fiadores.

Actividad 3

En relación con las cajas de cambio de tres ejes, es cierto que:

- ☐ a) Están constituidas por tres árboles en paralelo con tres pares de piñones de transmisión y un piñón adicional de marcha atrás.
- ☐ b) El árbol intermediario recibe movimiento del embrague. Lleva un único piñón.
- ☐ c) El árbol secundario (eje secundario) se coloca en prolongación al primario, apoyado en su interior. Lleva tres piñones receptores, locos sobre el eje (no son solidarios al eje) y un piñón recto de marcha atrás.

4.3. Cajas de cambio automáticas: funcionamiento básico

Se entiende por caja de cambio automática aquella en la que las distintas relaciones son seleccionadas en función de la velocidad del vehículo y del régimen, sin intervención del conductor. El mecanismo desmultiplicador está constituido por trenes de engranajes epicicloidales.

Previamente es conveniente describir cómo se maneja un vehículo con caja de cambios automática. Uno de los sistemas más extendidos emplea el siguiente criterio:

- **Posiciones de la palanca de cambios**:
  - * Posición "P": aparcamiento y arranque (transmisión bloqueada).
  - * Posición "R": marcha atrás.
  - * Posición "N": punto muerto y arranque (transmisión interrumpida).

* Posición "D": directa (las relaciones se engranan automáticamente).
* Posición "2" o "S": segunda impuesta (cambio automático entre 1.ª y 2.ª).
* Posición "1" o "L": primera impuesta (sólo va en 1.ª).

- **Posiciones del acelerador**:
  * Posición "PL": poca aceleración (cambio se produce a régimen bajo).
  * Posición "PF": plenos gases (al pisar a fondo se produce el cambio a mayor régimen).
  * Posición "RC": retrocontacto (al pisar bruscamente se cambia a una relación menor).

4.3.1. Constitución

4.3.1.1. Componentes básicos

Se puede estructurar una caja de cambios automática en los siguientes componentes:

- Convertidor hidráulico: transmite el movimiento desde el motor.
- Mecanismo desmultiplicador: engranajes epicicloidales gobernados por elementos mecánicos (frenos y embragues), hidráulicos y electrónicos.
- Par cónico y diferencial (tracción delantera) o puente trasero (propulsión).

4.3.1.2. Convertidor de par

Su principio de funcionamiento es similar al del embrague hidráulico, pero aumentando el par a la salida (aprovecha la fuerza centrífuga perdida por el resbalamiento del aceite). En realidad, lo que hace es actuar como un embrague cuando se inicia el movimiento, ejerciendo la máxima tracción (par máximo), para progresivamente ir reduciéndose la multiplicación obtenida hasta igualarse los pares de entrada y salida.

También está constituido por una bomba y una turbina, pero en este caso se intercala entre la corona motriz y la corona arrastrada un reactor (o estator) montado en una rueda libre. Los álabes no son rectos, como en los embragues hidráulicos, son curvados y coordinados entre sí. De esta forma, el aceite que resbala por el centro de la turbina en sentido contrario a la bomba es recogido por el reactor y reorientado hacia la bomba con una dirección adecuada. El reactor gira en sentido contrario a las coronas, pues es retenido por una rueda libre.

Su funcionamiento es de la siguiente forma:

- Al subir una pendiente, acelerar o arrancar, la bomba gira más rápido que la turbina, por lo que hay resbalamiento. El reactor está quieto, puesto que está retenido por la rueda libre (es el "apoyo" para producir el par), y recoge aceite devolviéndolo a la bomba, provocando un aumento de par.

- Al ir en terreno llano y sin acelerar, la bomba y la turbina giran igual, existiendo poco resbalamiento. El reactor gira con las coronas y no actúa, por lo que la transmisión es directa, sin multiplicar el par.

Con el convertidor de par se consiguen multiplicaciones de par de 2/1 aproximadamente, no obstante, debe ir obligatoriamente acoplado a una caja de cambios automática, puesto que el empleo exclusivo del convertidor exigiría montarlo con motores muy potentes, para poder vencer la inercia en el arranque.

También puede acoplarse a cajas de cambios convencionales, pero con un embrague de fricción intercalado entre él y la caja de cambios, para poder realizar los cambios de marcha. A este tipo de transmisiones se las denomina "semiautomáticas".

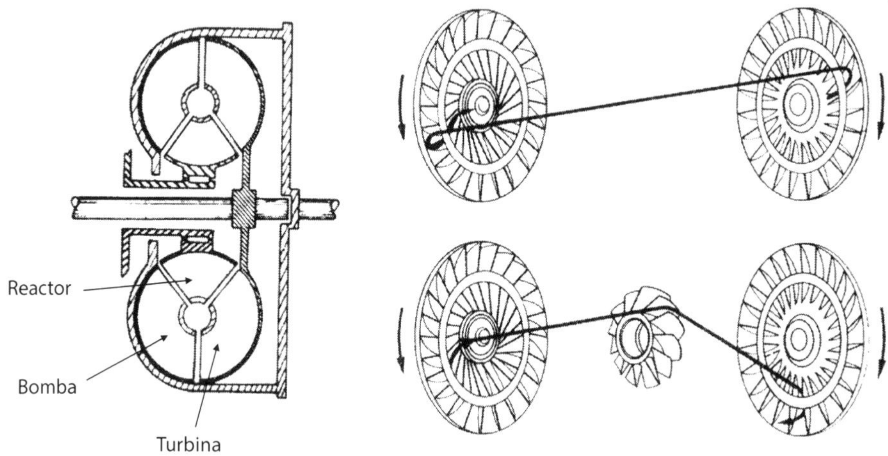

Esquema de funcionamiento de un convertidor de par

4.3.1.3. Trenes epicicloidales y/o mecanismos planetarios

Están formados por un piñón (planetario) que engrana con otros dos o tres piñones (satélites) que ruedan a su vez sobre una corona dentada interiormente. Los satélites tienen sus ejes de giro unidos mediante una placa. Este mecanismo consigue distintas reducciones, frenando y/o dando movimiento a los distintos componentes. También se pueden obtener toda una gama de reducciones si se combinan varios trenes (caja de cambios automática).

Veamos las distintas posibilidades:

- **Planetario bloqueado**: el movimiento se transmite de la corona a los satélites que ruedan sobre el planetario, produciendo un giro del árbol de acoplamiento de los satélites en el mismo sentido que el giro de la corona, con la reducción correspondiente. También puede transmitirse de igual modo el movimiento de los satélites a la corona con la multiplicación correspondiente.

- **Satélites bloqueados**: bloqueado el eje portasatélites, al dar giro al planetario, este giro se transmite a la corona, pero invertido por acción de los satélites que giran sobre sus ejes. De igual forma se traspasaría el giro de la corona al planetario.
- **Corona bloqueada**: al dar giro al planetario, los satélites se desplazan sobre la corona, dando un giro al eje portasatélites de igual sentido que el del planetario. Y viceversa.

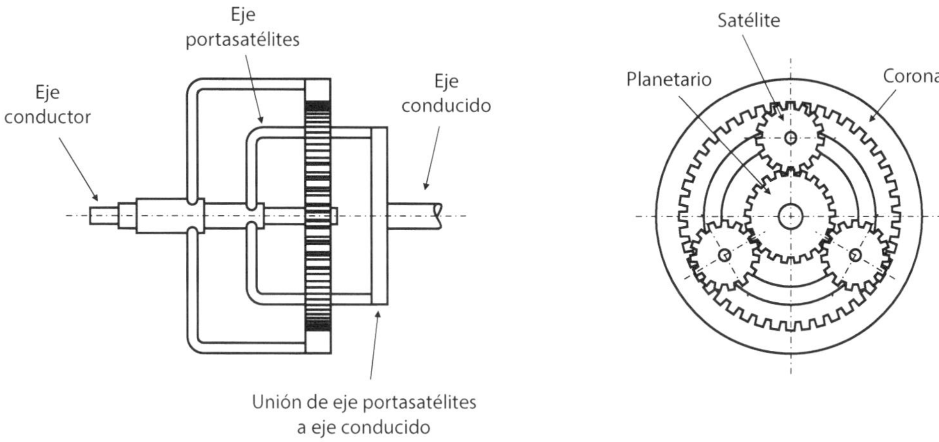

Tren de engranajes epicicloidales

Para el cambio de marcha en una caja automática, unos embragues o frenos frenan o bloquean algún componente del mecanismo planetario. Así, se pueden obtener las siguientes relaciones:

- **Frenando el eje portasatélites y moviendo el planetario**: se invierte y desmultiplica el giro de la corona.
- **Frenando la corona y moviendo el planetario**: se logra una desmultiplicación grande en el eje portasatélites.
- **Frenando el planetario y moviendo la corona**: se obtiene una desmultiplicación pequeña en el eje portasatélites.
- **Frenando a todos y moviendo el planetario**: se consigue una transmisión directa de todo el conjunto.

4.3.2. Funcionamiento

4.3.2.1. Funcionamiento básico

Las cajas de cambios automáticas realizan una combinación de trenes epicicloidales, en los cuales algunos elementos permanecen unidos permanentemente y otros enclavados temporalmente (acción de embragues o frenos), lo que nos da las distintas relaciones.

Se consiguen así cuatro velocidades y marcha atrás uniendo un embrague o convertidor hidráulico, tres trenes de engranajes epicicloidales, dos sistemas de embrague y dos sistemas de frenos de cinta. Las distintas relaciones se obtendrían de la siguiente forma:

- **Primera relación**: se transmite el movimiento con la reducción obtenida en dos trenes.
- **Segunda y/o tercera relación**: transmisión con reducción obtenida en un único tren.
- **Directa**: transmisión sin reducción.
- **Marcha atrás**: se obtiene la inversión del giro en el tercer tren.

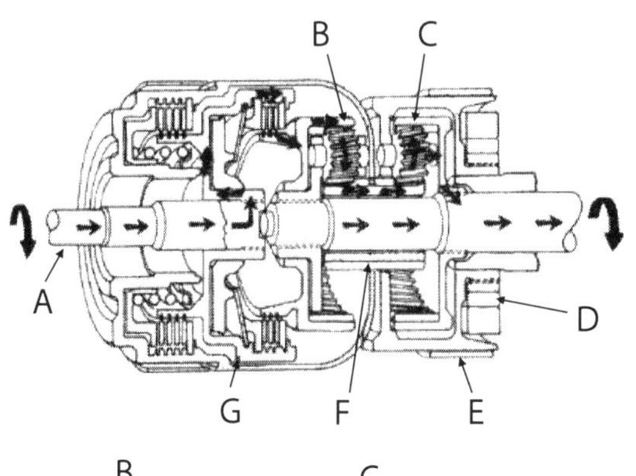

1.ª RELACIÓN

A. Eje de entrada
B. Tren epicicloidal delantero
C. Tren epicicloidal trasero
D. Rueda libre
E. Freno trasero
F. Planetarios
G. Embrague trasero

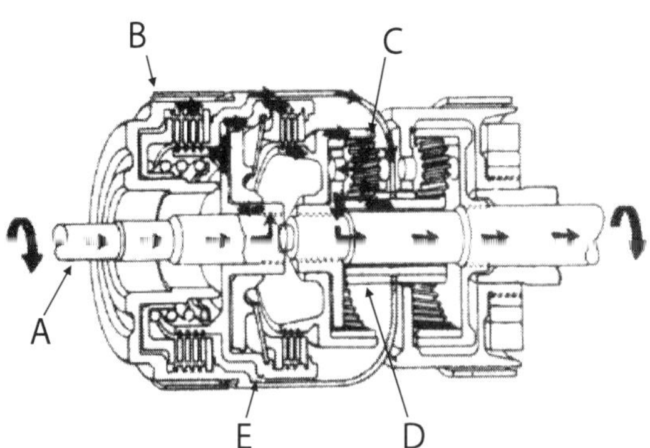

2.ª RELACIÓN

A. Eje de entrada
B. Freno delantero
C. Tren epicicloidal delantero
D. Planetarios
E. Embrague trasero

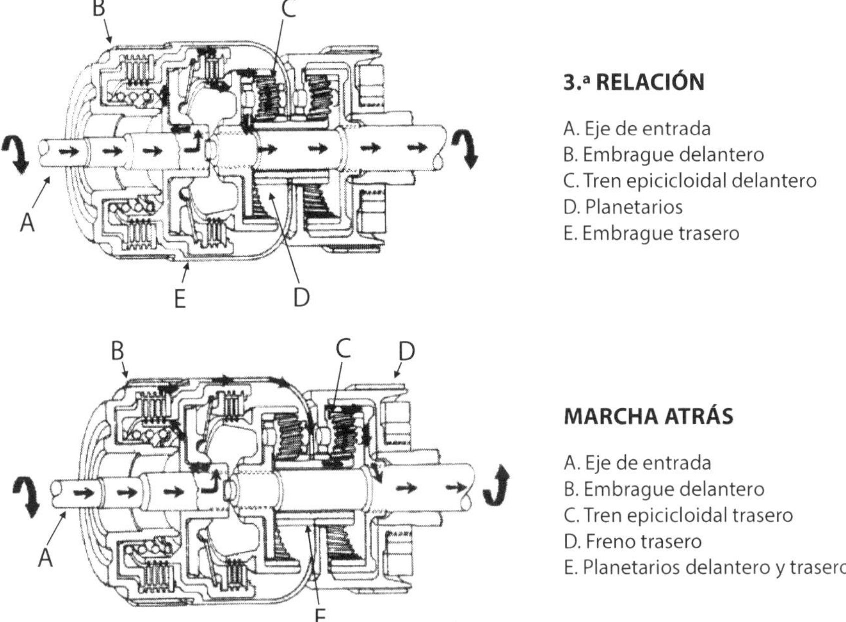

Esquema del funcionamiento de una caja de cambios automática para cada marcha

4.3.2.2. Elementos mecánicos de mando

En el mando de la caja intervienen distintos mecanismos que, junto con los elementos hidráulicos de mando, realizan la selección automática de marchas. Estos mecanismos son:

- **Embragues**: enlazan rígidamente dos componentes de los trenes epicicloidales. Constan de un conjunto de discos guarnecidos (solidarios a un buje), intercalados entre discos de acero (solidarios a una campana estriada sobre el eje del planetario), presionados por un pistón. Si el pistón recibe presión, comprime el conjunto de discos, solidarizando buje y campana, o lo que es lo mismo, el giro que recibe el buje es transmitido al planetario.
- **Frenos**: bloquean uno de los elementos del tren (lo solidariza a la carcasa del cambio). Su constitución puede ser similar a la de los embragues o en forma de cinta de freno, accionada por un servo.
- **Rueda libre**: bloquea uno de los elementos del tren en un sentido de giro.
- **Rueda de aparcamiento**: bloquea la transmisión mediante un dedo de enclavamiento (posición P).

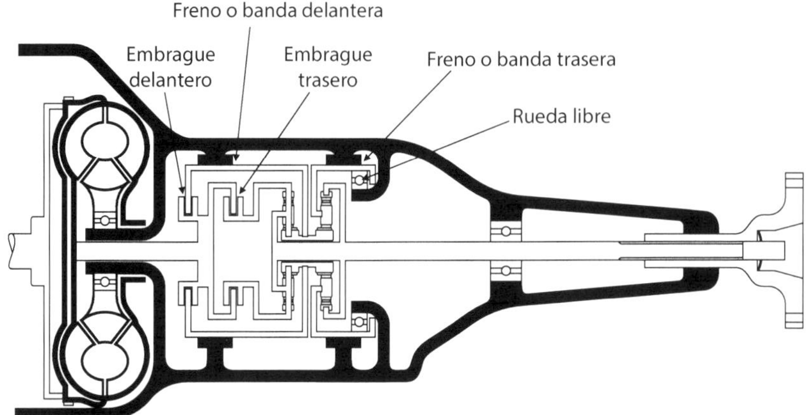

Esquema de funcionamiento de una caja de cambios automática

4.3.2.3. Elementos hidráulicos de mando

Fundamentalmente el sistema consiste en una bomba que manda presión a un distribuidor hidráulico, el cual la reparte hacia el engrase del convertidor y la caja y hacia el accionamiento de los frenos y los embragues. Unas válvulas de paso deciden a qué frenos y embragues se envía presión, en función de la posición de la válvula de corredera, gobernada por la palanca de cambio. La selección de las relaciones es comandada por válvulas de paso y de secuencias.

El distribuidor hidráulico es el mecanismo de mayor importancia. Activa frenos y embragues para obtener las diferentes relaciones. Dispone de diferentes tipos de válvulas con diversas funciones, destacando las siguientes:

- **Válvula reguladora de presión de aceite**: determina el cambio de relación en función de la carga del motor y regula la presión en todo el circuito.
- **Válvula manual**: informa de las posiciones de la palanca y controla el paso de aceite a las válvulas de paso y de secuencias. Es comandada por el conductor a través de la palanca de cambios.
- **Válvulas de paso y de secuencias**: controlan el paso de aceite a embragues y frenos.

La bomba de aceite es de engranajes de dentado interior. Se sitúa a la entrada de la caja y es actuada por la bomba del convertidor. El caudal que suministra es proporcional al régimen.

4.3.3. Reparación

El desmontaje de las cajas automáticas, al igual que en las convencionales, es muy delicado, debiéndose tener diversas precauciones: limpieza escrupulosa, marcar las posiciones relativas de los componentes, engrasado de piezas, sustitución de juntas y retenes, etc. En general se trata de una labor propia de especialistas, que se deben atener a instrucciones muy precisas proporcionadas por los fabricantes.

La verificación individual de componentes se centra en los siguientes aspectos:

- **Convertidor de par**:
  - Observar la presencia de partículas metálicas en su interior, lo que pondría de manifiesto la existencia de holguras entre turbina, bomba y reactor.
  - Verificar la ausencia de ralladuras en las zonas de acoplamiento y el estado del casquillo y la rueda libre.
- **Trenes epicicloidales**:
  - Comprobar holguras y/o agarrotamientos de los engranajes y la rueda libre.
  - La holgura axial de conjunto del tren montado no debe superar los 0,6 mm.
- **Embragues**:
  - Verificar el estado de los discos, campanas, acanaladuras y pistones.
  - El desplazamiento al comprimir los discos oscilará entre 1 y 2 mm.
- **Bomba de aceite**:
  - Comprobar el desgaste de los dentados, roturas, deformaciones, etc.
- **Distribuidor hidráulico**:
  - Ver si existen ralladuras, deformaciones, etc., en válvulas y canalizaciones
  - Las válvulas correderas deben accionarse suavemente.
  - Estado de los filtros.
  - Con ayuda de una bomba de vacío, probar la estanqueidad de la cápsula de depresión de la válvula reguladora de presión.
- **Mantenimientos y reglajes**:
  - Cambio periódico del aceite.
  - Reglaje posicional de la palanca.
  - Reglaje posicional del acelerador y posterior reglaje del interruptor de final de carrera (*kick down*).
  - Reglaje de la presión de mando del aceite, que se efectúa en la cápsula de depresión de la válvula reguladora de presión.

5. Transmisión del movimiento. Diferenciales: tipos y funcionamiento básico. Árbol de transmisión y palieres

5.1. Introducción

Se entiende por transmisión el conjunto de elementos que transmiten el movimiento (par motor) desde el motor a las ruedas.

La transmisión del movimiento desde la caja de cambios hasta las ruedas se realiza por medio de ejes de acero, denominados generalmente "transmisiones". En función de donde monte el motor un vehículo, el sistema de transmisión puede ser de cuatro maneras:

- **Vehículos de motor y tracción delanteros**: la caja de cambios termina en un grupo piñón cónico/diferencial y se transmite directamente a las ruedas por los palieres (puente delantero).
- **Vehículos de motor y propulsión traseros**: la transmisión se efectúa de forma similar al caso anterior pero disponiéndose el par cónico, el diferencial y los palieres en el tren trasero.
- **Vehículos de motor delantero y propulsión trasera**: el movimiento se transmite desde la caja de cambios hasta las ruedas a través de un árbol longitudinal que transfiere el par motor hasta el grupo par cónico/diferencial situado en el tren trasero (puentes traseros).
- **Vehículos con transmisión total**: se hacen motrices las cuatro ruedas. Para ello se dispone de un puente normal para la propulsión trasera y otro para la tracción delantera.

En los turismos actuales predomina la primera disposición de la transmisión, por considerarse más segura para la conducción. La transmisión total es utilizada casi exclusivamente por vehículos todoterreno.

5.2. Puentes traseros

El puente trasero comprende los mecanismos de par cónico y diferencial a los cuales se les hace llegar el movimiento a través de un árbol de transmisión. En los vehículos de todo adelante o todo atrás este conjunto está alojado en la caja de cambios.

5.2.1. Sistema convencional

El movimiento que trae el árbol cambia su giro en 90º mediante el par cónico. Todo el conjunto se une rígidamente al bastidor a través de la suspensión, basculando todo él con las irregularidades del terreno. En este caso, el árbol de transmisión lleva juntas, pero no los palieres.

5.2.1.1. Par cónico

El piñón cónico o de ataque recibe el giro del árbol y lo comunica a la corona por medio de dentados helicoidales; ésta, mediante el diferencial, lo pasa a los palieres y de éstos a las ruedas. El conjunto se aloja en una carcasa, sumergido en aceite. El eje del piñón de ataque se apoya en unos rodillos troncocónicos separados por un manguito y toma la posición de ataque impuesta por unas arandelas de reglaje. El piñón ataca a la corona por debajo de su centro (engranaje hipoide) para mejorar la estabilidad, conseguir una mayor superficie de contacto de piñón con la corona y bajar el centro de gravedad.

La relación desmultiplicadora del par cónico es de 3/1 a 6/1 en función del tamaño de los neumáticos y la potencia.

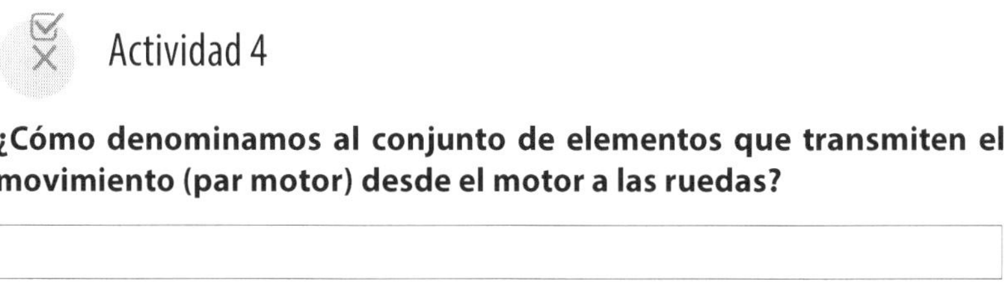

5.2.1.2. Árbol de transmisión

El tipo de vehículos en que se emplea llevan el motor y la caja de cambios delanteros y el puente trasero unido elásticamente al chasis mediante la suspensión. Por ello, debido a las irregularidades del terreno, el árbol adquiere un movimiento de sube y baja con respecto a la caja de cambios, que obliga a emplear juntas elásticas.

Los esfuerzos a que se ve sometido un árbol de transmisión son de dos tipos:

- **Flexión**: consecuencia de la velocidad de giro del árbol.
- **Torsión**: resultado de la transmisión del par.

Generalmente se suelen emplear dos tipos de árbol de transmisión:

- **Árbol de transmisión sencillo**: con una junta a cada extremo y un enlace estriado en el lado de la caja de cambios para permitir variaciones de longitud.
- **Árbol de transmisión partido en dos mitades** (empleado en longitudes elevadas): llevan una tercera junta hacia el centro del árbol.

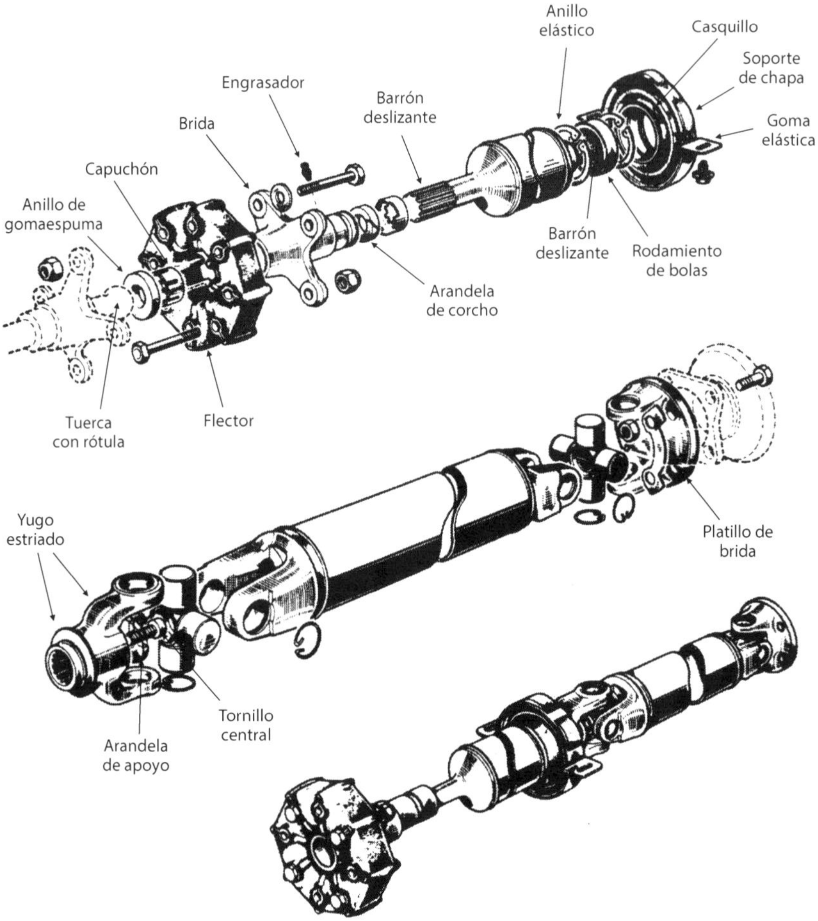

Árbol de transmisión clásico

5.2.1.3. Diferencial

Si las ruedas motrices se unieran directamente a la corona del par cónico, ambas girarían a la misma velocidad en las curvas, lo que provocaría un patinado de la rueda interior, puesto que llevando la misma velocidad que la exterior, debe recorrer una longitud menor. Por ello se dispone el diferencial, mecanismo que permite el giro de las ruedas a diferente velocidad. Se compone de corona, satélites y planetarios:

- **Corona**: transmite el giro que le llega por el piñón de ataque a la caja del diferencial.
- **Satélites**: montados sobre un eje solidario a la caja, son volteados por la corona pero pueden girar sobre dicho eje, transmitiendo su giro a los planetarios al actuar como cuñas.
- **Planetarios**: sus ejes se alojan en la corona y caja (con interposición de casquillos) y están unidos a los palieres, a los que transmiten el giro.

De esta forma, cuando una de las ruedas ofrece mayor resistencia al giro que la otra, los satélites ruedan un poco sobre uno de los planetarios (el de la rueda interior) multiplicando el giro del otro (el de la rueda exterior) por el efecto de acuñado. Con ello se logra que lo que pierde en giro una rueda lo gane la otra al describir la curva; también se consigue absorber las diferencias en las trayectorias rectas provocadas por las pequeñas irregularidades del terreno o la diferencia de presión de inflado de los neumáticos.

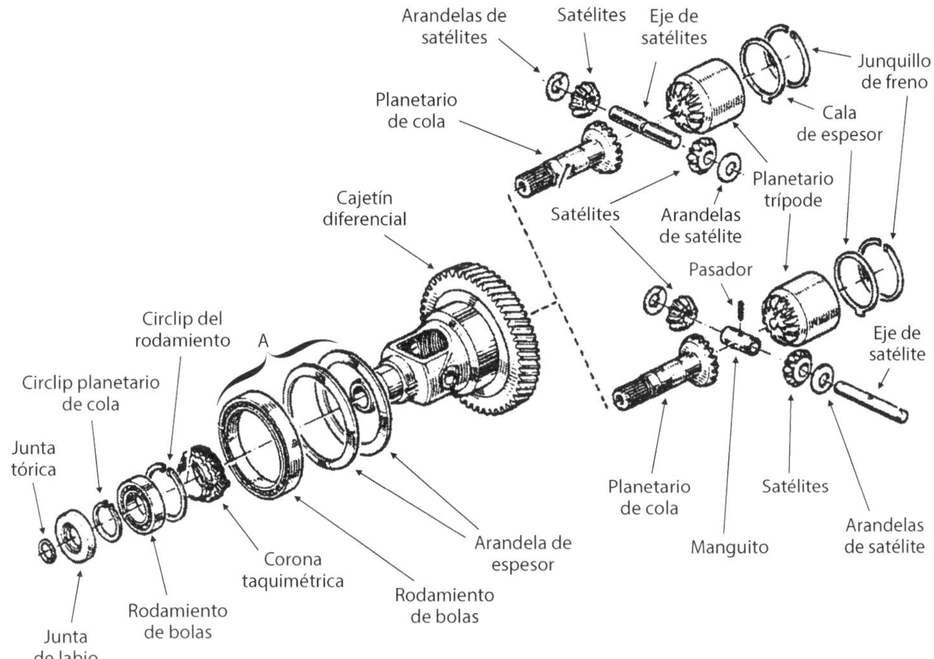

Despiece de un diferencial

Recuerda que...

La transmisión del movimiento desde la caja de cambios hasta las ruedas se realiza por medio de ejes de acero, denominados generalmente "transmisiones".

5.2.2. Sistema aplicable a suspensiones independientes en ruedas traseras

La caja de cambios y el puente trasero se unen rígidamente al chasis, por lo que el árbol de transmisión no lleva juntas pero los palieres sí. En este caso, los palieres suelen estar descubiertos y con dos juntas homocinéticas, una a cada lado.

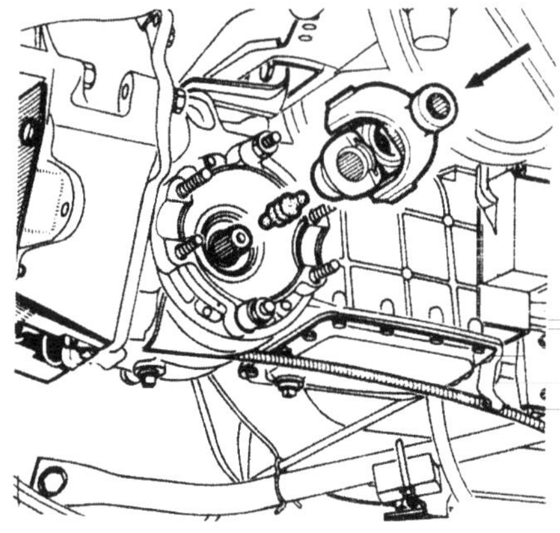

Junta homocinética en su acoplamiento a un puente trasero

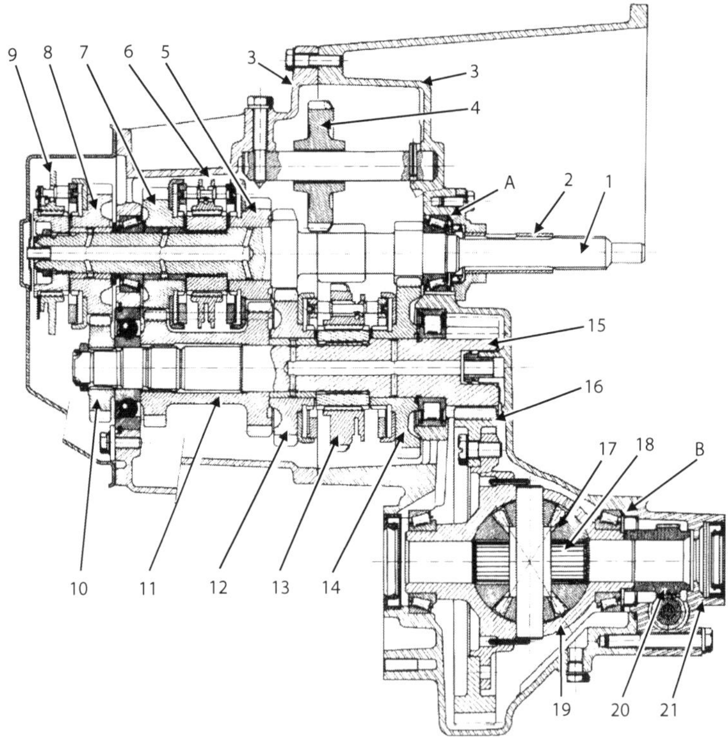

1. Árbol primario.
2. Guía porta-collarín.
3. Cárteres de caja y de diferencial.
4. Piñón balader de marcha atrás.
5. Piñón motor (3.ª).
6. Sincronizador de 3.ª/4.ª
7. Piñón motor (4.ª).
8. Piñón motor (5.ª).
9. Sincronizador (5.ª).
10. Piñón receptor (5.ª).
11. Piñón receptor (3.ª - 4.ª).
12. Piñón receptor (2.ª).
13. Sincronizador (1.ª - 2.ª).
14. Piñón receptor (1.ª).
15. Árbol secundario.
16. Corona puente.
17. Piñones satélites.
18. Piñones planetarios.
19. Cajetín diferencial.
20. Tornillo cuentakilómetros.
21. Alargadera.

A. Caja de reglaje de 0,7 a 2,4 mm de 0,1 en 0,1.
B. Caja de reglaje de 1,1 a 2,2 mm de 0,1 en 0,1.

Nota. Las cajas de cambio están equipadas con un freno de marcha atrás.

Esquema de un par recto de transmisión aplicado a una caja de cambios de dos ejes

5.3. Puentes delanteros y palieres

5.3.1. Descripción del sistema

En los puentes delanteros se realiza una transmisión directa a las ruedas utilizando palieres. En los vehículos todo adelante o todo atrás, la transmisión del movimiento a las ruedas se hace directamente desde la caja de cambios, que incluye los mecanismos de par cónico y diferencial, sin necesidad de árbol de transmisión.

- **Vehículos con motor y propulsión traseros**: el enlace de caja de cambios a ruedas se efectúa con interposición de juntas elásticas y deslizantes que permitan el movimiento ascendente y descendente de las ruedas respecto al bastidor. El sistema es similar a los puentes traseros para suspensiones traseras independientes.

- **Vehículos con motor y tracción delanteros**: de igual forma, el enlace de la caja de cambios con las ruedas se realiza con interposición de juntas elásticas y deslizantes, pero en este caso, también deben permitir la orientación de la rueda. Del lado de la rueda suele montarse una junta homocinética de doble cardan o de bolas o trípode. Del lado de la caja de cambios se utiliza una junta deslizante trípode.

5.3.2. Par recto (ver figura página anterior)

El piñón cónico en este caso pasa a ser un par recto. El piñón ataca a la corona por su parte superior. Al igual que en los puentes traseros, ésta, mediante el diferencial, pasa el movimiento a los palieres, y éstos, a las ruedas. En este caso el conjunto de par recto y diferencial se aloja dentro de la propia caja de cambios.

La relación desmultiplicadora del par recto está en función de los mismos criterios y toma valores similares a los del par cónico.

5.3.3. Diferencial

Su disposición es similar al empleado en puentes traseros.

5.4. Diferenciales

5.4.1. Diferenciales convencionales

Se corresponden con el descrito en el apartado dedicado a los puentes traseros.

5.4.2. Diferenciales para sistemas de propulsión total o transmisión a las cuatro ruedas

Se denominan así a los sistemas que hacen motrices las cuatro ruedas, entre las cuales se reparte el par a transmitir al suelo, mejorando por consiguiente la adherencia en firmes deslizantes y/o en curva. Se utilizan distintos métodos:

- **Diferenciales traseros controlados**: entran en funcionamiento en caso de pérdida de tracción de una rueda trasera. El mecanismo de mando suele basarse en bloquear uno de los planetarios por medios mecánicos. Lo selecciona el conductor.
- **Diferenciales traseros autoblocantes**: se realiza el mismo enclavamiento que en el caso anterior, pero de forma automática, mediante embragues que solidarizan el planetario a la caja del diferencial en caso de pérdida de tracción de una rueda.
- **Transmisión 4 × 4 permanente**: desarrolla un reparto proporcional del par motor mediante la utilización de un diferencial central (además de los dos normales, uno en el eje delantero y otro en el trasero) que compensa además las distintas velocidades de los ejes delantero y trasero en trayectorias curvas. Este diferencial central puede efectuar un reparto asimétrico entre los ejes delantero y trasero por medio del empleo de planetarios de diferente tamaño o a través de conjuntos viscoacopladores (diferencial Ferguson).

5.5. Reparación

Los mecanismos de transmisión están sometidos a constantes esfuerzos de torsión y flexión que pueden dar lugar a deformaciones y/o roturas. Los palieres y árboles de transmisión sufren torsiones constantemente que se acentúan en las aceleraciones y frenadas, los puentes traseros soportan parte del peso del vehículo por lo que se ven solicitados a flexión, los diferenciales y el par cónico sufren cargas axiales y radiales que deben resistir los dientes de los engranajes, etc.

Si para la reparación es necesario el desmontaje de elementos, debe tenerse en cuenta que previamente es conveniente localizar los puntos de fuga de aceite, si existieran, así como la sustitución de retenes en el posterior montaje.

5.5.1. Reparación de puentes traseros

Deben realizarse las siguientes verificaciones:

- **Comprobar la existencia de deformaciones o roturas en carcasas y engranajes**. Si es necesaria la sustitución de algún componente, debe tenerse en cuenta que hay que hacerlo en conjuntos, es decir, satélites y planetarios, piñón de ataque y corona, etc., puesto que están apareados.
- **Comprobar los cojinetes de apoyo del piñón de ataque y del conjunto corona-diferencial**.
- **Verificar el juego lateral de los planetarios (inferior a 0,15 mm)**: la operación se ejecuta fácilmente con unas galgas, y si es necesario, se regula con arandelas calibradas.

- **Verificar el reglaje y ajuste del ensamblaje del conjunto piñón de ataque-corona**: para ello, se realiza un ajuste inicial del piñón de ataque (si es necesario se utilizan arandelas calibradas) y posteriormente se ajusta la corona respecto al piñón (igualmente se regula con arandelas hasta que el juego no exceda los 0,15 mm). Para comprobar este juego piñón-corona se monta un reloj comparador y se desplaza lateralmente la corona.
- **En el árbol de transmisión no deben presentarse deformaciones, holguras en las juntas, pérdidas de aceite ni desalineaciones**. Las juntas se comprueban mediante una sencilla operación: manteniendo fijo uno de los ejes, se intenta mover con la mano el otro, no debiendo existir ningún tipo de holgura.

Actividad 5

Indica si la siguiente cuestión es verdadera o falsa:

Los mecanismos de transmisión están sometidos a constantes esfuerzos de traslación y rotación que pueden dar lugar a deformaciones y/o roturas.

Verdadera ☐ Falsa ☐

5.5.2. Reparación de puentes delanteros

En los puentes delanteros, el diferencial está incluido en la caja de cambios, por lo que el ajuste del grupo par cónico-diferencial tiene ciertas particularidades con respecto a lo explicado en el apartado anterior. En este caso el posicionamiento con respecto a la carcasa se realiza actuando sobre unas tuercas laterales, mediante las cuales se efectúa el reglaje de aproximación de la corona respecto al piñón de ataque, tomando como referencia el huelgo existente entre los dientes de ambos (inferior a 0,20 mm), medido con un reloj comparador montado lateralmente en la corona.

Las verificaciones a realizar en los palieres son similares a las indicadas para los árboles de transmisión: holguras en las juntas, estado de los guardapolvos, fugas de aceite, etc.

Solución a las actividades

Actividad 1.

Embrague

Actividad 2.

La caja de cambios es un elemento de **transmisión** que funciona como un transformador de velocidad y como un **convertidor** de par. Como transformador de velocidad permite modificar el número de revoluciones de las ruedas (velocidad del coche) y el sentido de su giro (marcha atrás). Como **convertidor** de par, transmite el par motor a las ruedas y transfiere una potencia; esa potencia generada en el motor debe ser igual a la absorbida en llanta.

Actividad 3.

- ☐ a) Están constituidas por tres árboles en paralelo con tres pares de piñones de transmisión y un piñón adicional de marcha atrás.
- ☐ b) El árbol intermediario recibe movimiento del embrague. Lleva un único piñón.
- ☑ c) El árbol secundario (eje secundario) se coloca en prolongación al primario, apoyado en su interior. Lleva tres piñones receptores, locos sobre el eje (no son solidarios al eje) y un piñón recto de marcha atrás.

Actividad 4.

Transmisión

Actividad 5.

Falsa.

TEMA 9

Sistemas de dirección. Descripción, características, funcionamiento y tipos. Cuidados. Averías más comunes y consecuencias posibles

¿Conoces la diferencia entre **mapas** conceptuales y mapas mentales? Toda la info en tu Curso MAD360.

Índice

1. Funcionamiento y elementos que componen el sistema de dirección

1.1. Misión de la dirección

Se denomina dirección al conjunto de órganos que permiten la orientación de las ruedas delanteras o directrices, según las necesidades de la conducción. Como las ruedas, al estar rozando continuamente con el suelo, ofrecen resistencia para ser orientadas, es necesario que la dirección posea los mecanismos necesarios para multiplicar el esfuerzo realizado por el conductor y de esta manera evitar su fatiga.

1.2. Características que debe reunir la dirección

Para que una dirección sea **fiable y segura** debe presentar una serie de características, entre las que podemos destacar:

a) **Seguridad**. Esta depende fundamentalmente de la bondad de los materiales con que se construye, de la periodicidad de las revisiones y del mantenimiento a que se someta.

b) **Suavidad**. Esta característica es importante ya que de ella dependen en gran medida la dificultad y fatiga en la conducción. Desde el punto de vista constructivo, se consigue con un montaje del eje de giro perfectamente orientado para evitar reacciones, con una mecanización correcta de los elementos, con un correcto engrase y con una desmultiplicación perfectamente estudiada, para disminuir los esfuerzos realizados por el conductor.

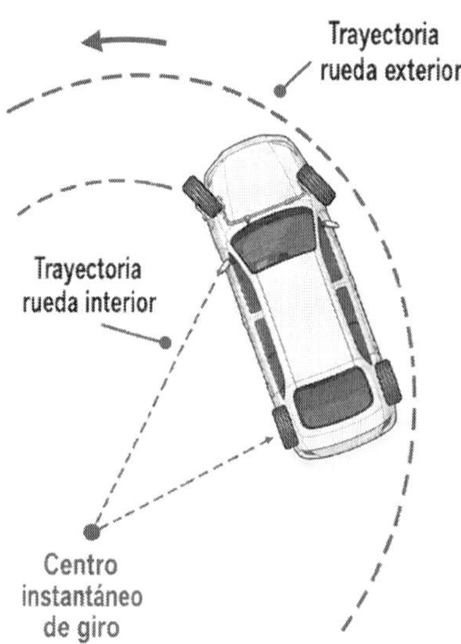

c) **Precisión**. Esta característica se consigue **equilibrando** perfectamente los grados de dureza y suavidad de la dirección. Si es demasiado suave transmite fácilmente las reacciones que producen las irregularidades del terreno al volante, y si éste se suelta la dirección deambularía.

d) **Irreversibilidad**. Con esta característica debe evitarse lo que se ha comentado en el punto anterior, es decir, la transmisión de las reacciones al volante. Ello se consigue dando un perfil adecuado al sinfín (menor inclinación) del mecanismo de la dirección, como ya veremos.

e) **Estabilidad**. Una dirección será estable cuando tienda a recuperar su posición en línea recta. Esta se consigue con un reglaje correcto de las cotas de la dirección.

1.3. Condiciones que debe cumplir una dirección

Al tomar el vehículo una curva todas sus ruedas deben tener el mismo centro de giro, ya que en caso contrario las trayectorias seguidas por éstas no serían concéntricas y el vehículo derraparía. Por ello, podemos decir que es condición indispensable para que un vehículo pueda girar que todas sus ruedas tengan un centro instantáneo de giro o lo que es lo mismo, **que la rodadura sea simple**.

Esto se consigue disponiendo los elementos de la dirección de forma que cuando el vehículo tome una curva, la prolongación de los ejes de las ruedas (las manguetas) se corten en un mismo punto (O), para que el giro sea concéntrico. En línea recta, la prolongación de las articulaciones debe cortarse en el centro del eje trasero. La solución, como puede observarse en la figura, la da un trapecio llamado de Jeantaud. Esta construcción implica que la rueda interior del vehículo debe abrirse más en la curva que la exterior.

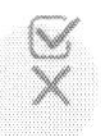

Actividad 1

El conjunto de órganos que permiten la orientación de las ruedas delanteras o directrices, según las necesidades de la conducción se denomina:

1.4. Elementos de mando

Este sistema está compuesto por una serie de mecanismos cuya función es transmitir el movimiento del volante a las ruedas. Está integrado básicamente por un **sistema de mando**, que realiza la función de desmultiplicador, y un conjunto de brazos y barras que conforman la **tirantería de la dirección**.

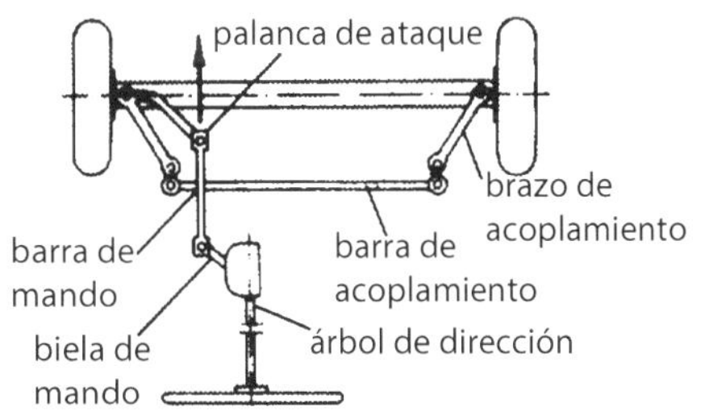

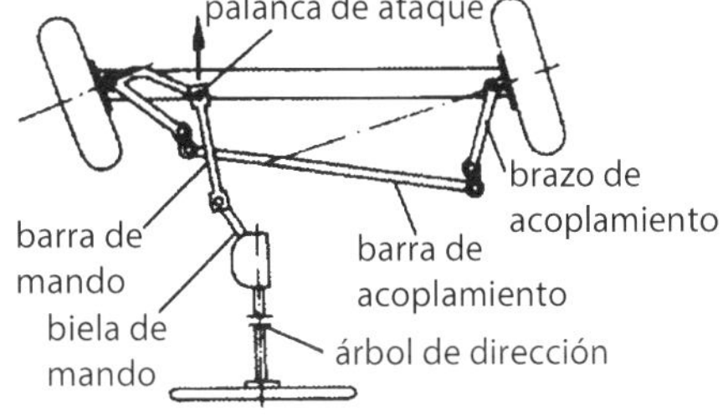

Estos elementos son:

- Brazos y barra de acoplamiento, que configuran el trapecio.
- Palanca de ataque.
- Barra de mando.
- Palanca o biela de mando.
- Árbol de la dirección y volante.

1.4.1. Árbol de la dirección o columna de la dirección

Este elemento transmite el movimiento de giro del volante a la palanca o biela de mando, a través del sistema de mando o caja de la dirección. En dicha caja es donde se produce la multiplicación del esfuerzo ejercido por el conductor sobre el volante y que se transmitirá a las ruedas, así como la desmultiplicación del giro.

A la relación entre los ángulos girados por el volante y los girados por las manguetas o ejes de las ruedas, se le llama **relación de transmisión o de desmultiplicación**. Con una relación de transmisión pequeña se obtiene una desviación angular más rápida pero a costa de ejercer un mayor esfuerzo sobre el volante, ocurriendo lo contrario con una relación mayor.

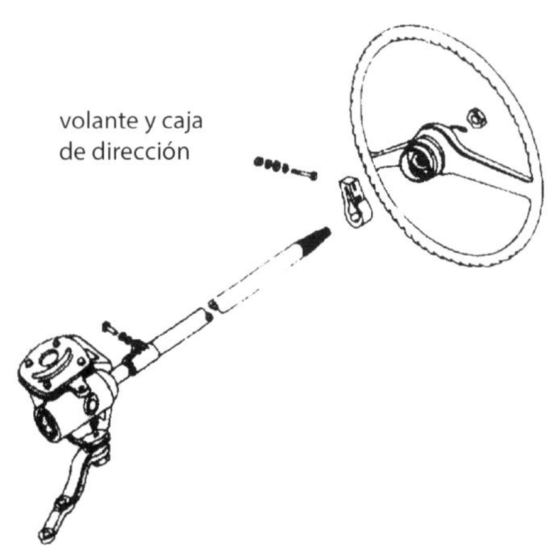

El árbol de la dirección puede ser de una sola pieza o dividido en varias, unidas entre sí por juntas cardan que permiten adaptar el volante a gusto del conductor.

1.4.2. Brazos y barra de acoplamiento

Los **brazos** son unas palancas de acero que conforman, junto con la barra de acoplamiento, el trapecio de la dirección. Sus extremos superiores van unidos a las manguetas o ejes de giro de las ruedas. Forman un cierto ángulo con el fin de que sus prolongaciones corten al eje trasero en su punto medio. Su misión es forzar el desplazamiento lateral de las ruedas.

La **barra de acoplamiento** es el elemento que une los dos brazos transmitiendo, por tanto, el desplazamiento de una rueda a la otra de forma simultánea. Está constituida por un tubo de acero y su unión a los brazos se realiza mediante **rótulas**. Estas tienen la misión de hacer elástica la unión así como absorber las pequeñas desviaciones angulares que se producen como consecuencia de las irregularidades del terreno. También sirven para corregir la convergencia de las ruedas.

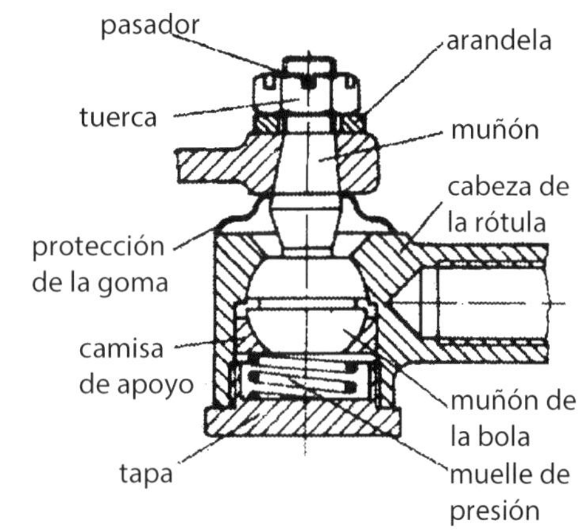

Recuerda que...

Para que una dirección sea fiable y segura debe presentar una serie de características, entre las que destacan: seguridad, suavidad, precisión, irreversibilidad y estabilidad.

1.4.3. Palanca de ataque

Esta palanca se une a la mangueta de la rueda izquierda y su disposición debe ser paralela al suelo. Su función es la de transmitir el movimiento que le llega a través de la barra de mando. Se fabrica de acero forjado.

1.4.4. Barra de mando

Es el elemento que transmite el movimiento desde la bieleta de mando a la palanca de ataque. En otros sistemas, este elemento no existe ya que es la bieleta de mando la que ataca directamente a los elementos de acoplamiento.

1.4.5. Palanca de mando

Recibe el movimiento de la caja de dirección o sistema de mando y lo transmite a la barra de mando. En este caso, su montaje es vertical y formando un ángulo de 90º con el suelo. De esta forma sus desplazamientos angulares son iguales en ambos sentidos.

1.4.6. Sistemas de acoplamiento

En la suspensión independiente las ruedas pueden flexionar elásticamente e independientemente una de otra. Estos recorridos pueden ser de distinta magnitud y de sentido inverso. Con el fin de que estas alteraciones no puedan afectar a las articulaciones y fundamentalmente a la barra de acoplamiento, ésta no se dispone enteriza sino en dos o tres piezas unidas entre sí mediante rótulas.

- **Barra de acoplamiento tripartita**. En este caso la barra de acoplamiento va dividida en tres tirantes llevando dos de ellos un soporte de unión a la carrocería, que hace que la dirección sea estable. La unión de los tirantes se hace mediante rótulas con el fin de absorber las desviaciones angulares.

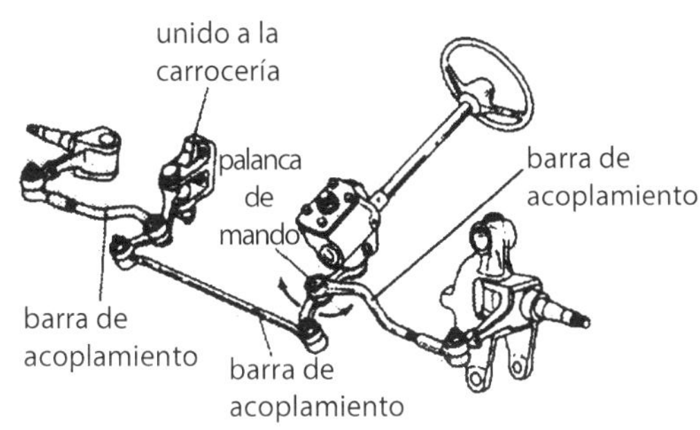

- **Barra de acoplamiento en dos secciones**. En este caso los dos tirantes van unidos directamente a la bieleta de mando. Como puede observarse, esta forma un ángulo de 90º con aquellos.

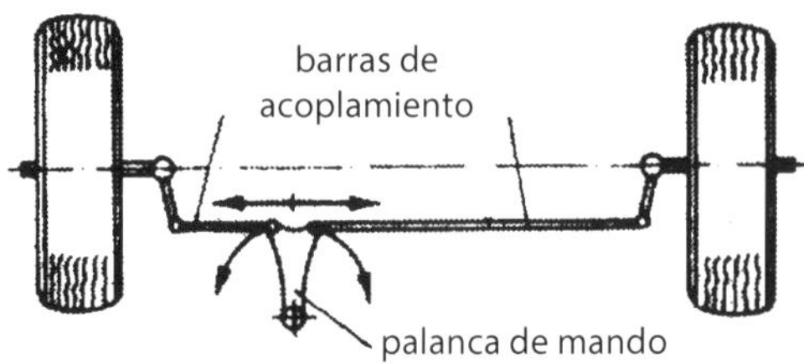

2. Sistemas de dirección: direcciones convencionales, neumáticas e hidráulicas. Control y ajuste de los ejes delanteros y traseros

2.1. Consideraciones generales

Como sabemos, la transmisión del giro del volante a las ruedas se efectúa mediante un mecanismo desmultiplicador con el fin de que el esfuerzo que debe realizar el conductor sea mínimo.

Según la disposición de los elementos y el tipo de asistencia utilizado, las direcciones pueden clasificarse en:

- Dirección simple
  - De tornillo sin fin
    - Tuerca
    - Hilera de bolas
    - Dedo
    - Rodillo
    - Sector dentado
  - De cremallera
- Dirección asistida
  - Servodirección hidráulica
  - Servodirección neumática

2.2. Sistemas de dirección simple

2.2.1. De tornillo sinfín

En este sistema la caja de dirección va unida al chasis e interiormente lleva el mecanismo desmultiplicador, consistente en un **tornillo sinfín** que forma parte de la columna de dirección y va apoyado en la caja mediante cojinetes y un **mecanismo de traslación** que engrana con él y es solidario a la bieleta de mando. Este mecanismo puede ser un sistema de **tuerca, de hilera de bolas, de rodillo o de sector dentado**. Todo el conjunto va cerrado de forma hermética y perfectamente lubricado con aceite.

El sinfín puede ser de dos tipos:

- **Sinfín cilíndrico**. En este tipo, su mecanismo de traslación se desplaza paralelamente al eje de giro. Es el caso de la figura A, en la que vemos que la tuerca se desplaza a lo largo del eje del sinfín.
- **Sinfín globoidal**. En este caso el elemento de traslación gira sobre su propio eje describiendo un arco.

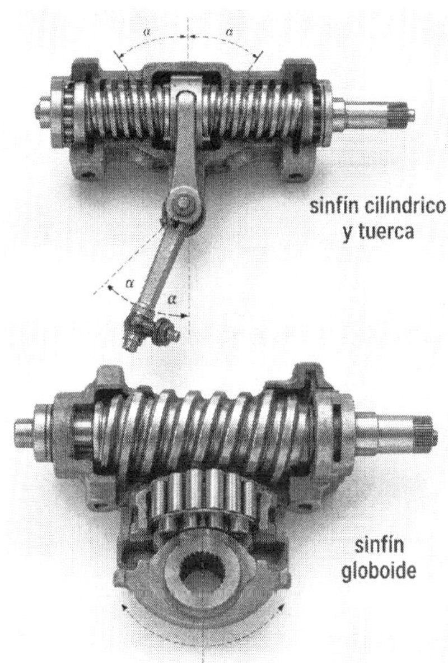

2.2.1.1. Con tuerca de engranaje directo

Está formado el mecanismo por el tornillo sinfín cilíndrico y tuerca de engranaje directo que se desplaza paralelamente al eje de giro del husillo. La tuerca va guiada de forma que no pueda girar.

2.2.1.2. De tuerca con hilera de bolas

Este sistema es una variante del anterior, en el que un sector dentado engrana con la cremallera exterior de la tuerca. Interiormente, el desplazamiento de la tuerca se hace por interposición de una hilera de bolas, lo que permite un desplazamiento más suave y un mayor reparto de las fuerzas de rozamiento. Al desplazarse la tuerca hace girar al sector, lo que da lugar a su vez a que gire la bieleta de mando.

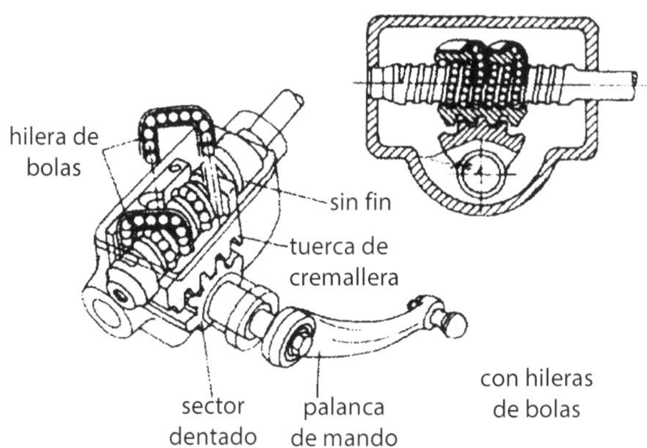

2.2.1.3. Sinfín y dedo

Este sistema está compuesto por un dedo, que sustituye al sector dentado, introducido en la hélice del sinfín. Al girar el sinfín, el dedo se desplaza longitudinalmente haciendo girar a su eje y este a la bieleta de mando. El reglaje axial (longitudinal) así como la holgura entre engranajes se efectúa mediante un tornillo. En ocasiones el perfil del tornillo sinfín es redondeado con la idea de mejorar el contacto con el dedo.

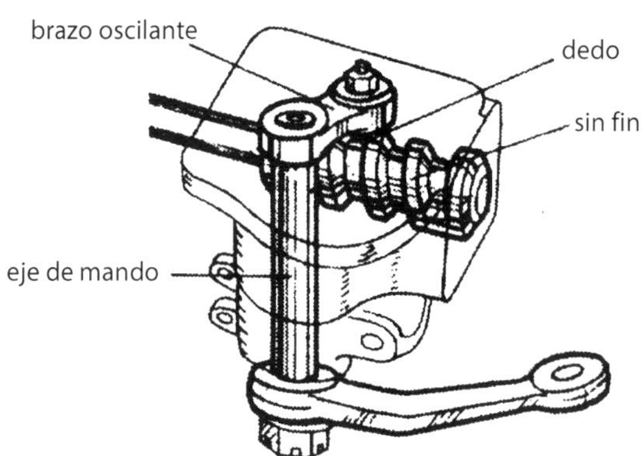

Detalle del engranaje de tornillo sin fin y dedo, tipo Ross

2.2.1.4. Con rodillo

Está constituido por un rodillo montado sobre el eje de la bieleta de mando, engranando con un sinfín globoide. El sinfín, en su giro, desplaza longitudinalmente a la roldana que describe al mismo tiempo un arco (debido al perfil del sinfín), que es transmitido a la bieleta de mando.

El sistema de ajuste axial de este sistema está compuesto por el tornillo que rosca en la carcasa, y la holgura entre piñones se corrige mediante el tornillo, situado en la tapa y que actúa sobre el soporte de la roldana.

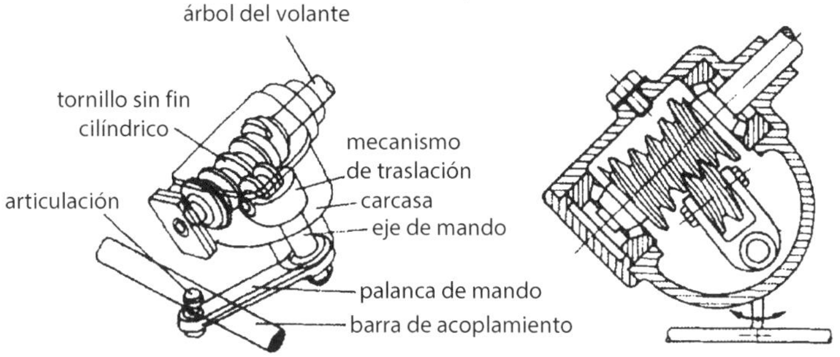

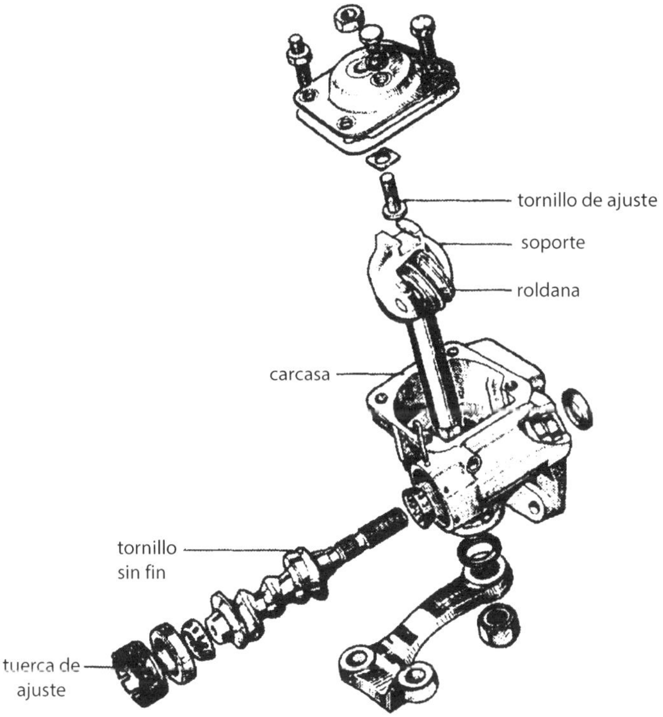

2.2.1.5. Sector dentado

Está constituido por un sinfín cilíndrico apoyado sobre cojinetes. El giro se transmite a la bieleta de mando por mediación de un sector dentado que engrana sobre el sinfín.

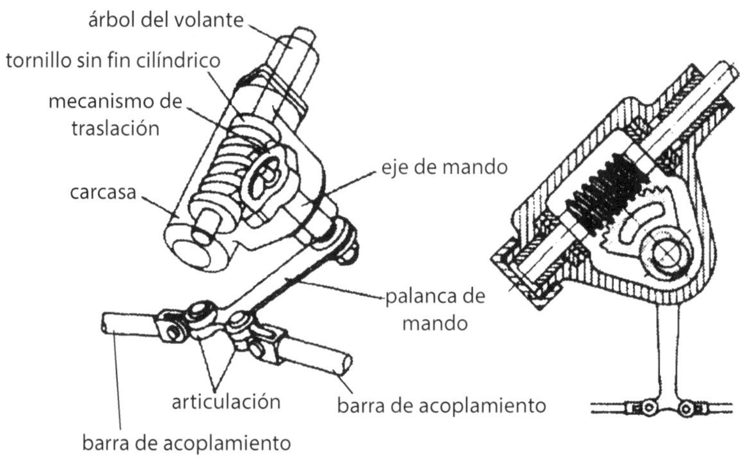
árbol del volante
tornillo sin fin cilíndrico
mecanismo de
traslación
carcasa
eje de mando
palanca de
mando
articulación
barra de acoplamiento
barra de acoplamiento

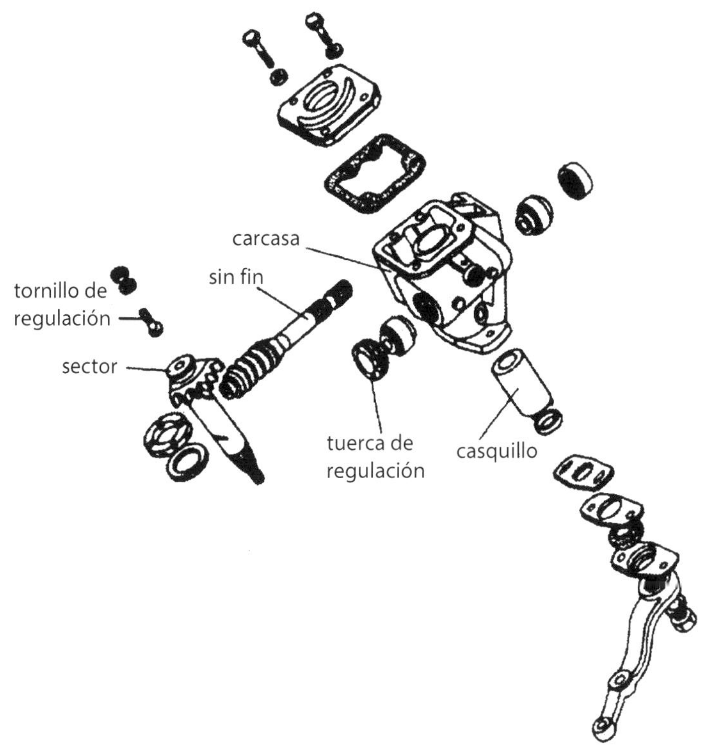
carcasa
sin fin
tornillo de
regulación
sector
tuerca de
regulación
casquillo

2.2.2. Mecanismo de dirección de cremallera

En este sistema se elimina una gran parte de la tirantería de la dirección, yendo acoplada directamente a los brazos de acoplamiento de las ruedas. Está constituida por una cremallera sobre la que engrana el piñón del árbol de la dirección. Esta cremallera se une a los brazos de acoplamiento de las ruedas por medio de las bieletas con sus correspondientes rótulas, regulables para el reglaje de la convergencia. Todo el conjunto está protegido con un fuelle de goma.

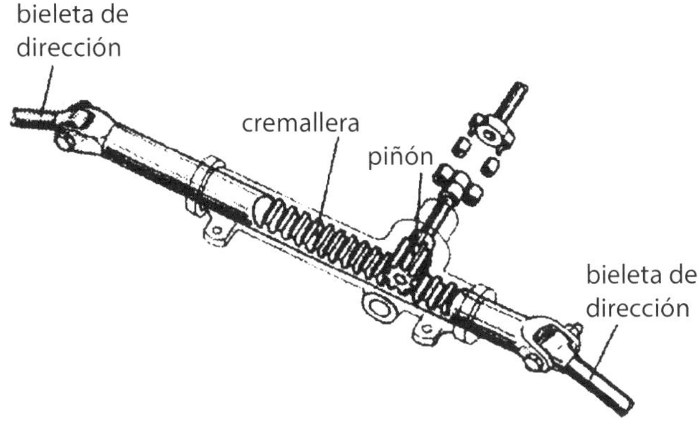

Este sistema proporciona una gran suavidad en la conducción así como una buena estabilidad.

La holgura radial que pueda aparecer entre la cremallera y el piñón se corrige mediante un sistema de reglaje que lleva la barra en la parte inferior. Este sistema de reglaje está formado por una pieza que hace presión sobre la cremallera por medio de un muelle. La presión es regulable mediante el tornillo que va roscado a un casquillo fijo a la carcasa.

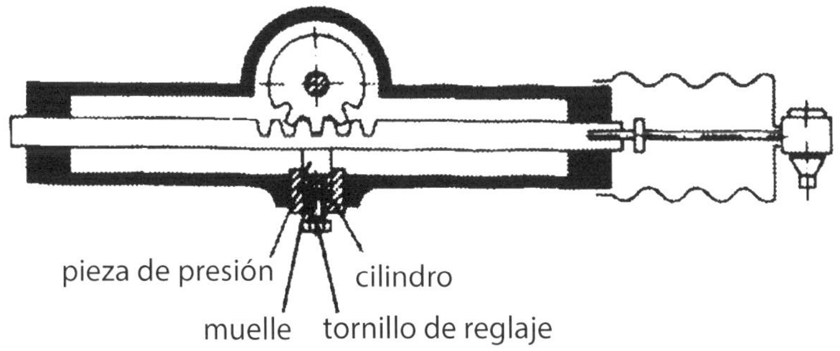

Sistemas de montaje de la cremallera

La unión de la cremallera con los brazos de acoplamiento de las ruedas está condicionada por las características propias del vehículo. Básicamente, por la disposición del motor y de aquellos elementos que pueden interferir en la colocación de la caja de la dirección.

a) **Sistema lineal**. Es el descrito anteriormente y como hemos visto, el giro del volante es transmitido directamente de la cremallera a las ruedas. Este sistema es muy utilizado en vehículos con motor y tracción delantera.

b) **Sistema no lineal (paralelo)**. En este sistema los brazos de acoplamiento de las ruedas se unen a una barra, llamada de acoplamiento, paralela a la cremallera. Es esta barra la que, al desplazarse en uno u otro sentido, por estar articulada a la cremallera, transmite el movimiento a los brazos de las ruedas. La unión de las ruedas a la barra se efectúa mediante unas bieletas articuladas a unos pivotes roscados a dicha barra.

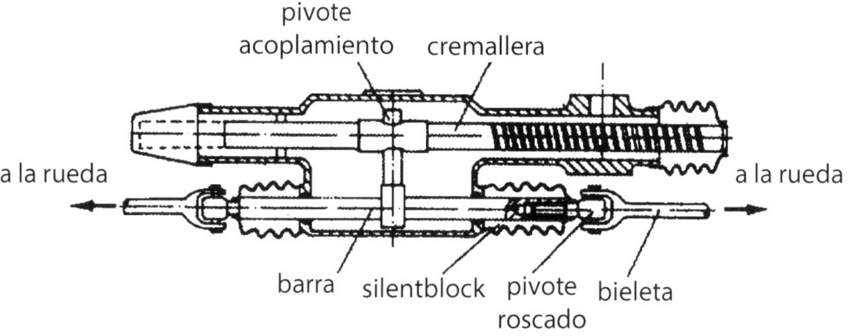

Esquema de la dirección no lineal

2.3. Sistemas de dirección asistida

La utilización de neumáticos con una mayor superficie de rodadura y baja presión da lugar a que el par resistente en la ruedas aumente considerablemente. Esto supone un mayor esfuerzo en el volante por parte del conductor haciendo fatigosa e insegura la conducción. Con la utilización de servodirecciones o direcciones asistidas el mayor esfuerzo lo realizan otros elementos.

Por tanto, con estos sistemas se consigue disminuir el esfuerzo a realizar en el volante sin utilizar mayores desmultiplicaciones que provocarían pérdida de sensibilidad en la conducción.

Como ejemplo diremos que, aplicando una fuerza en el volante de unos 3 Kp, pueden transmitirse a las ruedas para su orientación unos 1000 Kp, aproximadamente.

Este sistema consiste en la utilización de un circuito de asistencia, acoplado a una dirección simple, siendo las ejecuciones más utilizadas en la actualidad la neumática o hidráulica.

Sabías que...

Hasta la década de 1920, cuando aparecieron los autobuses y camiones de gran peso, no hubo problemas para mover el volante. Fue el ingeniero Francis Davis quien inventó la dirección asistida. Para ello dejó su empresa, *Pierce Arrow Motor Car Company* y se puso a trabajar en un taller con un fabricante de herramientas.

2.3.1. Ventajas e inconvenientes

En estos sistemas son mayores las ventajas que presentan que los inconvenientes, ya que debido a su robustez y fiabilidad presentan un mínimo de averías, requiriendo un mantenimiento también mínimo.

Entre las **ventajas** podemos destacar las siguientes:

- Reducción del esfuerzo a realizar en el volante sin aumentar la desmultiplicación.
- Facilidad en la ejecución de las maniobras incluso a vehículo parado.
- En caso de avería en los mecanismos de asistencia se puede seguir conduciendo, aunque ahora con mayor esfuerzo en el volante.
- En caso de reventón de un neumático, la propia dirección se encarga de corregir las desviaciones.

Entre los **inconvenientes** se encuentran:

- Reparaciones más costosas.
- Encarecimiento del vehículo por ser el costo de la dirección más elevado.

Actividad 2

Cuando utilizamos un sistema de dirección asistida conseguimos:

☐ a) Un mayor esfuerzo en el volante por parte del conductor haciendo menos fatigosa e insegura la conducción.

☐ b) Que el mayor esfuerzo debido al aumento del par resistente en la ruedas, por la utilización de neumáticos con una mayor superficie de rodadura y baja presión, lo realice el conductor.

☐ c) Disminuir el esfuerzo a realizar en el volante sin utilizar mayores desmultiplicaciones que provocarían pérdida de sensibilidad en la conducción.

2.3.2. Servodirección hidráulica

Uno de los ejemplos clásicos de este tipo de dirección es la Virex de Bendibérica, siendo su disposición constructiva de tipo integral, es decir que todo el dispositivo de control hidráulico se encuentra montado en su interior, cosa que, como ya veremos, no ocurre en el tipo coaxial.

El circuito hidráulico está constituido por los siguientes elementos: una **bomba hidráulica** accionada por el motor del vehículo es alimentada desde un **depósito** e impulsa el aceite hacia el **mecanismo hidráulico de la servodirección**. Todos estos elementos están unidos por tuberías del tipo de alta presión. El filtrado de aceite se efectúa en el filtro del propio depósito.

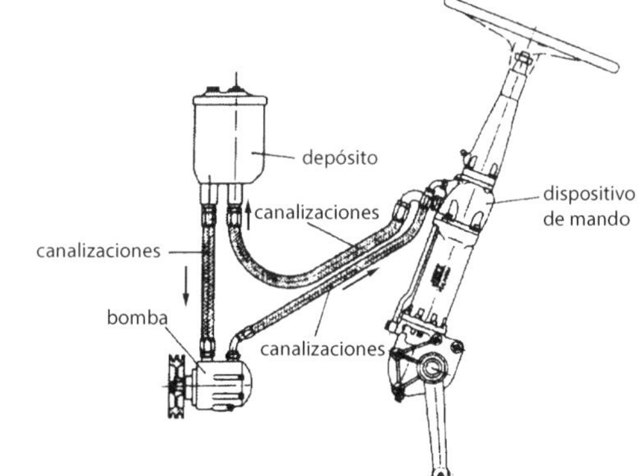

2.3.2.1. Dispositivo de mando mecánico

Está constituido por el **eje de volante**, que va unido a la válvula. Esta lo está a su vez al **husillo** mediante una unión elástica (barra de torsión). El mecanismo desmultiplicador lo forman el husillo (tornillo sinfín) y la **tuerca** que va solidaria al **émbolo**.

Con esta disposición, el movimiento giratorio del volante se transforma en longitudinal del émbolo. Mediante el sistema **biela-manivela** el giro llega al brazo de mando.

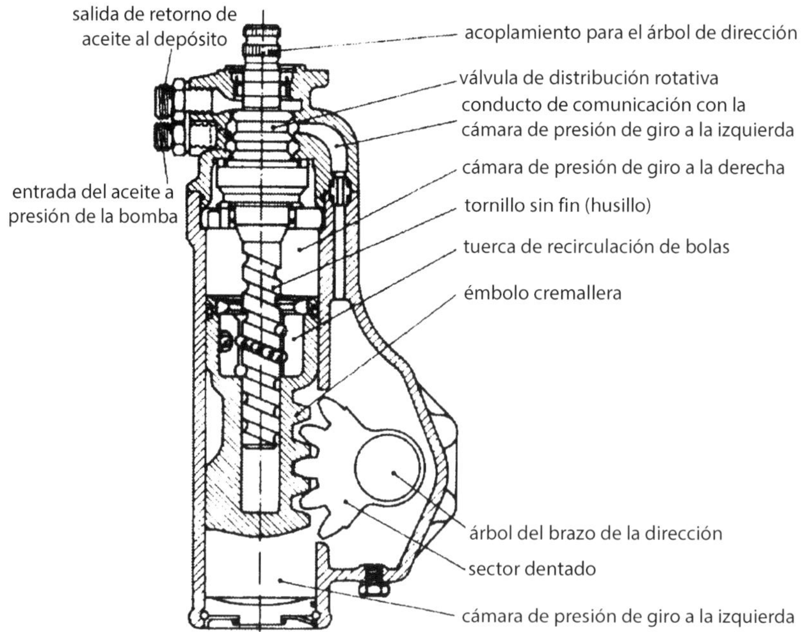

2.3.2.2. Dispositivo de mando hidráulico

Al iniciar el giro en el volante, aplicando un pequeño esfuerzo, se produce la actuación de la válvula, distribuyendo la presión, procedente de la bomba, hacia uno de los dos lados del émbolo de doble efecto y produciéndose la maniobra correspondiente.

Según lo visto, el esfuerzo aplicado al volante se utiliza para actuar sobre la válvula distribuidora, siendo la presión del aceite al incidir sobre el émbolo de doble efecto, quien realiza el mayor esfuerzo.

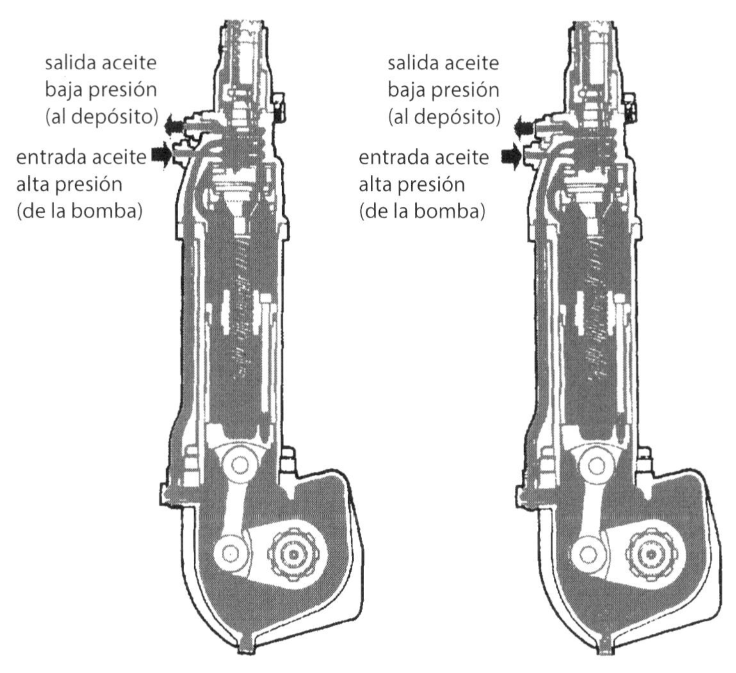

posición de giro a la izquierda posición de giro a la derecha

2.3.2.3. Bomba de aceite

Es del tipo de paletas y de caudal constante a partir de cierto régimen. Tanto el caudal como la presión son controlados por los correspondientes limitadores y reguladores.

Es accionada por el propio motor mediante una polea y sus correspondientes correas trapeciales.

2.3.2.4. Depósito de aceite

En su interior lleva el filtro purificador del aceite y su correspondiente válvula de seguridad para, si se obstruye el filtro, asegurar el suministro de aceite al circuito. Debe tener la capacidad suficiente en previsión de las dilataciones por calentamiento.

2.3.3. Servodirección coaxial

En este sistema el dispositivo de control hidráulico es exterior al conjunto. Aplica el esfuerzo de asistencia paralelamente al sistema mecánico y por ello se le denomina servodirección de accionamiento coaxial.

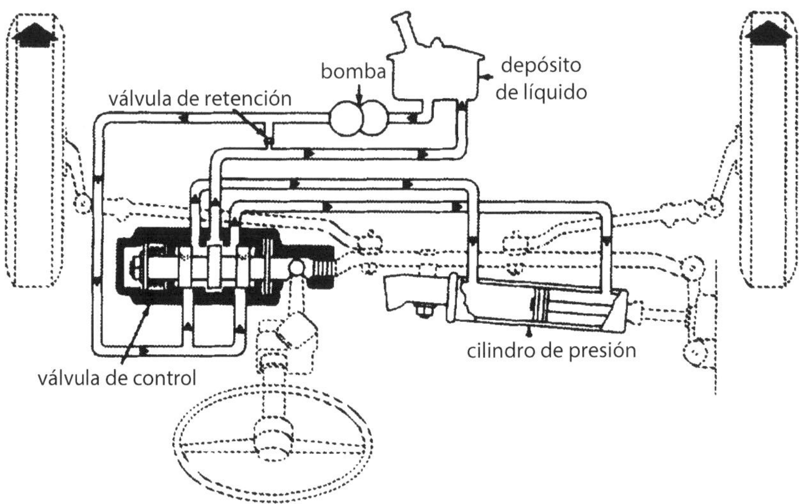

El circuito está compuesto, como puede observarse en la figura, por una **bomba y un depósito** de aceite, que son los que suministran el esfuerzo de ayuda (presión de aceite) a la **válvula de control**.

En un extremo de la barra de acoplamiento de la dirección se monta la válvula de control, que es accionada por el volante; su otro extremo va articulado al chasis. En el centro de dicha barra se articula el cilindro de presión, yendo el vástago del émbolo fijo al chasis en el mismo punto que la barra. El conjunto se completa con cuatro tubos flexibles, dos ponen en comunicación la válvula de control con cada una de las cámaras del cilindro de accionamiento y los otros dos, el de presión y el otro de retorno al depósito, conectan la bomba a la válvula.

Este mecanismo está diseñado para que entre en funcionamiento solamente cuando el conductor efectúe un esfuerzo superior a los 2 Kp. A partir de aquí la columna de la dirección realiza un desplazamiento prácticamente imperceptible (0,76 mm aprox.) en uno u otro sentido, entrando en funcionamiento la válvula y dando paso al aceite a una u otra cara del émbolo. Como puede observarse el cilindro es móvil, permaneciendo fijo el émbolo.

Actividad 3

Indica si la siguiente cuestión es verdadera o falsa:

El circuito en la servodirección hidráulica está constituido por los siguientes elementos: una bomba hidráulica accionada por el motor del vehículo es alimentada desde un depósito e impulsa el aceite hacia el mecanismo hidráulico de la servodirección.

Verdadera ☐ Falsa ☐

2.3.4. Servodirección neumática

En este tipo de direcciones el servomando funciona con aire a presión siendo el mecanismo desmultiplicador del tipo sinfín.

Los elementos que componen el circuito son:

- El mecanismo desmultiplicador, situado en la columna de la dirección.
- Válvula distribuidora o de control.
- Cilindro de mando de doble efecto.
- Válvula de descarga rápida.
- Grifo de paso automático del aire.
- Canalizaciones.
- Depósito de aire comprimido.
- Compresor.

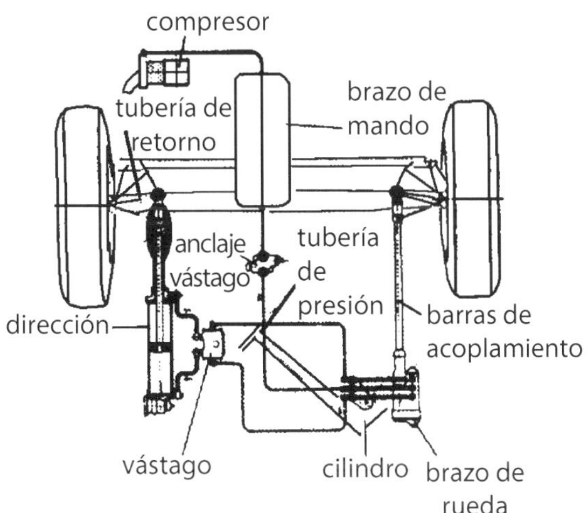

2.3.4.1. Válvula de control

Este conjunto está montado sobre la palanca de dirección y es accionado por mediación de una rótula. Va unida al brazo de acoplamiento de las ruedas por medio de una barra.

En el interior del cuerpo se montan el distribuidor de aire a presión así como el regulador. Este último controla las pequeñas desviaciones de la dirección.

2.3.4.2. Cilindro de mando de doble efecto

Este cilindro va cerrado herméticamente y solidario al bastidor. Por su interior se desliza un émbolo, cuyo vástago va conectado al brazo de mando de las ruedas por medio de una rótula.

2.3.4.3. Válvula de descarga rápida

Su función es vaciar de aire el cilindro de mando, cuando se deja de actuar sobre el volante al realizar una maniobra.

2.3.4.4. Grifo de paso automático de aire

Su función es la de aislar el circuito neumático de la dirección del de los frenos cuando la presión del aire desciende de un valor previamente prefijado (4 Kp/cm^2 aprox.).

2.3.4.5. Funcionamiento del sistema

Al girar el conductor el volante, la maniobra se inicia mecánicamente por la acción de la barra de mando (que une la válvula de control con la rueda) sobre el brazo de acoplamiento de la rueda, no entrando en funcionamiento el sistema neumático para pequeñas desviaciones. Para mayores giros del volante, entra en acción la válvula distribuidora enviando aire a presión, a través de la válvula de descarga rápida, hacia la cara del émbolo que corresponda. Con ello se ejerce presión sobre el émbolo, que al desplazarse transmite el movimiento al brazo de acoplamiento de la rueda.

Una vez terminada la maniobra, el aire que queda dentro del cilindro es expulsado al exterior mediante la válvula de descarga rápida.

2.4. Control y ajuste de los ejes delanteros y traseros

Para que la dirección funcione correctamente y cumpla, entre otros, los requisitos de seguridad, suavidad y estabilidad, sus ruedas deben cumplir con una serie de condiciones geométricas que denominamos geometría de la dirección o cotas de la dirección.

Estas cotas se reparten entre dos elementos: el **pivote** y la **rueda**.

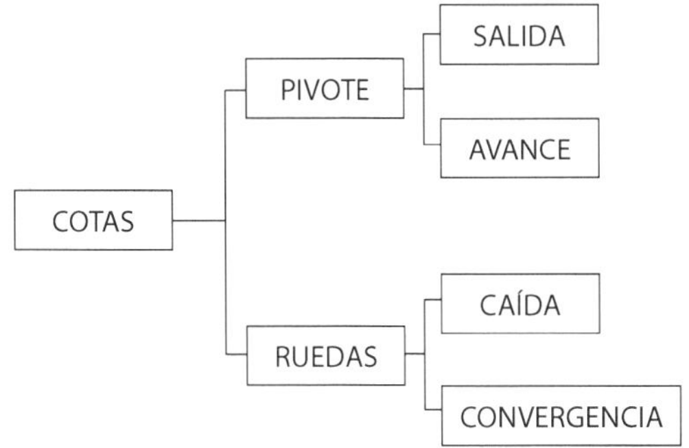

2.4.1. Cotas de la Dirección

2.4.1.1. Ángulo de salida o ángulo King Pin

El **ángulo de salida o King Pin** es el comprendido entre la vertical al suelo y el pivote o eje sobre el cual gira la rueda. Este ángulo suele estar comprendido entre los 5° y 10° positivos, de forma que el punto de contacto del neumático con la calzada se acerca al punto donde el pivote corte a la horizontal (si lo prolongamos hasta el suelo). Con ello lo que se consigue es una disminución del brazo de palanca, y por tanto, de los esfuerzos sobre los diferentes elementos de la suspensión y la dirección.

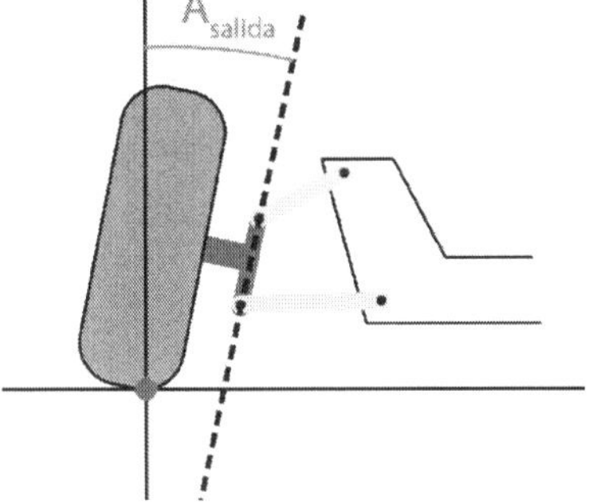

2.4.1.2. Ángulo de avance o ángulo Caster

Es el encargado de proporcionar la inclinación a la rueda que puede ser hacia adelante o para atrás a partir de una línea vertical imaginaria.

Cuando la parte de arriba de la línea vertical imaginaria se inclina hacia la parte trasera del auto, el Caster es positivo. Cuando se inclina hacia el frente se considera un Caster negativo.

Por otro lado, cuando el ángulo Caster se inclina más hacia el lado positivo, el auto tendrá una mejor estabilidad así como también mayor eficiencia cuando pase por una curva. Esto se debe a que el ángulo de dirección aumenta.

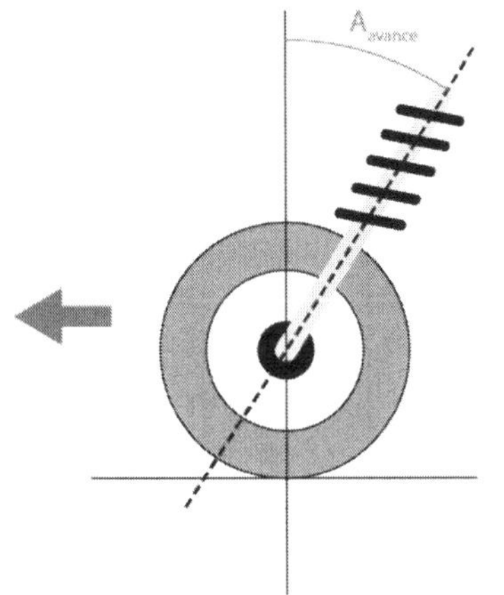

Su valor suele estar comprendido entre 0º y 3º para vehículos con tracción delantera y entre 5º y 10º en vehículos con tracción trasera.

2.4.1.3. Ángulo de caída o ángulo Camber

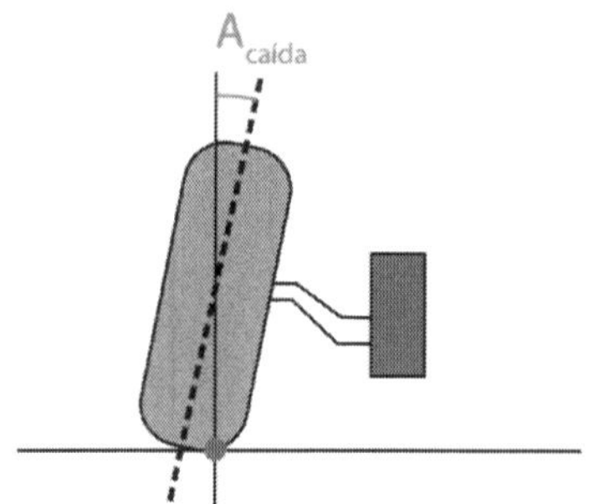

El **ángulo de caída o ángulo** Camber es el que forma el eje de simetría del neumático con la vertical que corta en el punto de contacto entre el neumático y el suelo. Este ángulo se ajusta de forma que al tomar una curva, la rueda interior (que es la que soporta la mayor parte de los esfuerzos) trabaje perpendicular al suelo, consiguiendo así un menor desgaste en los neumáticos y fatiga en los diversos elementos de la suspensión y la dirección.

El valor típico del ángulo de caída suele estar comprendido entre 0° y -2° (de forma que las ruedas se quedan un poco abiertas o "espatarradas"). Algunos síntomas que nos delatan que el ángulo de caída de nuestro coche no es el correcto son un desgaste desigual en la banda de rodadura o que el coche tienda a irse hacia el lado con la caída menor.

Existen tres tipos de ángulo Camber:

- Neutro: Se origina por la ausencia de inclinación y por la alineación perfecta respecto a la vertical.
- Positivo: La parte inferior del neumático se encuentra inclinada hacia el interior, o sea hacia el eje central del auto.
- Negativo: Se produce cuando la parte inferior del neumático se inclina hacia el exterior.

2.4.1.4. Convergencia

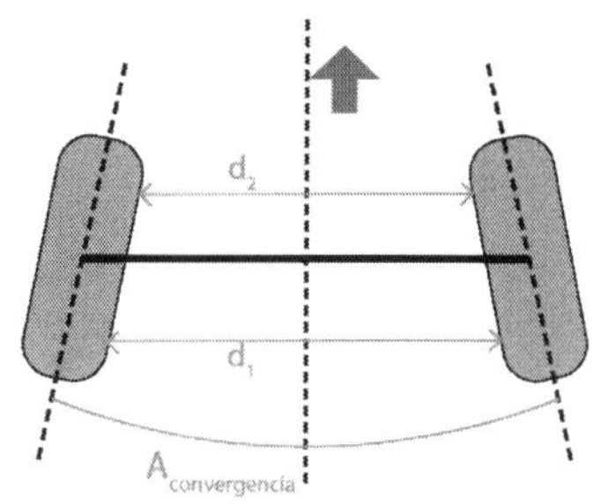

El ángulo de convergencia es el ángulo, visto desde arriba, que forman las ruedas con el eje longitudinal del vehículo en el sentido de la marcha. Además, es el único ángulo de la dirección que también puede expresarse en milímetros, ateniéndonos a du definición como "la diferencia de distancia entre las partes trasera y delantera de la llanta a la altura de la mangueta". Así, una convergencia es positiva cuando las ruedas están cerradas en su parte delantera, y negativa o divergente cuando están abiertas.

La convergencia puede ser **positiva** o **negativa**. Es positiva cuando los planos de simetría convergen por delante del vehículo. La convergencia es negativa cuando los planos de simetría convergen hacia la parte trasera del vehículo. Esta última disposición se adopta en vehículos con tracción delantera. La diferencia de cotas entre la parte delantera y trasera de las ruedas suele estar comprendida entre 1 y 10 mm.

2.4.1.5 Ángulo Incluido

Es el ángulo formado por la suma del ángulo de caída y el de salida.

2.4.1.6 Ángulo de Empuje

Está formado por la línea imaginaria que va perpendicular a la zona central del eje trasero. Este ángulo nos indica si el eje trasero está paralelo al eje delantero y que la distancia entre las ruedas delanteras y las ruedas traseras es la misma en ambos lados.

2.4.1.7 Cotas conjugadas

Compuestas por el conjunto de los ángulos de caída, avance y salida, permitiendo reducir los efectos de reacción del suelo sobre las ruedas, disminuyen degastes de rótulas y partes móviles de la dirección.

2.4.2. Control y ajuste en el eje delantero

Cuando se note un comportamiento irregular en el funcionamiento de la dirección o un desgaste excesivo en los neumáticos debe procederse a la comprobación y ajuste de las cotas de la dirección. Esta comprobación puede efectuarse fácilmente mediante aparatos especiales, sin embargo, el ajuste de las cotas puede presentar dificultad si los desajustes son debidos a deformaciones, no sólo de los propios elementos de la dirección sino, también, de aquellos sistemas que puedan tener una influencia directa, como por ejemplo la suspensión.

Previamente a cualquier comprobación es necesario disponer de la información técnica del fabricante, no sólo relativa a las cotas sino también a las condiciones de carga e inflado de los neumáticos.

Entre los equipos de mayor utilización en la actualidad se encuentran los de proyección luminosa para el control de alineación. Estos equipos están constituidos por los siguientes elementos:

- **Un proyector luminoso**.
- **Un porta-proyector**, para la fijación de los proyectores a las llantas de las ruedas.
- **Dos pantallas de lectura**, con escalas graduadas.
- **Barras extensibles**, con escalas graduadas y que pueden regularse en longitud.
- **Dos platos giratorios**, con sectores graduados y un sistema de fijación.

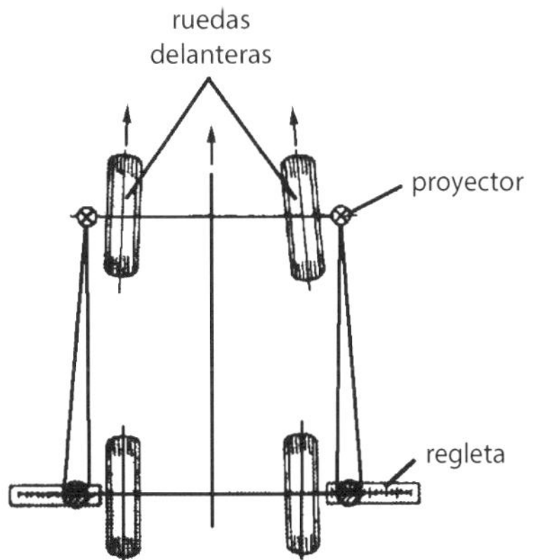

Alineación de ruedas

- **Dos regletas** graduadas y con trípode para su colocación en las llantas.

Para el control y ajuste de las cotas se procede de la siguiente manera.

1.º Comprobación de la alineación de las ruedas delanteras

a) Se sitúa el vehículo sobre las plataformas giratorias y en posición de línea recta. A continuación se colocan las regletas en el reborde interior de la llanta de las ruedas traseras.

b) Una vez fijados los proyectores en las llantas de las ruedas delanteras, se dirige el haz luminoso de ambos hacia las ruedas traseras, teniendo que coincidir la lectura en ambas regletas. En caso de que no sea así se actúa sobre el volante hasta que coincidan. Esta operación nos permite realizar la puesta a cero de los platos giratorios.

Para iniciar el trabajo de comprobación y ajuste es necesario hacer, en primer lugar, el reglaje de la caída y el avance y a continuación el de la convergencia, ya que los valores de aquellas cotas influyen en el de esta.

Actividad 4

¿Cómo se denomina el ángulo formado por la inclinación del pivote, en sentido longitudinal, con la vertical?

2.º Verificación del ángulo de caída (Camber)

a) Se sitúan las ruedas en línea recta y los platos giratorios a cero.

b) Se proyecta el haz luminoso hasta que coincida su índice con el centro de la cruz señalada con A_1. Seguramente será necesario desplazar la pantalla lateralmente.

c) Se gira el proyector hacia abajo y se comprueba el ángulo de caída de la rueda en la escala A_2. El ángulo será positivo o negativo, según nos indique la escala.

d) Se procede de la misma manera con la otra rueda.

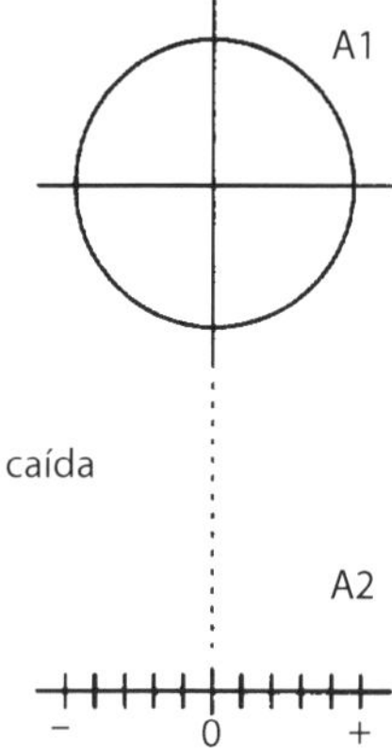

3.º Verificación del ángulo de avance (Caster)

Rueda derecha

a) Se giran las ruedas hacia la izquierda hasta obtener un ángulo de 15º en el sector graduado de la rueda derecha.

b) Se desplaza lateralmente la pantalla de lectura y se hace coincidir el haz luminoso con el centro de B_1.

c) Se gira el proyector y se toma nota de la lectura obtenida en B_2 así como de su color.

d) Se giran las ruedas hacia la derecha 15° leídos en el plato giratorio derecho.

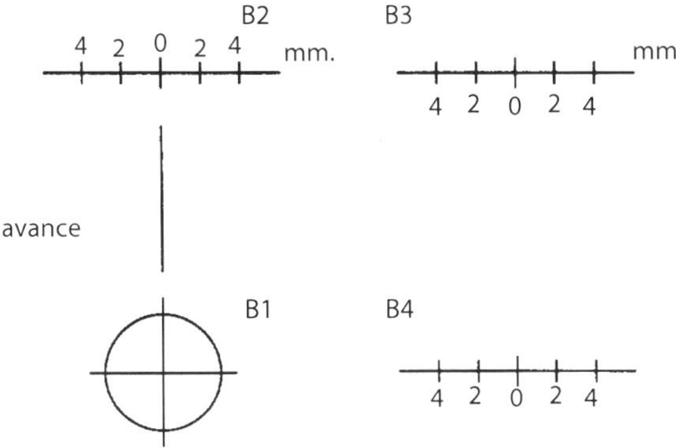

e) Se hace coincidir el haz con la escala B_3 (desplazando la pantalla hacia la derecha), haciendo coincidir el índice en la misma cota leída en B_2.

f) Sin mover la pantalla, se gira el proyector hacia abajo y se lee en la escala B_4 el valor del ángulo de avance.

Rueda izquierda

Se procede de la misma forma.

4.º Verificación del ángulo de salida (king-ping)

Rueda derecha

a) Se giran las ruedas hacia la izquierda hasta que el sector graduado de la rueda derecha indique 15°.

b) Se desplaza la pantalla lateralmente haciendo coincidir el índice con la línea C_1, y con la división que coincida con el valor del ángulo de avance que obtuvimos anteriormente.

c) Se giran las ruedas hacia la derecha, sin tocar el proyector, hasta que el índice del sector graduado nos marque 15°. Ahora se desplaza la pantalla hasta que coincida el haz luminoso con la escala C_2, que nos indicará el ángulo de salida.

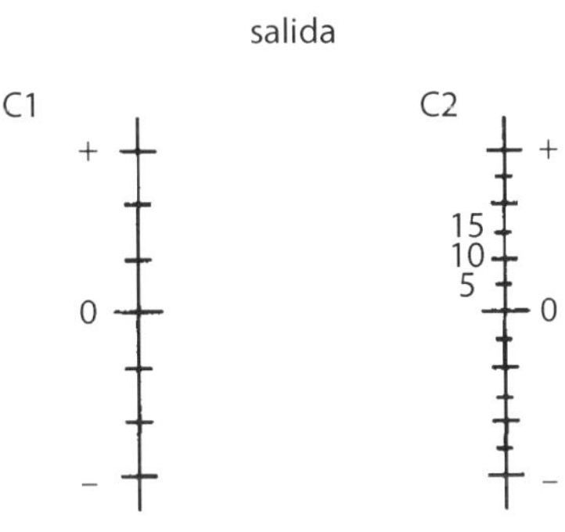

5.º Verificación del paralelismo

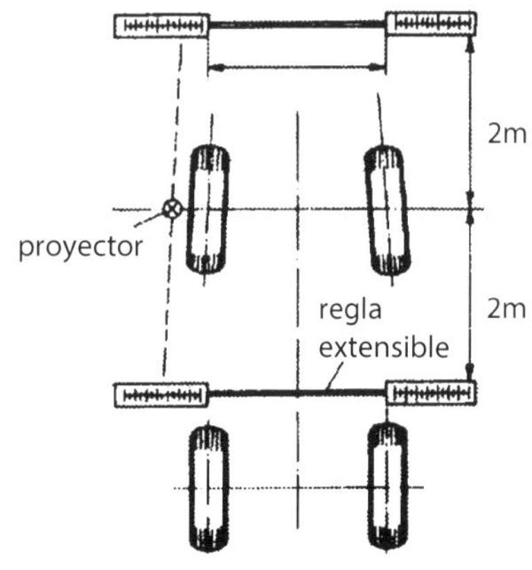

a) Las ruedas han de estar en línea recta y los sectores graduados a cero. A partir de este momento no se tocan el volante ni las ruedas delanteras.

b) Se colocan las barras extensibles a ambos lados del eje delantero a una distancia de 2 m. aproximadamente.

c) Girando uno de los proyectores hacia adelante y hacia atrás, se hacen coincidir las escalas delantera y trasera de un mismo lado.

d) Giramos el otro proyector hacia adelante y hacia atrás anotando las lecturas. La diferencia entre estas determinará la convergencia o divergencia.

6.º Comprobación del radio de viraje

a) Las ruedas han de estar en línea recta y los índices de los platos a cero.

b) Giramos el volante hacia cualquiera de los dos lados hasta que la rueda exterior nos indique un giro de 20º.

c) La lectura del giro de la rueda interior tiene que coincidir con la especificada por el fabricante.

Con respecto al ajuste de las cotas que hemos comprobado anteriormente, debemos atenernos a las normas y datos especificados por el fabricante, ya que en algunos modelos de vehículos no está previsto su ajuste.

2.4.3. Control y ajuste del eje trasero

Los fabricantes dotan a las ruedas de este eje de convergencia y caída y su control y ajuste se efectúa de la misma forma en que hemos procedido con el eje delantero.

Recuerda que...

Con el sistema de dirección asistida se consigue disminuir el esfuerzo a realizar en el volante sin utilizar mayores desmultiplicaciones que provocarían pérdida de sensibilidad en la conducción.

2.5. Técnicas de desmontaje, reparación y montaje de los sistemas de dirección

Siempre que se presente una anomalía en el funcionamiento de la dirección o algún síntoma extraño, conviene hacer una prueba del vehículo en carretera para precisar cuáles pueden ser las causas y, consecuentemente, las reparaciones que deberemos realizar.

Si las circunstancias aconsejan hacer una revisión para el posterior desmontaje y reparación, deberemos proceder de la siguiente forma:

a) Se elevará el vehículo de forma que las ruedas del tren delantero queden al aire.

b) Se girará la dirección en ambos sentidos y se comprobará que la orientación sea suave y sin agarrotamiento.

   En caso de que exista agarrotamiento deberá comprobarse si procede de la tirantería o del mecanismo de mando. Para ello se desconecta el brazo de mando de la biela, en el sistema de sinfín y tornillo, o las bieletas en el caso del sistema de cremallera. Si persiste el agarrotamiento, habrá que desmontar el sistema de mando y proceder a su reparación. En el caso de que hubiese desaparecido, el problema está en la tirantería, debiéndose comprobar las holguras y posibles deformaciones, procediendo a su reparación o sustitución.

c) Durante el montaje deberá tenerse en cuenta la posición de cada mecanismo. La biela de mando debe guardar su ángulo de montaje, así como los brazos de acoplamiento que deben ajustarse a su medida en el caso de la dirección por cremallera.

d) En todos los casos donde se observen deformaciones, tanto en los elementos de la dirección como de la suspensión, deberá procederse a su sustitución.

e) Si se ha desmontado la columna de la dirección, conviene asegurarse en el montaje de que quede perfectamente alineada, así como controlar el ángulo de giro del volante.

Actividad 5

Rellena los huecos con las palabras que faltan:

La función de la válvula de descarga ________ es vaciar de aire el cilindro de ________, cuando se deja de actuar sobre el ________ al realizar una maniobra.

Caja de dirección

Un juego axial excesivo del sinfín provoca un desplazamiento de la columna de la dirección en sentido vertical. El reglaje podrá conseguirse apretando el correspondiente tornillo de ajuste o modificando el número de arandelas suplementarias. Si se desmonta será necesario colocarlo posteriormente en su posición central para que el ajuste sea correcto.

En las direcciones de cremallera, el reglaje se efectúa sobre el piñón, suplementando con arandelas y también sobre la cremallera y actuando sobre el tornillo de reglaje.

Solución a las actividades

Actividad 1.

Dirección

Actividad 2.

☐ a) Un mayor esfuerzo en el volante por parte del conductor haciendo menos fatigosa e insegura la conducción.

☐ b) Que el mayor esfuerzo debido al aumento del par resistente en la ruedas, por la utilización de neumáticos con una mayor superficie de rodadura y baja presión, lo realice el conductor.

☑ c) Disminuir el esfuerzo a realizar en el volante sin utilizar mayores desmultiplicaciones que provocarían pérdida de sensibilidad en la conducción.

Actividad 3.

Verdadera.

Actividad 4.

Ángulo de avance

Actividad 5.

La función de la válvula de descarga **rápida** es vaciar de aire el cilindro de **mando**, cuando se deja de actuar sobre el **volante** al realizar una maniobra.

TEMA 10

Frenos. Sistemas de frenados. Sistema convencional. Sistema neumático. Sistemas mixtos (hidroneumáticos). Ralentizados eléctricos e hidrodinámicos. Ruedas y neumáticos en los distintos vehículos: características, medidas, estructura, uso y conservación

Las reglas **nemotécnicas** activan la memoria a largo plazo. Contar historias y secuenciar palabras también. Para conocer más activadores de la memoria consulta las Técnicas de Memoria 360.

Índice

1. Elementos de seguridad: frenos, tipos y su conocimiento

1.1. Frenos hidráulicos: elementos de frenado

La misión del sistema de frenado es elevar la deceleración del vehículo actuando sobre las ruedas. Esta función la realiza transformando la energía cinética en calor, conteniendo por tanto las ruedas en su giro. Las condiciones para que el sistema sea eficaz radican en que el tiempo y distancia de frenado sean mínimos y que la frenada se produzca progresivamente y manteniendo el vehículo estable.

Los componentes básicos que necesita un sistema de frenos son: un mecanismo de mando (pedal y circuito de transmisión del esfuerzo mecánico, hidráulico, neumático, etc.) y el freno propiamente dicho (de fricción, eléctrico o de fluido).

1.1.1. Principio de funcionamiento

La disposición elemental de un sistema hidráulico de frenos es la siguiente: el conductor pisa el pedal de freno (sistema de palancas), el empujador mueve el émbolo del cilindro de mando, el cual comprime y desplaza el líquido oleoso con presión hasta el cilindro receptor (acciona zapatas o pastillas).

El sistema hidráulico de mando se basa en la incompresibilidad de los líquidos y el Principio de Pascal (la presión en un líquido se transmite en todas direcciones). Según estos principios, la multiplicación de esfuerzos que tiene lugar al frenar es función de:

- La relación directa entre secciones de cilindro maestro y de rueda.
- El sistema de palanca en el pedal: el esfuerzo ejecutado por el conductor es multiplicado por la relación de brazos de palanca.
- Se emplea un sistema de asistencia (Servofreno) si la relación de esfuerzos lograda no es suficiente.

De acuerdo con lo anterior, los requisitos que debe cumplir el sistema de mando para conseguir con eficacia su misión son:

- Repartir esfuerzos entre los ejes.
- Repartir esfuerzos entre las ruedas del mismo eje.
- Garantizar el inicio de frenado en las ruedas delanteras.
- Ser de fácil reglaje.

A continuación se va a estudiar la generación y transmisión de las fuerzas de frenado.

Para frenar ya sabemos que debemos aplicar una fuerza igual pero de sentido contrario a la de impulsión. Por tanto, el par de frenado a aplicar sería:

$$C_f \leq F_f \cdot R \leq F_R \cdot R_1$$

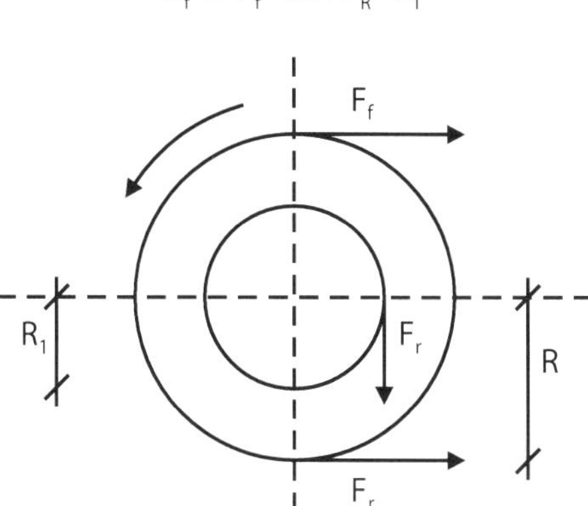

Sistema de fuerzas existente en la rueda durante el frenado

Siendo F_f la fuerza de frenado en el perímetro del neumático, R el radio de rueda para ese perímetro, F_R la fuerza de frenado en la pastilla o zapata y R_1 el radio que corresponde a la posición de esta última.

Partiendo de la ecuación anterior, se deduce que la fuerza de frenado a aplicar en las pastillas equivale a:

$$F_R = F_f \cdot (R / R_1)$$

La fuerza de frenado máxima aplicable en dicho punto es:

$$F_R = \mu \cdot P \cdot (R / R_1)$$

Pero teniendo en cuenta que no toda la fuerza aplicada en las pastillas se aprovecha puesto que también existe un coeficiente de rozamiento pastillas/disco (o zapatas/tambor), la verdadera fuerza de frenado máxima sería:

$$F_R = \mu \cdot F_S$$

Siendo F_S la fuerza máxima a aplicar en el bombín de freno.

Esta F_S es ya una fuerza hidráulica que se genera en la bomba de frenos y que dependerá por tanto de la presión de mando de la bomba de frenos (P_H) y de la sección del pistón de la misma (S). Por tanto, la fuerza de mando en el bombín de freno se puede expresar en función de estas últimas magnitudes.

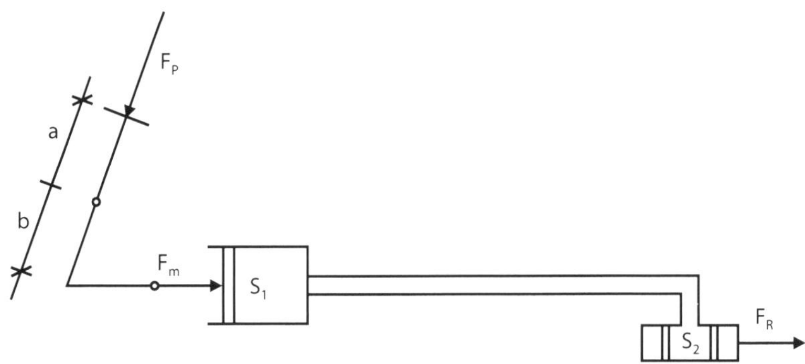

Sistema de fuerzas aplicable al sistema hidráulico del vehículo durante el frenado

$$F_R = P_m \cdot S = P_m \cdot (\pi \cdot \varphi^2 / 4)$$

Siendo P_m la presión media ejercida sobre la cabeza del pistón.

Por último, la fuerza que debe ejercer el conductor para generar las fuerzas de frenado anteriormente descritas se calcula de la siguiente forma:

$$F_m = F_p \cdot (a/b)$$

Siendo "a" y "b" los brazos de palanca del pedal de freno.

$$F_R = P_h \cdot S_2$$

$$F_m = P_h \cdot S_1$$

De donde se deduce:

$$F_R / S_2 = F_m / S_1$$

Y despejando:

$$F_R = (S_2 / S_1) \cdot F_m = (\varphi_2^{\ 2} \cdot \varphi_1^{\ 2}) / F_m$$

1.1.2. Parámetros significativos

El frenado afecta a la estabilidad direccional de un vehículo y a su tendencia al deslizamiento. El análisis de este comportamiento implica el estudio de cuatro fenómenos: la tendencia al deslizamiento durante el frenado, el comportamiento direccional en curva, la influencia de las transferencias de carga entre ejes durante el frenado y el comportamiento sobre o infravirador.

1.1.2.1. Tendencia al deslizamiento durante el frenado

Para frenar un vehículo es necesario aplicarle una fuerza igual pero de sentido contrario a la que produce el movimiento. El efecto del frenado es absorber la energía cinética que lleva el vehículo a causa de su velocidad y transformarla en calor que se disipa hacia la atmósfera en los elementos de freno. El calor a disipar es equivalente a la energía cinética que posea el vehículo en ese momento.

$$E_C = 1/2\ m\ v^2$$

Teniendo en cuenta esto, se puede cuantificar la máxima fuerza de frenado aplicable sin que exista deslizamiento, según se va a demostrar en los posteriores apartados.

Fuerza de frenado

Ya se ha dicho que su valor debe ser equivalente a la fuerza que impulsa al vehículo, pero debe tenerse en cuenta que toda esta fuerza debe ser generada en forma de resistencia ejercida por las ruedas al desplazamiento. Su cuantificación se hace a continuación.

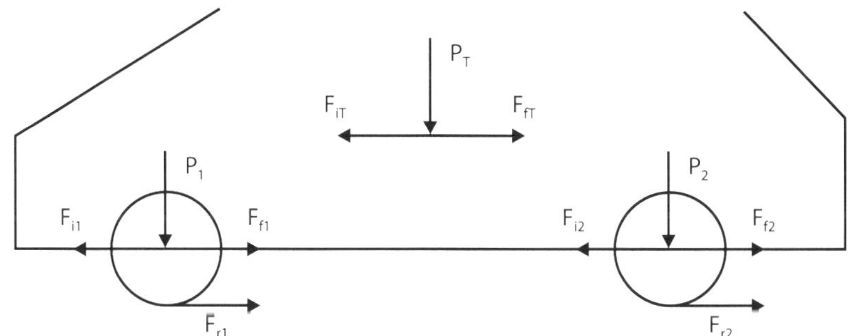

Sistema de fuerzas aplicable al vehículo durante el proceso de frenado

En este sistema de fuerzas se debe cumplir que:

$$F_{fT} = F_{iT} = F_{rT} = F_{r1} + F_{r2}$$

Siendo F_{fT} la fuerza de frenado total, F_{iT} la fuerza de impulsión total, F_{rl} la fuerza de rozamiento neumático/suelo y F_{r1}/F_{r2} las componentes de la fuerza de rozamiento en cada uno de los ejes.

Teniendo en cuenta que la fuerza de rozamiento se calcula según la expresión

$$F = \mu \cdot P$$

siendo μ el coeficiente de rozamiento y P el peso total, podemos deducir que:

$$F_{fT} = \mu \cdot P_1 + \mu \cdot P_2 = \mu \cdot (P_1 + P_2) = \mu \cdot P_T$$

En consecuencia, la fuerza de frenado que hay que aplicar para anular a la fuerza de impulsión que lleva el vehículo es función del peso del vehículo y del coeficiente de adherencia rueda/suelo. Indirectamente, dicha fuerza de frenado depende del desgaste de los neumáticos y del estado del firme.

Fuerza de frenado máxima

Partiendo de la base de que el vehículo no se detiene hasta que no se ha disipado totalmente la energía cinética que posee, si la rueda se bloquea, no existe transformación energética de energía cinética en calor y se alarga la frenada. Por tanto, la fuerza de frenado máxima será aquella que iguala sin superar a la fuerza de impulsión, puesto que si la supera, se generaría un par de giro continuo en la rueda que la haría derrapar y que disminuiría el grado de disipación de la energía cinética.

$$F_{fmax} \leq F_{iT} \leq \mu \cdot P_T$$

Como ya se ha explicado, el efecto de aplicar una fuerza de frenado superior a la fuerza de impulsión es el bloqueo de rueda y, por tanto, el alargamiento de la distancia de frenado y la pérdida de las cualidades direccionales y de estabilidad del vehículo. Esto ha hecho que surjan diversos sistemas que intentan optimizar la frenada para que se cumpla esta máxima: compensadores de frenada, sistemas antibloqueo de frenos, ESP, etc.

Consecuencias de un frenado desequilibrado

El bloqueo de las ruedas normalmente se produce en un eje, no en las cuatro a la vez, es una circunstancia que se puede dar en plena conducción y que lógicamente tiene efectos negativos sobre la seguridad vial. Las ruedas dejan de girar de manera brusca, o descienden esos giros de manera considerable, y el conductor puede perder el control del vehículo.

Este bloqueo se produce porque el coeficiente de fricción entre el neumático y la calzada adquiere un valor inferior al de adherencia, lo cual origina el deslizamiento del neumático sobre la calzada. Por lo tanto, cuando las ruedas se bloquean, disminuye el valor de la fuerza de frenado respecto a la máxima fuerza potencial que puede obtenerse en condiciones anteriores al bloqueo de las ruedas- ¿Por qué? Porque el coeficiente de fricción rueda / suelo cae a valores muy bajos, especialmente en pavimentos mojados.

Un frenado desequilibrado, entendiendo como tal a aquel que se produce con el bloqueo de una o varias ruedas, puede producir varios efectos:

- Bloqueo del eje trasero. En este caso la adherencia de las ruedas del eje trasero con el suelo disminuye fuertemente, por lo que cualquier inestabilidad puede provocar el giro del vehículo sobre su eje haciendo perder totalmente la estabilidad. Es decir, si en una situación de conducción normal nosotros tiramos con violencia del freno de mano, hasta llegar a bloquear los neumáticos, el vehículo tenderá a derrapar de la parte trasera, sobreviraje, hasta situarse en la dirección contraria a la que viajábamos.

- Bloqueo del eje delantero. Si las ruedas que se bloquean son las del eje delantero, las fuerzas de inercia aplicadas al centro de gravedad y las de rozamiento o adherencia en las ruedas, proporcionan un momento de guiñada (giro sobre el eje vertical). En este caso las fuerzas tienden a hacer que el vehículo recupere su posición longitudinal. Quiere decir que hay una pérdida de control direccional, que tiende en principio a seguir una trayectoria recta, subviraje, sin obedecer a la dirección del mismo. Es menos probable que suceda pero más difícil de controlar cuando se produce.
- Bloqueo de una rueda delantera. Cuando ocurre este fenómeno la dirección tendería a desviarse hacia el lado contrario. Esto es así por la razón ya conocida: la rueda bloqueada tiende a adelantar a la no bloqueada y se produce el cambio de dirección.
- Bloqueo de una rueda trasera. Cuando esto se produce el vehículo sufre una desviación del tren trasero hacia ese mismo lado ("culea") por la misma causa que en los casos anteriores: tendencia de la rueda de ese lado a adelantar a la del contrario.

1.1.2.2. Comportamiento direccional en curva

En una trayectoria curva se produce una fuerza centrífuga (Fc), transversal a la dirección que se lleve, que es consecuencia de la aparición de una aceleración normal que actúa sobre la masa del vehículo al describir éste un recorrido circular. La magnitud de esta nueva fuerza depende del radio de giro de la curva y de la velocidad del vehículo.

La cuantificación de la energía cinética se efectúa mediante un sencillo cálculo:

$$F_{Ti} = \sqrt{(F_i^2 + F_c^2)}$$

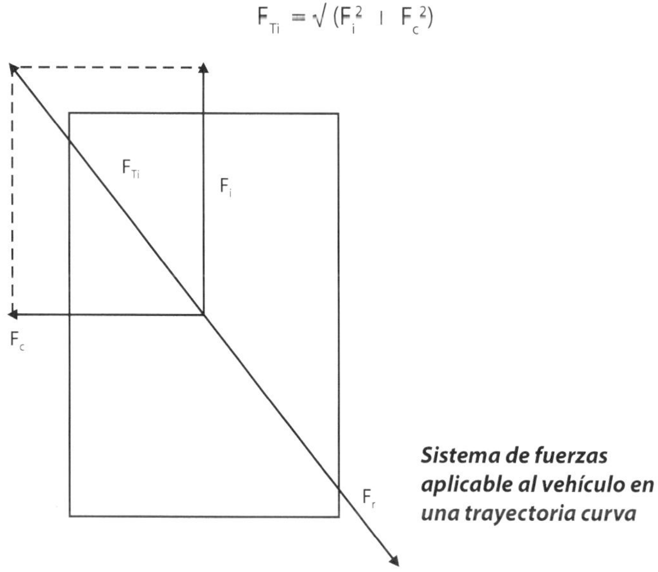

Sistema de fuerzas aplicable al vehículo en una trayectoria curva

Siendo F_{Ti} la fuerza de inercia total, F_i la fuerza de inercia en la dirección tangencial a la marcha y F_c la fuerza centrífuga. El valor de la fuerza centrífuga se calcula en función de la masa del vehículo "m", su velocidad "V" y el radio de curvatura de la trayectoria "R".

$$Fc = mV^2 / R$$

Podemos decir que la condición que se debe cumplir para evitar el derrapaje en una trayectoria curva es:

$$F_{Ti} = \sqrt{(F_i^2 + F_c^2)} \leq F_r \quad \text{o lo que es lo mismo}$$

$$F_{Ti} = \sqrt{(F_i^2 + F_c^2)} \leq \mu \cdot P_T$$

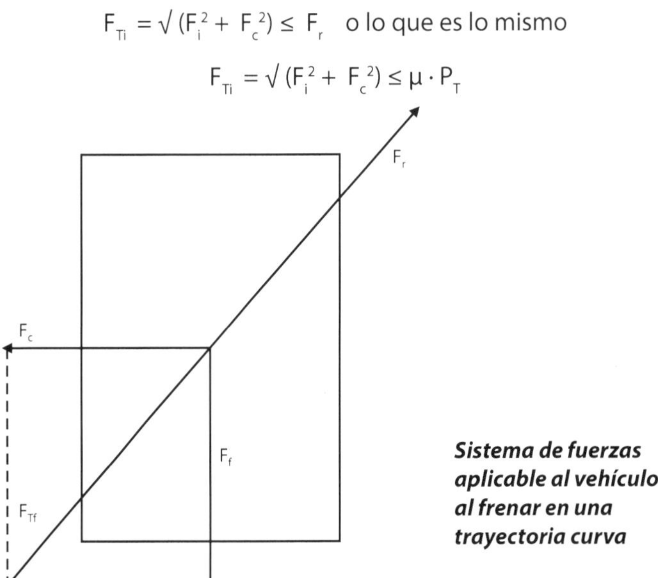

Sistema de fuerzas aplicable al vehículo al frenar en una trayectoria curva

Si además frenamos encontrándonos dentro del desarrollo de una trayectoria curva, aparece una nueva fuerza, la de frenado, cambiando por tanto la condición a cumplir, que pasa a ser ahora:

$$F_{Tf} = \sqrt{(F_f^2 + F_c^2)} \leq F_r \quad \text{o lo que es lo mismo}$$

$$F_{Tf} = \sqrt{(F_f^2 + F_c^2)} \leq \mu \cdot P_T$$

En conclusión, un vehículo se puede salir de la trayectoria curva que describe por una o varias de las siguientes causas: demasiada fuerza centrífuga (debido a una velocidad elevada o a que se describe una curva de radio de curvatura pequeño), fuerza de inercia excesiva en la dirección tangencial (que provoca derrapaje) o fuerza de frenado excesivamente elevada (que induce derrapaje de igual forma).

1.1.2.3. Influencia en el frenado de las transferencias de carga entre ejes

En el momento del frenado y por efecto de la inercia, también debe tenerse en cuenta la aparición de una nueva fuerza que desplaza el conjunto de elementos suspendidos

hacia delante y, como consecuencia, parte del peso del vehículo se transfiere hacia el eje delantero, debiéndose por tanto aplicar una mayor fuerza de frenado a este eje.

El peso transferido entre ejes depende del peso del vehículo, de la velocidad, de la situación del centro de gravedad, de la distancia entre ejes y de las características específicas de la suspensión.

La condición nueva a cumplir durante el frenado en cada uno de los ejes es:

$F_{f\,del} = (P_1 + P_t)\,\mu$ en el eje delantero

$F_{f\,tras} = (P_2 - P_t)\,\mu$ en el eje trasero

Siendo $F_{f\,del}$ la fuerza de frenado aplicada en el eje delantero, P_1 el peso que gravita sobre el eje delantero, P_t el peso transferido a dicho eje, $F_{f\,tras}$ la fuerza de frenado aplicada en el eje trasero y P_2 el peso gravitante sobre dicho eje.

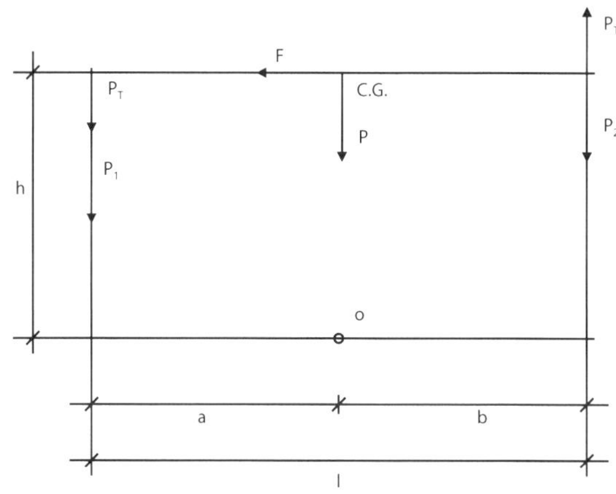

Sistema de fuerzas aplicable al vehículo como consecuencia de la transferencia de peso entre ejes

Teniendo en cuenta que el momento de torsión originado en el centro de gravedad, por efecto de la nueva fuerza de inercia, debe ser equilibrado por el momento generado por el par creado por el peso total del vehículo, se puede cuantificar el valor del peso transferido entre ejes.

$$F \cdot h = P_t \cdot a + P_t \cdot b \,;\ \mu \cdot P = l \cdot P_t \,;\ \mu \cdot P \cdot h = l \cdot P_t$$

Y se puede deducir que:

$$P_t = \mu \cdot P\,(h/l)$$

Como se puede comprobar, el peso transferido entre ejes es directamente proporcional al peso total del vehículo, al coeficiente de adherencia neumático/suelo y a la altura del centro de gravedad, e inversamente proporcional a la longitud entre ejes del vehículo. Si sustituimos el valor obtenido para el peso transferido en las ecuaciones iniciales, obtenemos las ecuaciones que nos cuantifican las fuerzas de frenado máximas aplicables en cada eje.

$F_{f\,del} = (P_1 + P_t)\,\mu = (P_1 + \mu \cdot P\,(h/l))\,\mu$ en el eje delantero

$F_{f\,tras} = (P_2 - P_t)\,\mu = (P_2 - \mu \cdot P\,(h/l)\,\mu$ en el eje trasero

1.1.2.4. Comportamiento infravirador o sobrevirador

El comportamiento sobrevirador de un vehículo se produce cuando el centro de gravedad se encuentra más próximo a las ruedas traseras que a las delanteras. Por lo tanto es típico de vehículos propulsados. Este comportamiento se produce porque las ruedas traseras poseen una mayor rigidez a la deriva (ángulo de deriva), lo que hace que "el coche se va de atrás".

El comportamiento subvirador o infravirador se da en el caso contrario, cuando el centro de gravedad está más cercano a las ruedas delanteras. Es la tendencia que poseen los vehículos de motor delantero. En este caso son las ruedas delanteras las que poseen una mayor rigidez a la deriva: "el coche se va de delante".

1.1.3. Constitución y tipos

1.1.3.1. Elementos de frenado

Frenos de tambor

Están constituidos por una parte fija, formada por el tambor (fijo a la mangueta) y una parte móvil, constituida por un plato portazapatas (fijo al eje). Sobre el plato se montan las zapatas, que se encargan de transmitir la fuerza de frenado hasta el tambor, empujadas por la presión del fluido hidráulico existente en los bombines (se conocen también como actuadores hidráulicos). Unos muelles de posicionamiento de componentes completan el conjunto del sistema. También se suele disponer un sistema de aproximación automática de las zapatas al tambor para compensar el aumento de distancia producido por el desgaste progresivo.

El reparto de la fuerza de frenado ha de hacer que la parte de ésta correspondiente a la zapata delantera sea mayor que la que corresponde a la trasera, para compensar el mayor desgaste que sufre a causa del efecto de acuñamiento que tiene lugar en ella.

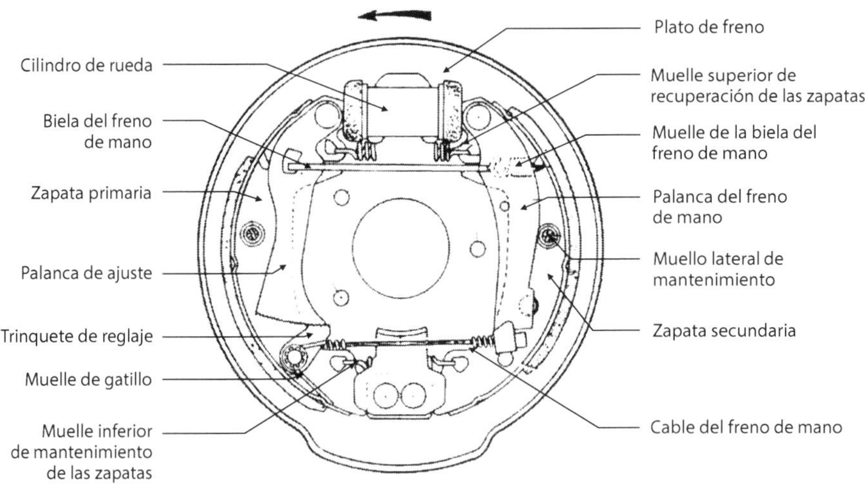

Frenos de tambor con recuperación automática

Frenos de disco

Están constituidos por unas pastillas que rozan contra un disco de acero cuando son empujadas por acción del fluido hidráulico que actúa sobre un pistón. Las pastillas se montan dentro de unas mordazas que pueden ser móviles –el pistón empuja a una pastilla y la mordaza a la otra por reacción– o flotantes, con una disposición similar, pero con la mordaza acoplada sobre guías (mayor uniformidad de frenado). El pistón puede ser doble, accionándose con circuitos independientes en algunos casos. También es habitual dotar de refrigeración a los discos, ventilándolos mediante taladros radiales.

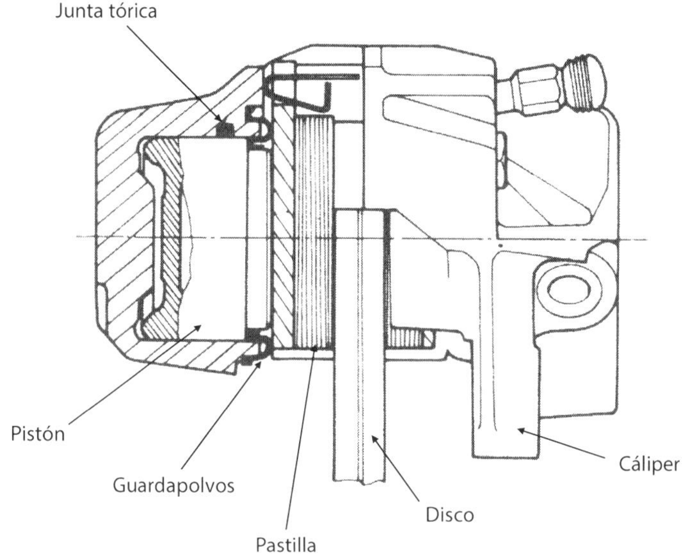

Sección transversal de un freno de disco

El reglaje de aproximación es innecesario en este caso, puesto que el propio alabeo del disco vuelve las pastillas hacia atrás.

Los frenos de disco poseen una serie de ventajas respecto a los de tambor que los hace preferibles en casi todos los casos:

- Equilibrio de presiones en ambas caras del disco.
- Menores dilataciones por la mejora de la refrigeración.
- Menor peso.
- Mayor facilidad de intervención.

Sin embargo, también tienen inconvenientes:

- La superficie de frenado es menor, y eso obliga a que la fuerza de accionamiento sea mayor.
- Mayor rumorosidad.

1.1.3.2. Elementos de mando

Bomba de frenos

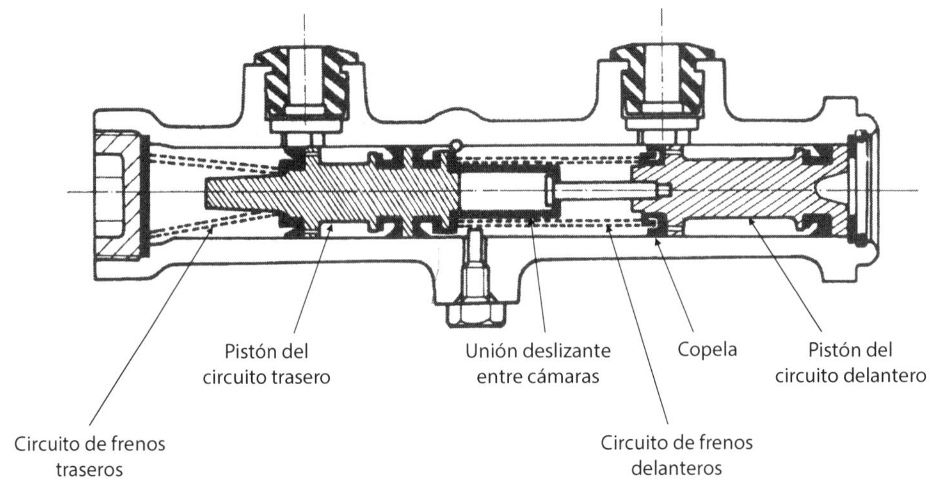

Sección de una bomba de frenos de tipo "tándem"

Proporciona la presión y la envía a los cilindros de rueda. Suele ser de tipo "tándem" para circuitos de freno independientes. La bomba tiene dos cámaras, una para cada circuito, con lo que se evita un fallo general del sistema de frenos.

Está constituida por dos pistones, unidos por un pulsador deslizante, actuando cada uno sobre una de las cámaras. El pistón primario manda líquido a presión a un circuito y empuja al mismo tiempo al pistón secundario que hace lo mismo con el otro circuito.

Servofreno

Se designa como servofreno a todo mecanismo capaz de aumentar el esfuerzo desarrollado por el conductor (asistencia) en la acción de frenado, para que quede por debajo de unos límites aceptables.

La asistencia necesaria la presta la depresión creada en el motor o una bomba de vacío. En los motores de explosión se suele tomar la depresión del colector de admisión. Pero ésta es variable (depende del n.º de rpm) con lo que suelen instalar depósitos de vacío, lográndose una depresión media y la posibilidad de utilizar el freno con el motor parado.

En los motores diésel la depresión en el colector es demasiado baja, resultando necesaria una bomba de vacío.

Correctores de frenado

Su función es compensar el efecto de la transmisión de fuerzas que tiene lugar durante el frenado desde la zona trasera hacia la delantera del vehículo. Este efecto conlleva que el peso gravitante sobre el eje trasero sea menor de lo normal y por tanto, deba disminuirse la fuerza de frenada para evitar el bloqueo de las ruedas.

Los mecanismos encargados de efectuar la compensación de este fenómeno son los correctores de frenado, que pueden ser de varios tipos:

- **Repartidores de simple efecto**: limitan la presión en el circuito trasero a un determinado valor máximo, que es fijo.
- **Repartidores de doble efecto**: actúan igual que los anteriores, pero elevan el valor de presión máxima admisible si la velocidad del vehículo es baja, siendo por tanto las condiciones de bloqueo nulas.
- **Limitadores de tarado variable**: cortan la presión en función de la carga del eje trasero. El valor de la presión de corte se autorregula con un muelle, antagonista al dispositivo, que va unido al tren trasero.
- **Compensadores activados por inercia**: logran controlar la presión en función de la deceleración, para lo cual disponen de una válvula de bola que tiene en cuenta la inclinación de la carrocería consecuencia de la frenada.

Forros y/o pastillas

Compuestos de aleaciones de metales antifricción, soportan elevadas temperaturas durante el frenado, puesto que son los encargados de disipar el calor generado. Tradicionalmente se usaba amianto en la fabricación de estos componentes, por su capacidad para soportar estas condiciones extremas. Actualmente está prohibido por sus efectos cancerígenos sobre el hombre.

1.1.4. Líquidos utilizados

El líquido de frenos también debe ser capaz de soportar las altas temperaturas y presiones generadas durante el frenado. Se fabrica a base de disoluciones de poliglicol aditivado con anticorrosivos y limitadores de la degradación por calor. Responden a las normas SAE (SAE DOT 4 es una especificación muy utilizada en los vehículos actuales).

Los líquidos que se emplean últimamente son de una temperatura de ebullición elevada, de aproximadamente 250 ºC, y menos degradables. Se ha logrado que mantengan sus propiedades por largos periodos de tiempo. Aun así, su sustitución debe ser periódica, generalmente cada dos años, puesto que al tratarse de una sustancia orgánica, se descompone tarde o temprano.

Actividad 1

¿Cómo denominamos al elemento de frenado que está constituido por unas pastillas que rozan contra un disco de acero cuando son empujadas por acción del fluido hidráulico que actúa sobre un pistón?

- ☐ a) Frenos de tambor.
- ☐ b) Frenos de disco.
- ☐ c) Servofreno.

1.1.5. Procesos y procedimientos de reparación

1.1.5.1. Revisión del circuito

En primer lugar se debe comprobar que los componentes del circuito se encuentran desprovistos de sustancias extrañas. Si es necesario, se puede lavar con detergentes específicos o alcohol metilado (no gasolina). El depósito no debe presentar impurezas ni obstrucciones del orificio de puesta en atmósfera.

Para la localización de fugas se puede emplear el siguiente método: pisar con fuerza el pedal del freno (o inyectar aire a 2-3 bares de presión por el tapón del depósito) y observar por dónde sale el líquido. De cualquier forma, lo correcto es comprobar la estanqueidad del circuito con la ayuda de un manómetro colocado en el cilindro de rueda. La caída de presión debe ser inferior a 5 bares en 10 minutos (pisando el pedal de freno durante ese tiempo).

Para comprobar la ausencia de obstrucciones se somete a presión al circuito, con los purgadores abiertos. Si por uno de estos no sale líquido, ha de ser debido a que en alguna parte del circuito que le corresponde existe un obstáculo al paso del fluido.

1.1.5.2. Reparación de componentes

- **Reparación de la bomba de frenos**: la superficie interna y los émbolos deben estar en buen estado. Si se encuentran pequeñas oxidaciones, pueden lijarse. Es conveniente cambiar las copelas cada vez que se desmonta la bomba. En el montaje de ésta, las piezas deben impregnarse de líquido nuevo. También debe tenerse en cuenta el juego entre varilla y émbolo, de unos 1,5 mm.
- **Reparación de los frenos de disco**: en ellos debe comprobarse el desgaste de discos y pastillas. Las pastillas se sustituyen (las dos del eje) si su espesor es menor de 2 mm. El disco se reemplaza si el desgaste es mayor del 10% o el alabeo supera 0,1 mm (esta operación se efectúa por ejes y junto con las pastillas).
- **Reparación de los frenos de tambor**: se debe verificar el desgaste y ovalamiento del tambor (menor de 0,1 mm) y el espesor de las zapatas (mayor de 2 mm). Tampoco debe olvidarse comprobar el sistema de reglaje automático (la cota de reglaje es de 1 mm con el freno de mano tirado).

El freno de mano también lleva reglaje: se ajusta en una tuerca para que el frenado sea suficiente coincidiendo con el tercer o cuarto diente del trinquete.

- **Reparación del limitador de frenado**: Se puede controlar su funcionamiento midiendo la presión de corte. Para ello se utiliza un manómetro que se ubica en el purgador del cilindro receptor. Si el vehículo está dotado de circuito en equis, con compensador de frenada, los manómetros han de ser dos, uno en cada lado del circuito, para hacer la comparación.
- **Reparación del servofreno**: en este componente deben inspeccionarse la toma de vacío, las posibles deformaciones de las cámaras, el acoplamiento con el cilindro, etc.

  Para verificar su estanqueidad se utiliza un vacuómetro, colocado entre el propio servofreno y la toma de vacío. El valor leído debe corresponderse con las especificaciones dadas por el fabricante.

1.1.5.3. Purgado del circuito

Esta operación puede ser manual o con máquina. En ambos casos, se debe anular previamente el funcionamiento del limitador de frenada (comprimiendo su muelle para que quede totalmente abierto). También debe tenerse en cuenta que todos los fabricantes aconsejan qué orden seguir en el purgado, aunque generalmente, se comienza el proceso por la rueda más cercana y se finaliza en la más lejana.

- **Purgado manual**: se basa en bombear presión al circuito, accionando sucesivas veces el pedal de freno, con el purgador cerrado. Una vez efectuada esta operación, y manteniendo el pedal pisado, se abre el purgador con cuidado, se deja salir algo de líquido y se vuelve a cerrar. Se repite este procedimiento las veces necesarias, en cada rueda, hasta observar que no sale aire por el purgador.
- **Purgado a máquina**: existen aparatos en el mercado que succionan el líquido de frenos, por lo que no es necesario un operario para dar presión al circuito.

1.2. Frenos neumáticos y de remolque

1.2.1. Principio de funcionamiento

Los frenos neumáticos aprovechan la compresibilidad de los gases, según la cual si se les somete a presión, ésta es uniforme sobre las paredes del recipiente que los contiene, lo que hace que sea transmisible a otros receptáculos.

De esta manera, el desplazamiento de los émbolos de frenado es función de una diferencia de presiones regulable mediante una válvula.

Teniendo en cuenta esta particularidad, el funcionamiento de un sistema neumático de frenos no difiere esencialmente con respecto al hidráulico, en lo que concierne a la generación y transmisión de fuerzas. A continuación se desarrolla el razonamiento de este apartado.

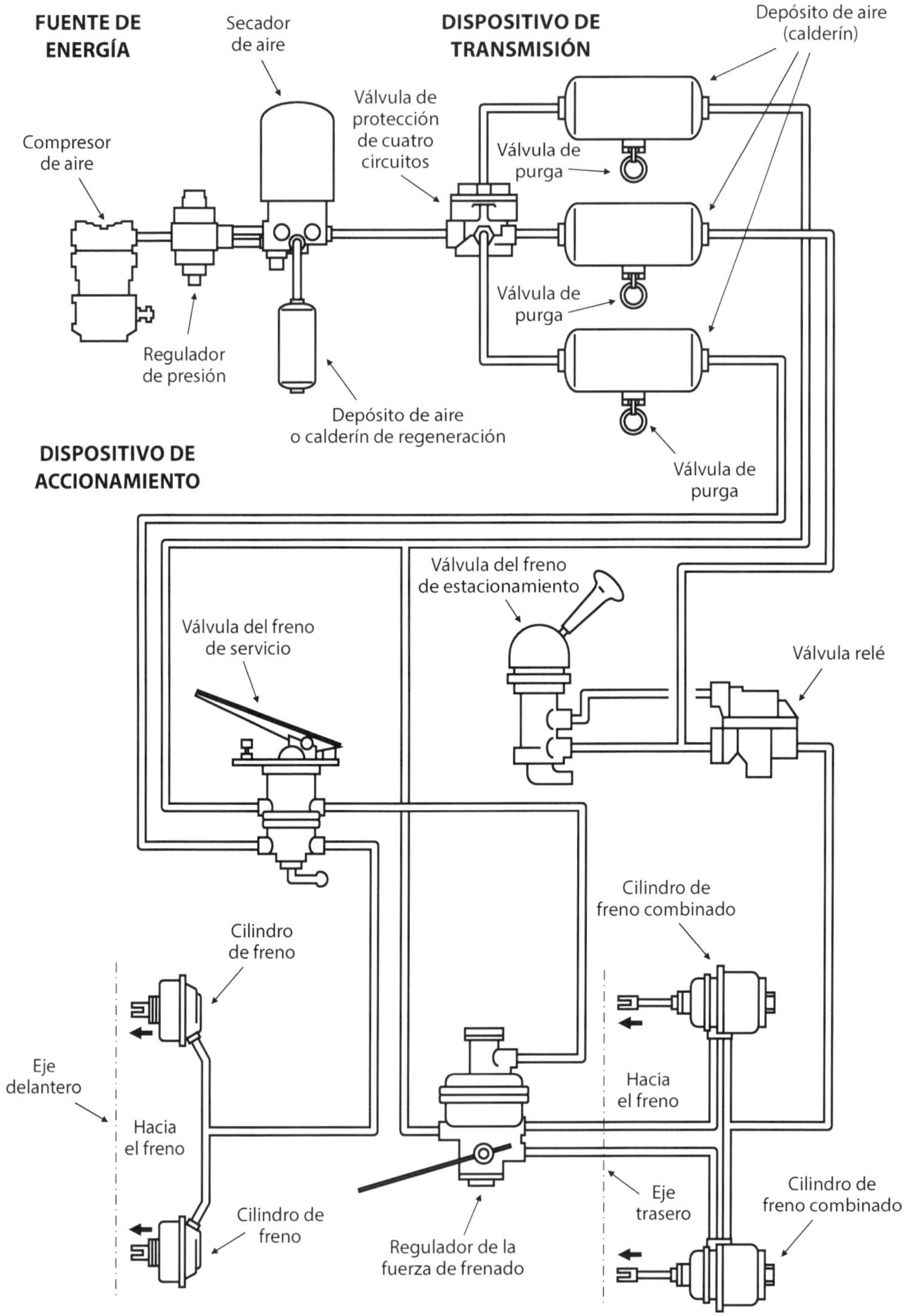

FUENTE DE ENERGÍA

Secador de aire

DISPOSITIVO DE TRANSMISIÓN

Depósito de aire (calderín)

Válvula de protección de cuatro circuitos

Compresor de aire

Válvula de purga

Válvula de purga

Regulador de presión

Depósito de aire o calderín de regeneración

DISPOSITIVO DE ACCIONAMIENTO

Válvula de purga

Válvula del freno de estacionamiento

Válvula del freno de servicio

Válvula relé

Cilindro de freno combinado

Cilindro de freno

Eje delantero

Hacia el freno

Hacia el freno

Eje trasero

Cilindro de freno combinado

Cilindro de freno

Regulador de la fuerza de frenado

Componentes de un sistema de frenos neumático

Por ello, al igual que en los sistemas hidráulicos, para frenar, debemos aplicar una fuerza igual pero de sentido contrario a la de impulsión. Por tanto, el par de frenado a aplicar sería:

$$C_f \leq F_f \cdot R \leq F_R \cdot R_1$$

Siendo F_f la fuerza de frenado en el perímetro del neumático, R el radio de rueda para ese perímetro, F_R la fuerza de frenado en la pastilla o zapata y R_1 el radio que corresponde a la posición de esta última.

Partiendo de la ecuación anterior, se deduce que la fuerza de frenado a aplicar en las pastillas equivale a:

$$F_R = F_f \cdot (R / R_1)$$

La fuerza de frenado máxima aplicable en dicho punto es:

$$F_R = \mu \cdot P \cdot (R / R_1)$$

Pero, teniendo en cuenta que no toda la fuerza aplicada en las pastillas se aprovecha, puesto que también existe un coeficiente de rozamiento pastillas/disco (o zapatas/tambor), la verdadera fuerza de frenado máxima sería:

$$F_R = \mu \cdot F_S$$

Siendo F_S la fuerza máxima a aplicar en el bombín de freno Los dos principales factores que intervienen en el rozamiento entre dos elementos es su dureza y, principalmente, su estado superficial.

Esta F_S es en este caso una fuerza neumática que dependerá de la presión de mando generada por el compresor (P_m) y regulada en la correspondiente válvula. Por tanto, la fuerza de mando en el pistón de freno se puede expresar en función de estas últimas magnitudes:

$$F_R = P_m \cdot S = P_m \cdot (\pi \cdot \varphi^2 / 4)$$

Siendo P_m la presión media ejercida sobre la cabeza del pistón.

1.2.2. Constitución y funcionamiento

1.2.2.1. Elementos de frenado

No varían sustancialmente con respecto a los empleados en los sistemas hidráulicos: discos y tambores.

1.2.2.2. Elementos de mando

El circuito neumático está integrado básicamente por los siguientes componentes:

- **Compresor de aire**: accionado por el motor y regulado por una válvula de descarga. Su función es acumular el aire a presión (6-8 kg/cm^2).

- **Filtro depurador de aire**: con válvula de descarga reguladora de presión.
- **Depósitos (1 o 2)**: almacenan el aire a presión, controlado por medio de un manómetro.
- **Válvula de paso**: deja pasar aire a los cilindros de freno al ser accionado el pedal de freno.
- **Cilindros de freno**: accionan las zapatas en las ruedas.
- **Válvulas de descarga rápida**: eliminan el aire al cesar la acción de frenado.
- **Tuberías de interconexión**: de acero con tramos flexibles.

Compresor

Es de simple efecto. Está constituido por un bloque monocilíndrico con dos válvulas (aspiración y presión) controladas por el movimiento alternativo del pistón. En su funcionamiento recibe movimiento del motor por una correa y produce presión hasta que actúa la válvula de descarga, pasando entonces a trabajar en vacío. Durante el descenso del pistón, se origina una depresión que abre la válvula de aspiración y cierra la de impulsión, permitiendo el paso de aire al interior de la cámara; cuando el pistón sube, se origina una sobrepresión, ocurriendo lo contrario.

Grupo filtrador, depurador y regulador de presión

Está formado por un cuerpo separador (separa aceite y agua), un filtro y una válvula reguladora de presión (cuando se llega a la presión de regulación, abre una puesta en atmósfera que hace trabajar en vacío al compresor, ya que el aire que entra sale por ella directamente a la atmósfera). En la tapa del grupo se dispone el cuerpo de válvulas (salida a calderín por válvula de retención que impide que éste se vacíe a través del filtro), la válvula de seguridad (si el calderín alcanza una sobrepresión, se abre y pone en atmósfera) y un racor auxiliar de salida (para inflado de neumáticos).

Depósito

Cumple funciones de acumulador de aire. Suele montarse en él un grifo de purga para evacuar las condensaciones del vapor de agua.

Válvula de seguridad o rebose

Los circuitos que poseen más de un calderín se intercomunican mediante ella. Permite el paso entre ambos circuitos cuando la presión supera los 6 kg/cm^2 aproximadamente.

Válvula de accionamiento o de paso

Consta de un cuerpo de válvula, un vástago de accionamiento, un muelle compensador (regula la presión de salida) y un émbolo (controla la apertura de la válvula estrangulando más o menos la salida de aire).

En circuitos dobles se montan dos válvulas accionadas simultáneamente.

Cilindro de freno

Pueden ser de dos tipos:

- **De una cámara**: formados por un cuerpo cilíndrico que aloja a un émbolo cuyo vástago está acoplado a la palanca de zapatas. De esta manera, cuando llega presión al émbolo, es transmitida a las zapatas a través del vástago.
- **De resortes**: en este caso uno o varios cilindros actúan sobre unos resortes para que no ejerzan presión sobre las zapatas. Frenan cuando no hay presión, al descomprimirse los muelles.

Válvula de descarga rápida

Está constituida por un cuerpo de válvula, una membrana elástica y un muelle. La membrana controla el paso del aire a los cilindros y, por tanto, la puesta en atmósfera.

1.2.2.3. Particularidades de los sistemas de freno para remolque

En los vehículos con remolque, el vehículo tractor suele disponer de tres válvulas adicionales:

- **Válvula amplificadora de presión**: envía a los cilindros de rueda del remolque mayor presión que a los del vehículo tractor. Conectada al calderín principal, regula las salidas a los frenos de remolque y la puesta en atmósfera.
- **Válvula de rebose**: asegura el frenado aunque se interrumpa circuito de unión tractor-remolque.
- **Válvula manual de frenado**: para inmovilizar el remolque en el estacionamiento.

1.2.3. Reparación

En reparación, las principales dificultades que plantean las instalaciones neumáticas suelen deberse a la necesidad de efectuar desmontajes laboriosos, pero la reparación en sí, en la mayor parte de los casos, se limita a la sustitución de los elementos responsables de la avería. El compresor es el elemento más delicado del conjunto. Para su desmontaje es importante marcar cuidadosamente todas las piezas (placa de válvulas, cárter, biela, etc.) aparte de seguir el orden y prescripciones indicadas en la documentación del fabricante. Una vez desmontado se debe atender especialmente a:

- Eliminar las impurezas depositadas en la culata.
- Controlar ovalamiento y conicidad del cilindro.
- Comprobar el juego del émbolo en la camisa.
- Verificar el desgaste de los segmentos (diametral y perimetral) y su juego de montaje.
- Comprobar el cigüeñal, especialmente el desgaste de la muñequilla y los cojinetes.
- Sustituir juntas, arandelas y retenes por unos nuevos.

Para el montaje se opera en sentido inverso al desmontaje, poniendo especial cuidado en la coincidencia de las marcas y en aplicar los pares de apriete indicados en el manual del fabricante.

1.3. Frenos eléctricos, hidrodinámicos de estacionamiento y de motor para vehículos

1.3.1. Introducción

Los tipos de freno que son objeto de este tema no son propiamente sistemas de frenado que se suelan montar con carácter principal en los vehículos. Se trata más bien de deceleradores cuyo cometido es descargar de trabajo al freno de servicio en pendientes prolongadas.

- El **freno eléctrico** se intercala en la transmisión, especialmente en los vehículos pesados, como freno auxiliar, aunque puede llegar a parar completamente el vehículo en ciertos casos. Su misión es mantener el régimen de revoluciones en un nivel determinado.
- El **freno hidrodinámico** utiliza un fluido viscoso, aceite, como elemento que disipa en forma de calor la energía cinética. Para ello se intercala en la transmisión un dispositivo relleno de aceite con un intercambiador aceite/agua para evacuar el calor generado por la fuerza centrífuga a que se somete el fluido.
- El **freno motor** aprovecha el efecto de retención que origina el motor cuando no se le suministra combustible. Esto es así porque, al no existir combustión, los cilindros trabajan como si fueran compresores, con el consecuente efecto de frenado. Si además se coloca un dispositivo de cierre del escape de gases, se obtiene un compresor de doble efecto, de mayor rendimiento. Es empleado como freno auxiliar en vehículos pesados que llevan instalación de aire comprimido.

1.3.2. Frenos eléctricos

Su principio de funcionamiento básico es sencillo: un mando situado en el volante permite suministrar alimentación eléctrica al freno, el cual será más efectivo cuanto mayor sea el número de revoluciones de la transmisión. No existe roce entre elementos, el frenado se produce por la reacción de las corrientes inducidas sobre el elemento móvil por efecto de un campo magnético inductor.

1.3.2.1. Constitución

Fundamentalmente, un freno eléctrico está constituido por un rotor, intercalado en la transmisión del vehículo, y un estator, fijado al chasis, que crea el campo magnético inductor.

Rotor

Está formado por un árbol, que gira sobre unos cojinetes de rodillos cónicos, en cuyos extremos se montan los platos de freno, dotados de aletas para favorecer la refrigeración. Unas bridas de arrastre se montan a presión en los platos y se unen al árbol de arrastre por medio de chavetas, siendo solidarias con la transmisión a través de tuercas.

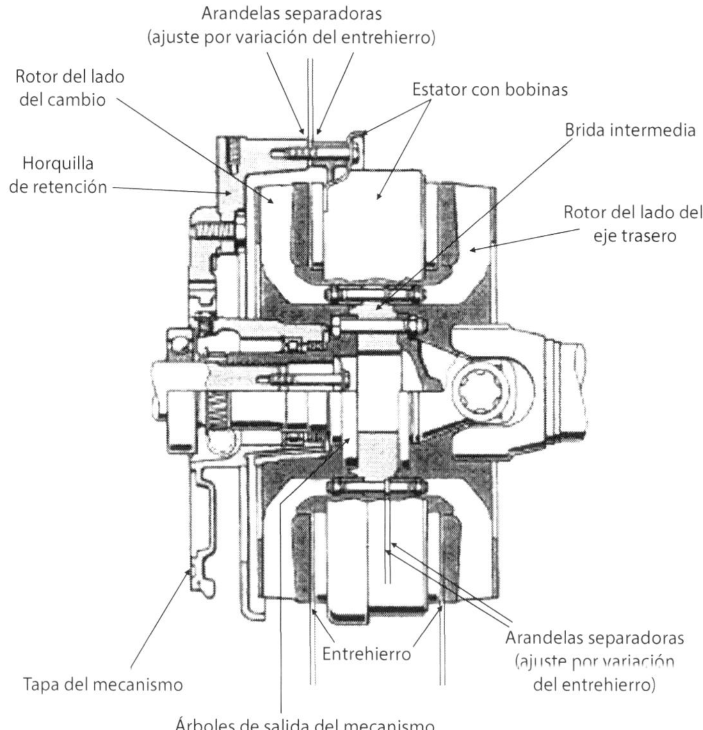

Freno eléctrico

Estator

Consiste en una serie de núcleos magnéticos, con sus correspondientes bobinas, montados alrededor del rotor. Las bobinas pueden ser de uno o varios arrollamientos y deben estar montadas en oposición sobre los núcleos, de forma que los polos de cada bobina sean alternativos en cada lado del estator.

1.3.2.2. Funcionamiento

El principio de funcionamiento del freno eléctrico está basado en el fenómeno de la inducción electromagnética: cuando un conductor se mueve en la zona de influencia de un campo magnético, se crean en él unas corrientes inducidas, proporcionales al campo

magnético y a la variación de flujo, que se oponen al movimiento del mismo. Por tanto, cuanto mayor sea el campo magnético inductor y/o la velocidad de giro, mayor será el efecto de frenado.

En el freno eléctrico, el campo inductor es generado por el estator, cuando es recorrido por una corriente eléctrica. El conductor inducido son los platos giratorios del rotor, que giran con la transmisión y que se ven retenidos en su giro por efecto de las corrientes inducidas.

El circuito eléctrico que alimenta al campo magnético está formado por un interruptor de varias posiciones, según el nivel de frenado deseado, montado en el volante o cuadro de mandos, que acciona unos relés a los que llegan los conductores de corriente de potencia procedente de la batería (el requerimiento eléctrico es elevado, por lo que los conductores son de elevada sección). Los distintos niveles de frenado se consiguen alimentando una, dos... o todas las bobinas del estator a través del interruptor: como el flujo magnético depende del número de espiras, cuantas más bobinas se alimenten, mayor será el frenado conseguido.

1.3.3. Frenos hidrodinámicos

1.3.3.1. Constitución

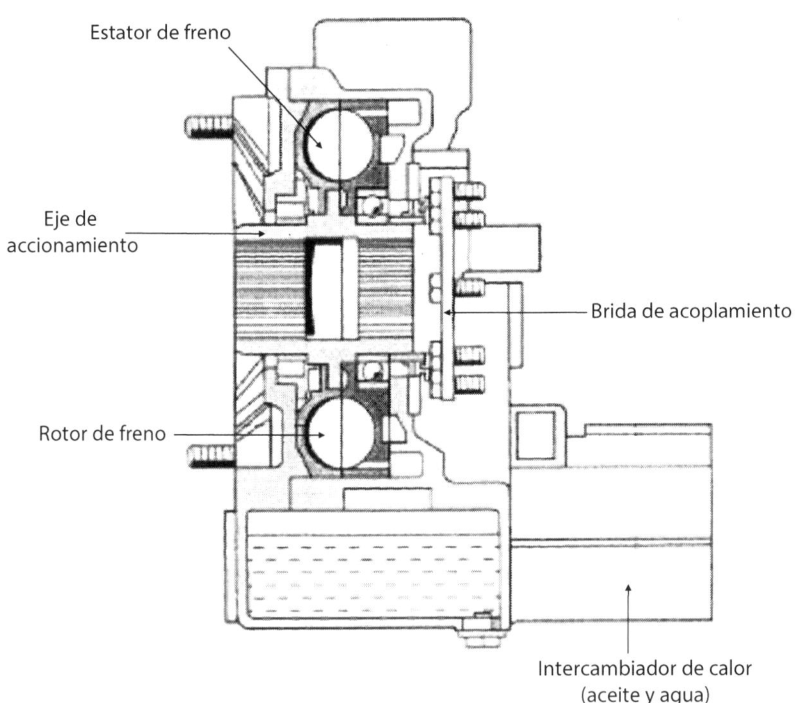

Freno hidrodinámico

El freno hidrodinámico está constituido por dos rotores de paletas: uno fijo, denominado estator de freno, y otro móvil, llamado rotor de freno. Ambos se disponen enfrentados y en el interior de una carcasa llena de aceite. El rotor de freno está en comunicación con el sistema de transmisión del vehículo a través de un árbol articulado.

1.3.3.2. Funcionamiento

Al frenar, el rotor acelera el aceite, que a su vez es frenado por el estator. Esto provoca una deceleración en el rotor, que es transmitida a las ruedas a través del árbol articulado.

La energía que lleva el rotor se transforma en energía cinética del aceite, que al ser frenada por el estator, desprende calor. Este calor se absorbe en el intercambiador por el líquido refrigerante, que lo disipa a la atmósfera.

1.3.4. Frenos de motor

Esencialmente consiste en un bloque que se incorpora al escape, formando con él un cuerpo único, y que realiza las funciones de cortar el suministro de combustible y cerrar el escape de gases quemados, cuando ello es requerido por el conductor.

1.3.4.1. Constitución

Grupo freno motor

Los componentes principales del grupo freno motor son un cilindro de mando neumático y una pantalla obturadora del conducto de escape. Cuando le llega aire a presión a dicho cilindro, se desplaza y acciona a la mariposa a través de una palanca, quedando obturado el escape y sometido el motor a la retención realizada por los cilindros, que funcionan como compresores.

Circuito de mando

El circuito que pone en funcionamiento el freno motor está constituido por un mando, situado en el propio pedal del acelerador, que acciona una válvula de mando, la cual deja pasar el aire comprimido hacia el cilindro del freno motor. A su vez se acciona una varilla que corta el suministro de combustible en la bomba de combustible.

1.3.4.2. Funcionamiento

Al actuar sobre el mando del freno motor, se corta primeramente el suministro de combustible a la bomba de inyección y luego, actúa la válvula neumática de mando, que permite el paso de aire, procedente del calderín, hacia el cilindro de mando, el cual gira la mariposa que cierra el escape.

1.3.5. Freno de mano

Denominado también freno de estacionamiento, es un circuito auxiliar que actúa sobre las ruedas traseras bloqueándolas.

Está compuesto por una palanca que gira sobre un bulón fijo a la carrocería y lleva acoplado un trinquete de retención. La conexión de la palanca con las zapatas se realiza mediante un cable con su correspondiente ajustador o tensor. Esta unión no es directa sino con interposición de una palanca y una bieleta que va encastrada entre las dos zapatas.

En los frenos de disco el accionamiento se efectúa mediante un sistema de palancas que provocan el desplazamiento del émbolo y consiguientemente el de la mordaza, acoplando las pastillas al disco. Es un sistema mecánico.

1.4. Sistemas ABS

1.4.1. Introducción

Las instalaciones de freno convencionales consiguen una frenada eficaz, salvo en determinadas condiciones de la calzada como son: calzada mojada o helada, maniobras bruscas, firmes diferenciales, etc. Es ahí donde interviene el ABS, evitando que las ruedas bloqueen y, como consecuencia, derrapen, perdiéndose la capacidad de controlar el vehículo por parte del conductor.

El objetivo del ABS es lograr una mayor estabilidad y una menor distancia de frenado, mejorando al mismo tiempo la manejabilidad direccional. El ABS detecta el bloqueo de las ruedas y reacciona permitiendo que la fuerza del frenado se mantenga constante o disminuya, hasta que desaparezcan las condiciones de bloqueo.

1.4.2. Sistemas antibloqueo de ruedas: constitución y funcionamiento

Como fundamento se va a tomar el sistema ABS Bosch, de uso muy extendido.

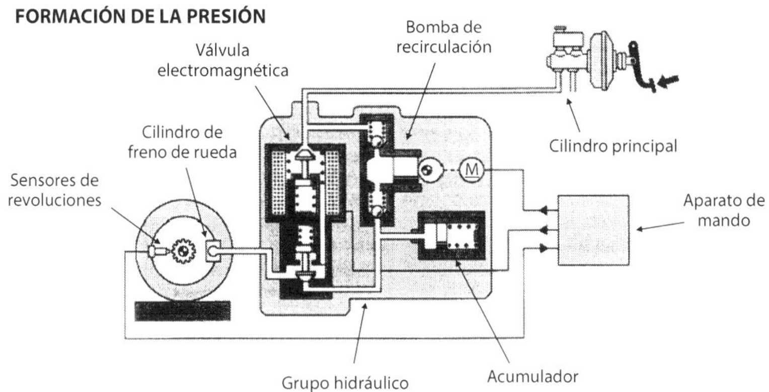

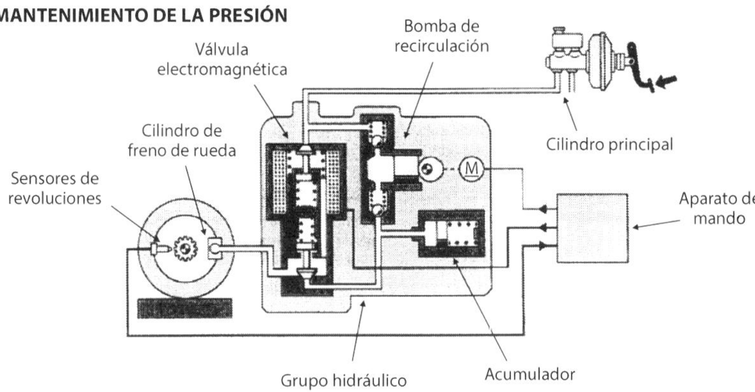

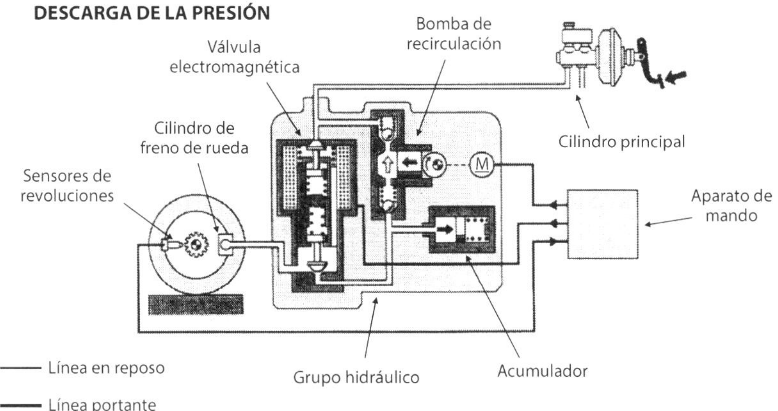

Línea en reposo

Línea portante

Esquema de funcionamiento de un sistema ABS Bosch

1.4.2.1. Constitución y funcionamiento básicos

Como ya se ha citado, el sistema ABS optimiza la frenada, haciendo que se produzca con la mayor manejabilidad direccional, la mayor estabilidad y en la menor distancia posible. Estas condiciones se deben cumplir en todo margen de velocidad, con cualquier tipo de calzada, ya sea mojada o con firme diferencial. Para ello, comanda el sistema de frenos de manera que puede modificar la presión aplicada a los émbolos de frenado en función de las condiciones de patinaje de las ruedas.

Al sistema convencional de bomba de frenos y servofreno se le añade un grupo hidráulico (con válvulas electromagnéticas y bomba hidráulica); dicho grupo realiza el enlace hidráulico de la bomba de frenos con cada uno de los cilindros de rueda a través de las electroválvulas. El calculador electrónico recibe señales de mando de los captadores de velocidad, procesa las señales y gobierna la bomba y las electroválvulas para ejecutar un correcto frenado.

1.4.2.2. El captador de velocidad

Formado por un imán permanente y una bobina conectada al calculador y enfrentada a los dientes de una corona solidaria a la rueda. El paso de dientes modifica el campo que actúa sobre la bobina de forma proporcional al giro de la rueda, por lo que la bobina transmite al calculador una onda cuadrada en función de la velocidad de la rueda.

1.4.2.3. El calculador electrónico

Se trata de un microprocesador clásico con tres partes fundamentales:

- **Una etapa de entrada**: amplifica las señales procedentes de los sensores, transformando una señal alterna senoidal de entrada en una onda cuadrada continua de salida.
- **Un circuito integrado**: calcula las magnitudes "deslizamiento de rueda", "deceleración de rueda" y "aceleración de rueda", a partir de las cuales valora la señal que comanda a las electroválvulas.
- **Una etapa de salida**: formada por unos transistores de potencia con funciones de amplificación de señal.

1.4.2.4. El grupo hidráulico

Conectado en serie entre la bomba de frenos y los cilindros de rueda, modula la presión aplicada a las ruedas en función de lo indicado por el calculador. Está constituido por los siguientes componentes:

- **Electroválvulas de tres funciones** para cada cilindro de rueda.
- **Acumulador**: recoge el exceso de líquido en una primera fase (antes de actuar bomba de exceso).

- **Bomba de exceso de presión**: transfiere el exceso de líquido a la bomba de frenos (motor eléctrico que mueve una excéntrica que produce un movimiento alternativo de un pistón).

- **Elementos de bombeo, relés de mando, conector**.

1.4.2.5. Las electroválvulas

Configuradas por un núcleo deslizante acoplado en el interior de un cilindro y mantenido en reposo por un muelle. Este núcleo se somete a la acción de una bobina de manera tal que se abren o cierran las válvulas que permiten el paso de presión a los cilindros de frenos o el retorno (posicionadas por otros muelles). Así, las válvulas pueden tener tres posiciones:

- **Posición de reposo**: el retorno permanece cerrado y el circuito principal abierto. Existe paso de presión hacia la rueda pero se bloquea el retorno.
- **Posición de mantenimiento de presión**: el retorno y el circuito principal están cerrados. No hay paso de presión hacia la rueda ni retorno.
- **Posición de descarga de presión**: se abre el retorno y queda el circuito principal cerrado. No pasa presión ni hacia la rueda ni hacia el retorno. La bomba de descarga de presión entra en funcionamiento.

1.4.3. Tipos de ABS

1.4.3.1. ABS Bosch

Es el sistema ya explicado en el apartado anterior, por lo que no se va a insistir en la descripción de su funcionamiento si bien existen varias versiones, que fundamentalmente se dividen en dos grandes tipos.

ABS Select Low

Sobre cada rueda delantera actúa una válvula independientemente. En el eje trasero, la rueda de mayor coeficiente de frenado determina la presión común a las dos del eje.

ABS de dos canales

Alternativa económica para vehículos de pequeño tamaño, con distribución diagonal del circuito frenado. El grupo hidráulico posee solamente dos válvulas: cada una de ellas gobierna una rueda delantera, quedando la trasera opuesta encomendada a un reductor de presión.

1.4.3.2. ABS Bendix

Su constitución básica consta de un grupo electrobomba (proporciona la presión al sistema), un grupo de presión de frenado (dos cilindros maestros a los que se conecta el grupo electrobomba), seis electroválvulas, un calculador electrónico y los captadores de velocidad. Las ruedas traseras se regulan igual que en el "Select-low" de Bosch (la rueda con menor adherencia gobierna eje).

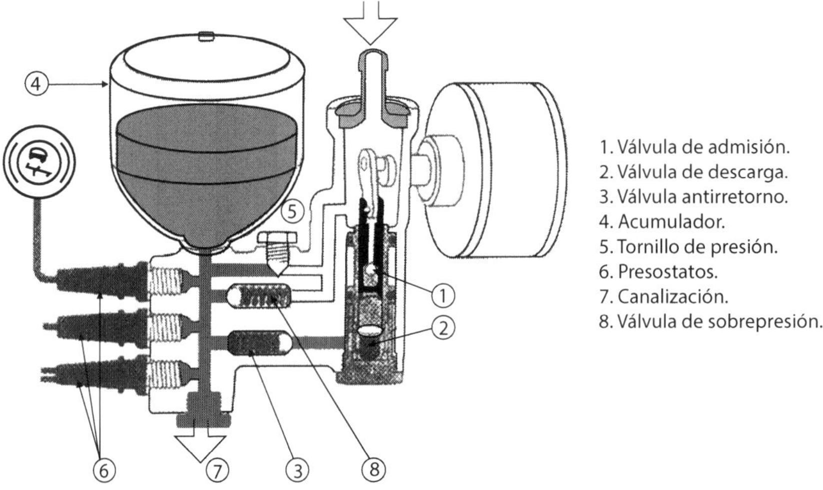

Esquema de funcionamiento de un sistema ABS Bendix

Grupo electrobomba

Está formado por una bomba movida por motor eléctrico, un acumulador de presión y tres presostatos.

- **Motor eléctrico**: si es alimentado eléctricamente, su giro provoca el movimiento alternativo de un pistón que, en la subida abre la válvula de admisión, entrando el líquido, y en la bajada eleva la presión hasta un valor que abre la válvula de descarga, la cual permite el paso hacia el acumulador y el grupo de presión.
- **Presostatos**: si la presión es excesiva, abren la válvula de sobrepresión y descargan el exceso. Uno va tarado a 90 bares: enciende el testigo en el tablero si no se alcanza esta presión mínima. Otros dos van tarados a 160 y 180 bares: activan la bomba si la presión es menor de 160 y la desactivan si es mayor de 180 (por tanto, la presión siempre permanece entre esos límites).
- **Acumulador**: esfera dividida en dos mitades separadas por una membrana deformable (la superior se rellena con gas y la inferior con líquido presurizado). Si se frena, la membrana alcanza un nuevo equilibrio por la expansión del gas de la cámara superior, lo que permite que la presión de sistema sea constante.

Grupo de presión de frenado

Está constituido por dos cilindros maestros accionados a la vez por el pedal de freno y que pueden adoptar varias posiciones:

- **Posición de reposo**: el líquido comunica con los cilindros de freno sin presión.
- **Si se acciona el pedal de freno**: se permite el paso de alta presión a los cilindros de rueda.
- **Si se suelta el pedal de freno**: se cierra el paso a los cilindros de rueda y se abre hacia el depósito.

Si se avería el grupo electrobomba, se mantiene la eficacia al actuar como una bomba de frenos normal.

Electroválvulas

Dos en serie para cada cilindro de rueda delantero y una para cada cilindro trasero. Tienen cuatro posiciones de funcionamiento:

- **Admisión rápida**: para el comienzo del frenado (válvulas abiertas). Se cierra el retorno y se abre la presión.
- **Expansión rápida**: para el inicio de bloqueo. Se cierra la presión y se abre el retorno.
- **Expansión lenta**: para la deceleración sin bloqueo. El retorno permanece abierto, la presión cerrada, pudiendo pasar el líquido solamente por un paso restringido.
- **Admisión lenta**: para la aceleración con bloqueo activado. El retorno está cerrado y la alimentación pasa por una restricción.

El calculador y los captadores son similares a los del sistema Bosch.

1.4.4. Reparación

En general, si se diagnostica fallo en el ABS lo primero a efectuar es un control del cableado y limpieza de conectores, captadores de rueda, etc., y si la anomalía persiste, pasar a realizar las comprobaciones específicas que se indican a continuación (debe tenerse en cuenta que los componentes esenciales exigen sustitución total si se encuentran averiados).

1.4.4.1. Comprobación individual de componentes

Con ayuda de un multímetro se pueden realizar diversas pruebas:

- En las electroválvulas, comprobar que la resistencia de las bobinas se encuentra dentro de las tolerancias especificadas en el manual del fabricante.
- En los motores de las bombas, verificar que la resistencia de los bobinados es la estipulada.
- De igual forma se puede hacer la comprobación de resistencias de captadores, bobinas de relés, etc.

- Aparte de las pruebas eléctricas, conviene revisar el estado de las coronas dentadas y su proximidad al captador (0,5 - 0,8 mm).
- En el calculador, con ayuda de una caja de bornas o directamente sobre el conector, se pueden hacer diferentes verificaciones: masas, alimentación, salidas a los captadores o hacia el testigo, etc.
- De igual forma, en el conector del grupo de presión se puede probar el funcionamiento de éste: alimentación, masa, salidas hacia las electroválvulas, etc.

1.4.4.2. Purgado de circuito

Para purgar un circuito de frenos dotado de ABS es muy importante respetar el orden de operaciones de purga que nos indique el manual de taller. Normalmente el orden a seguir es: rueda delantera izquierda – rueda delantera derecha – rueda trasera izquierda – rueda trasera derecha. Hasta no finalizar el purgado no debe activarse el sistema ABS puesto que existe el riesgo de que la bomba de descarga coja aire.

En los Bendix es necesario descargar de presión previamente al acumulador accionando repetidas veces el freno a motor parado.

Actividad 2

Indica si la siguiente cuestión es verdadera o falsa:

En la constitución básica de un ABS Bosch podemos ver un grupo electrobomba (proporciona la presión al sistema), un grupo de presión de frenado (dos cilindros maestros a los que se conecta el grupo electrobomba), seis electroválvulas, un calculador electrónico y los captadores de velocidad.

Verdadera ☐ Falsa ☐

2. Neumáticos y llantas

2.1. Características de las ruedas y neumáticos

2.1.1. El conjunto de la rueda

Las ruedas de un automóvil deben realizar todas aquellas funciones que se les exigen, siendo las más importantes:

a) Sostener el peso del vehículo facilitando su movimiento.

b) Convertir el giro del motor en movimiento de avance del vehículo, gracias a la resistencia al deslizamiento sobre el suelo.

c) Oponer una fuerte resistencia al deslizamiento sobre el suelo en las frenadas.

d) Dirigir el automóvil para los cambios de dirección.

e) Absorber o amortiguar los choques o golpes debido a las pequeñas irregularidades del camino.

Las ruedas deben ser ligeras, con el fin de que el peso no suspendido del vehículo sea mínimo. Las superficies de contacto con el suelo deben poseer una gran resistencia al desgaste, ya que están sometidas a duras condiciones de trabajo.

El conjunto de la rueda está formado por el **disco o rueda metálica y el neumático**.

2.1.1.1. Parte metálica

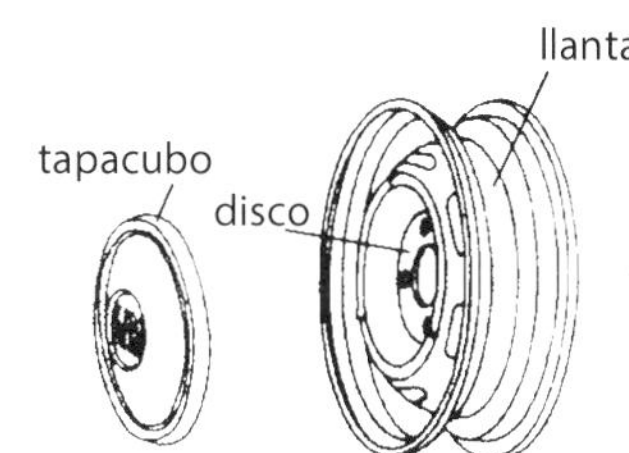

Está constituida por la llanta y el disco unidos entre sí mediante soldadura. El montaje del conjunto se realiza sobre el tambor de freno por medio de los pernos correspondientes. Cumple la misión de alojamiento del neumático.

2.1.1.2. El neumático

Es el elemento elástico de la rueda y son los elementos que soportan toda la carga del vehículo, manteniendo un colchón de aire a presión entre el vehículo y el suelo. Este colchón absorbe elásticamente las irregularidades del terreno. Así mismo, los neumáticos deben poseer un elevado valor en la resistencia al deslizamiento así como ser pequeño el de la resistencia a la rodadura.

2.1.1.3. Cojinetes de las ruedas

El buen comportamiento de un neumático depende, entre otros factores, del correcto diseño y utilización de los rodamientos. Estos elementos deben soportar elevadas cargas y con un mínimo rozamiento.

En las ruedas directrices se montan cojinetes de bolas o de rodillos y en las traseras de rodillos cónicos. En vehículos pesados se montan doble rodamiento de rodillos cónicos.

Sabías que...

En **1888** nace el primer neumático que combina tela, cuero, goma y aire, que se atribuye al veterinario escocés John Boyd Dunlop.

Los primeros neumáticos de **DUNLOP** causaron furor entre los ciclistas. Los ciclos, carentes de suspensión, eran realmente duros y el neumático consiguió mejorar notablemente la comodidad.

2.2. Rueda metálica

2.2.1. Elementos

La rueda es el elemento situado entre la cubierta y el eje. Está constituida por la **llanta**, que es donde se monta la cubierta, y el **disco** o centro de rueda, que sirve de amarre al buje de la transmisión. Según el tipo de construcción las ruedas pueden clasificarse en **ruedas de disco y ruedas de radios**, siendo el elemento componente el acero o la aleación ligera.

Las ruedas de disco son las de mayor uso y se caracterizan por una gran conductibilidad térmica y resistencia.

Las ruedas de radios se emplean en motocicietas y coches deportivos. Se caracterizan porque el cubo de rueda se une a la llanta por medio de unos radios de acero dispuestos en distintos planos. Todos los esfuerzos a que está sometida la rueda se transmiten al cubo por medio de los citados radios.

Actividad 3

Rellena los huecos con las palabras que faltan:

El conjunto de la rueda está formado por el ________ o ________ metálica y el ________.

2.2.2. La llanta

Es la parte de la rueda que, mediante un perfil adecuado, soporta el neumático y permite la solidaridad del mismo al buje del vehículo a través de la pieza o piezas de acoplamiento. La característica fundamental de la llanta es el "perfil", diferenciándose en él:

- La pestaña: zona de la llanta donde se apoya lateralmente el talón de la cubierta.
- El asiento del talón: zona de la llanta donde se apoya el talón de la cubierta.
- La base: corresponde a la zona de la llanta comprendida entre ambos asientos del talón.
- El orificio para la salida de la válvula.

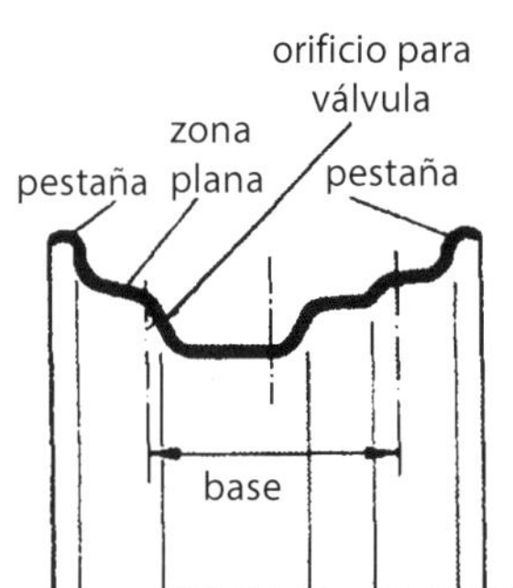

A) Tipos de llantas

Estas se clasifican atendiendo al tipo de perfil así como a sus características constructivas. Los principales tipos son:

a) **De base honda**. Es la llanta de una pieza en la que la base queda más profunda en su centro con el fin de permitir el montaje y desmontaje de la cubierta. Presenta, generalmente, los asientos de talón inclinados. Pueden ser:

   1. Simétricas.
   2. Asimétricas.
   3. Con resalte *(hump)*.

b) **Desmontables**. Suelen usarse en vehículos industriales *(pesados)* con el fin de facilitar el montaje-desmontaje del neumático. Pueden ser:

   1. Llanta semihonda *(menos profunda que las anteriores, con pestaña desmontable para facilitar el montaje-desmontaje de la cubierta).*
   2. Llanta de base plana con asientos de talón inclinados.
   3. Llanta plana.
   4. Llanta en sectores *(desmontable en sectores).*
   5. Llanta en dos mitades *(divisible en dos en el plano longitudinal).*

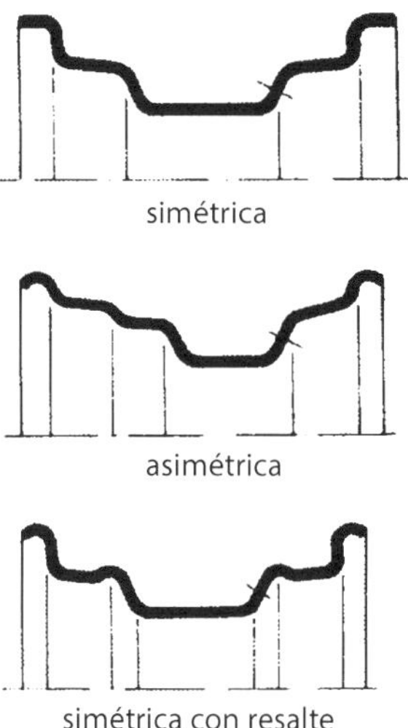

Llantas de una sóla pieza de base honda

B) Cotas de la llanta

Para identificar debidamente una llanta, las cotas que se necesitan conocer son las siguientes:

- Diámetro de la llanta.
- Ancho interior.
- Ancho exterior.
- Altura de pestaña.
- Profundidad de canal.

Recuerda que...

Las ruedas deben ser ligeras, con el fin de que el peso no suspendido del vehículo sea mínimo. Las superficies de contacto con el suelo deben poseer una gran resistencia al desgaste, ya que están sometidas a duras condiciones de trabajo.

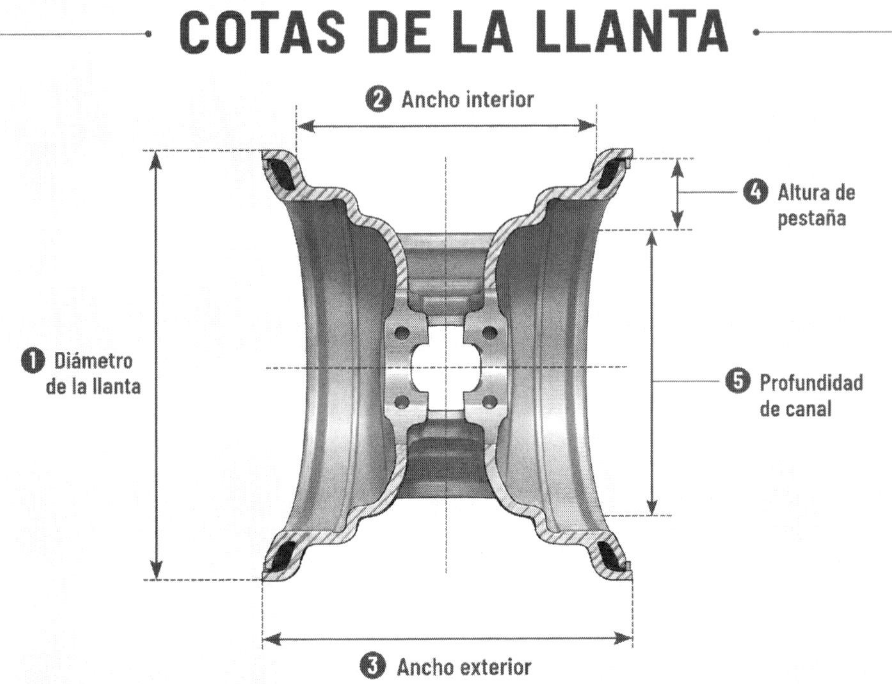

2.3. Cubiertas

Podemos describirlas como un cuerpo flexible, de forma aproximadamente tórica, cuyo elemento principal es la carcasa. Esta contiene tejido de alta resistencia a la tracción, formando lonas fijadas a dos aros de cables de acero que proporcionan un firme acoplamiento a los correspondientes asientos de la llanta.

2.3.1. Elementos

Los elementos que la constituyen son, básicamente:

- **Banda de rodadura**: es la parte de la cubierta que está en contacto con el suelo garantizando una correcta direccionalidad. Está formada por una capa de goma de espesor adecuado aplicada sobre la superficie exterior de la carcasa. Debe ser resistente a la abrasión, arrancamientos y laceraciones.

  Para dotarla de un elevado coeficiente de adherencia, dicha banda se construye con una serie de ranuras de drenaje que conforman el dibujo de la misma.

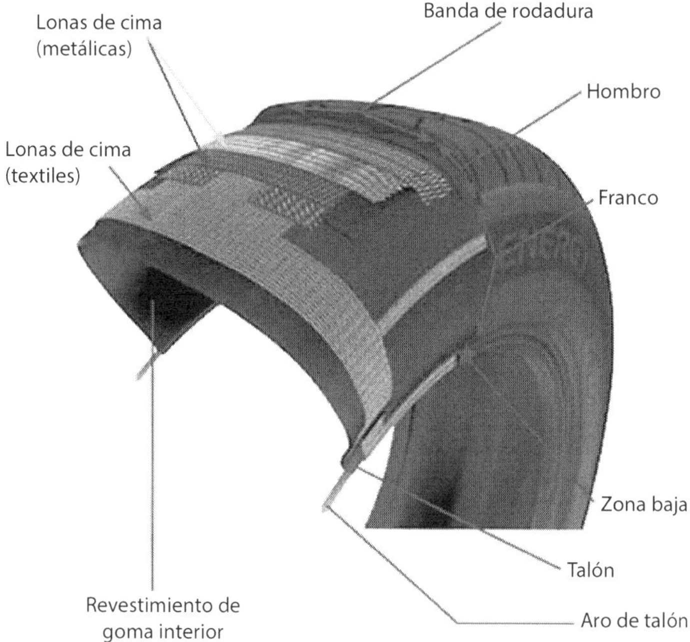

- **Intermedio**: consta de un conjunto de capas alternas de láminas de goma colocadas entre la banda de rodadura y la carcasa. Su función es la de proteger la carcasa asegurando con su elasticidad una perfecta unión entre banda y carcasa. Contribuye en gran manera a la absorción de los impactos.
- **Carcasa**: está constituida por una serie de capas de tejido con trama muy fina. Cada capa está dispuesta de forma que sus hilos formen un cierto ángulo con el plano axial de la carcasa, de tal forma que van estrecruzándose con las sucesivas capas. Su función es la de conferir una gran resistencia al conjunto así como dotarla de una gran elasticidad y flexibilidad.

  El número de capas está en función de los esfuerzos a soportar por la cubierta.
- **Flancos**: es la parte comprendida entre la banda y los talones. Deben ser muy resistentes ya que tienen que soportar elevadas cargas y flexiones continuas.

  Sobre los flancos es donde se inscriben las diferentes características del neumático.
- **Talones**: sirven para asegurar la unión de la cubierta a la llanta y proteger el armazón. Están constituidos por unos aros, de hijo de acero, de sección proporcional a los esfuerzos que deban soportar. Es en estos aros donde se fijan las telas de la carcasa con los oportunos doblados. Lleva un perfil de forma especial que se adapta perfectamente a la llanta.

2.3.2. Tipos de cubiertas

Las cubiertas tienen una doble clasificación:

a) Según el tipo de armazón.

b) Según el uso a que se destinan.

a) Según el tipo de armazón

Esta clasificación la determina la disposición de los tejidos del armazón, pudiendo ser: **diagonal, radial o mixta**.

- **Neumático diagonal.** En estos la carcasa se encuentra formada por un cierto número de lonas cuyos cables se orientan alternativamente formando ángulos iguales y de sentido contrario con la línea circunferencial media de la propia carcasa. El ángulo de cordones oscila entre los 30º y los 42º para los turismos y ángulos aproximados de 40º para los de camión.

  Valores pequeños de β mejoran el comportamiento lateral disminuyendo la capacidad de carga y el confort que proporciona el neumático, de ahí que en vehículos rápidos se usen valores pequeños de β y en vehículos pesados valores mayores.

Cubierta en diagonal

- **Neumático radial.** Fue inventado por Michelin en el año 1948 y se ha impuesto a los neumáticos diagonales. La carcasa está formada por una o más lonas cuyos cables se orientan radialmente entre los talones y, por tanto, con un ángulo de cordones igual a 90º. Esta estructura se estabiliza por un cinturón de un ancho algo inferior al del propio neumático, que se sitúa entre la carcasa y la banda de rodamiento, formado por un paquete de capas textiles o metálicas, cuyos cordones se alternan con ángulos $\beta \leq 20º$.

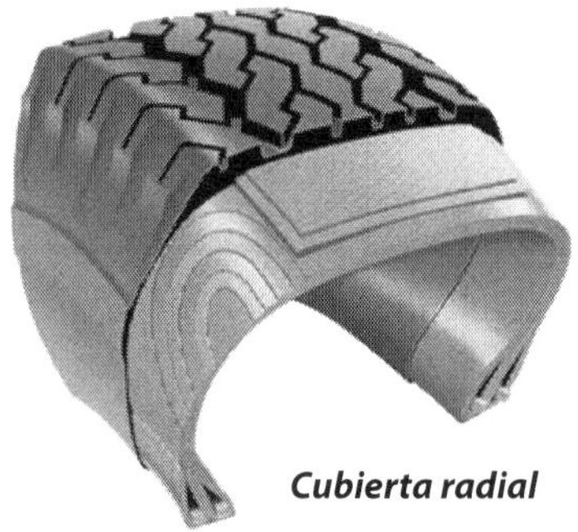

Cubierta radial

Esta disposición consigue flancos más flexibles al mismo tiempo que una banda de rodamiento de mayor rigidez, lo que hace disminuir las deformaciones, aumentando la superficie de contacto con el suelo que permanece más constante y con una presión uniforme. Este tipo de neumáticos presenta las siguientes ventajas:

* Menor calentamiento.
* Envejecimiento más lento.
* Desgaste menor y más uniforme.
* Mayor adherencia longitudinal y transversal.
* Mayor rigidez de deriva.

- **Neumático diagonal cinturado.** Se construye con un cinturón sobre una carcasa diagonal que le confiere gran rigidez a la banda de rodamiento. Las propiedades de este tipo de neumáticos son intermedias entre los dos tipos anteriores.

b) Según el uso a que se destinan

Las características funcionales de las cubiertas dependen fundamentalmente del uso a que vayan destinadas, teniendo en este caso una importancia decisiva el dibujo labrado en el bandaje.

En base a esto, las podemos clasificar en:

- Cubiertas para carretera.
- Cubiertas para todo terreno.
- Cubiertas para agricultura.
- Cubiertas especiales.
- Cubiertas con banda separable.

2.3.3. El dibujo en la banda de rodadura

El dibujo consiste en una serie de cortes longitudinales y transversales que dotan al neumático de una serie de características específicas para su funcionamiento, tales como la tracción y la estabilidad. Estos cortes son los que provocan la adherencia del neumático al suelo y, por tanto, la tracción. En terreno mojado, son los cortes transversales los que eliminan el agua del suelo evitando la pérdida de contacto del neumático con el mismo. Los cortes longitudinales apenas facilitan la adherencia, sin embargo evitan los desplazamientos laterales.

Tipos de dibujos de las bandas de rodadura con diferentes características:

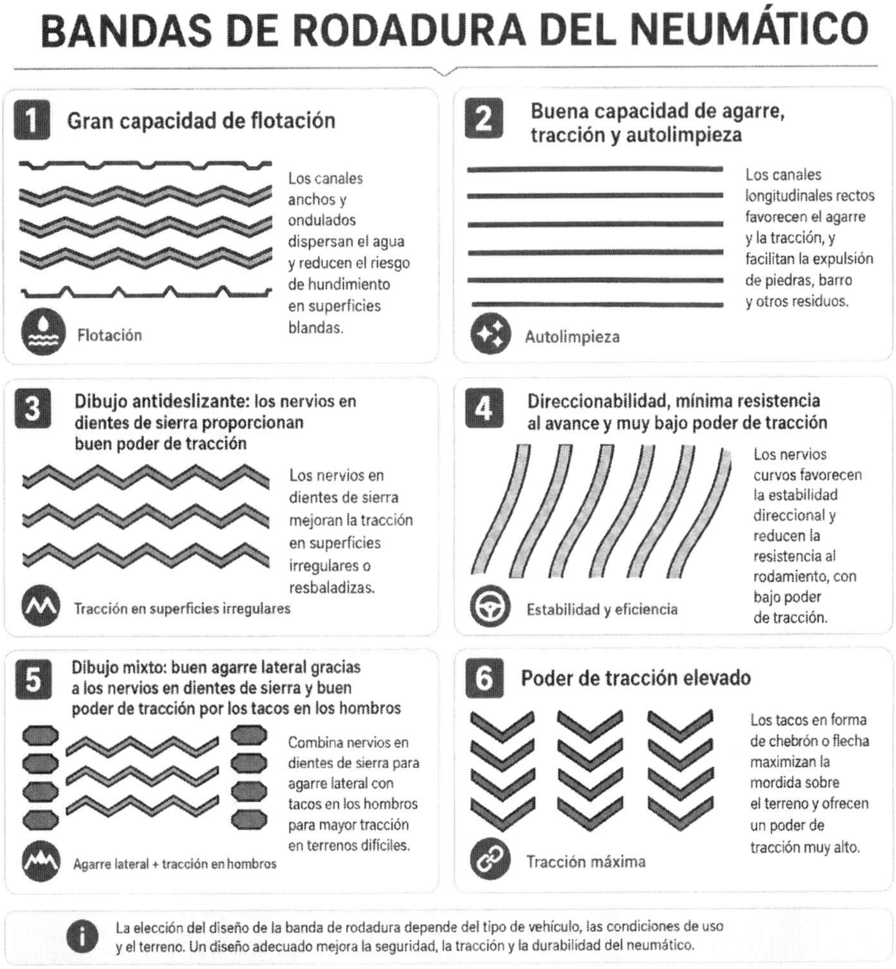

BANDAS DE RODADURA DEL NEUMÁTICO

1 Gran capacidad de flotación

Los canales anchos y ondulados dispersan el agua y reducen el riesgo de hundimiento en superficies blandas.

Flotación

2 Buena capacidad de agarre, tracción y autolimpieza

Los canales longitudinales rectos favorecen el agarre y la tracción, y facilitan la expulsión de piedras, barro y otros residuos.

Autolimpieza

3 Dibujo antideslizante: los nervios en dientes de sierra proporcionan buen poder de tracción

Los nervios en dientes de sierra mejoran la tracción en superficies irregulares o resbaladizas.

Tracción en superficies irregulares

4 Direccionabilidad, mínima resistencia al avance y muy bajo poder de tracción

Los nervios curvos favorecen la estabilidad direccional y reducen la resistencia al rodamiento, con bajo poder de tracción.

Estabilidad y eficiencia

5 Dibujo mixto: buen agarre lateral gracias a los nervios en dientes de sierra y buen poder de tracción por los tacos en los hombros

Combina nervios en dientes de sierra para agarre lateral con tacos en los hombros para mayor tracción en terrenos difíciles.

Agarre lateral + tracción en hombros

6 Poder de tracción elevado

Los tacos en forma de chebrón o flecha maximizan la mordida sobre el terreno y ofrecen un poder de tracción muy alto.

Tracción máxima

La elección del diseño de la banda de rodadura depende del tipo de vehículo, las condiciones de uso y el terreno. Un diseño adecuado mejora la seguridad, la tracción y la durabilidad del neumático.

Actividad 4

¿Cómo denominamos a la parte de la rueda que, mediante un perfil adecuado, soporta el neumático y permite la solidaridad del mismo al buje del vehículo a través de la pieza o piezas de acoplamiento?

2.3.4. Nomenclatura comercial de las cubiertas

Las cubiertas están sometidas a una serie de normas para su correspondiente clasificación y comercialización. Deben quedar plenamente definidas en función de sus dimensiones, forma, tipo y aplicación.

- **Dimensiones comerciales**. Vienen definidas por el ancho de la cubierta y su diámetro interior, que coincide con el de la llanta.

  Ancho (Ac): es la anchura Ac de la cubierta medida en los flancos.

  Diámetro interior (Dc): es el diámetro Dc medido en la llanta donde asientan los talones. Generalmente se utiliza la nomenclatura mixta, según la cual el diámetro de la llanta se expresa en pulgadas y el ancho de la cubierta en milímetros.

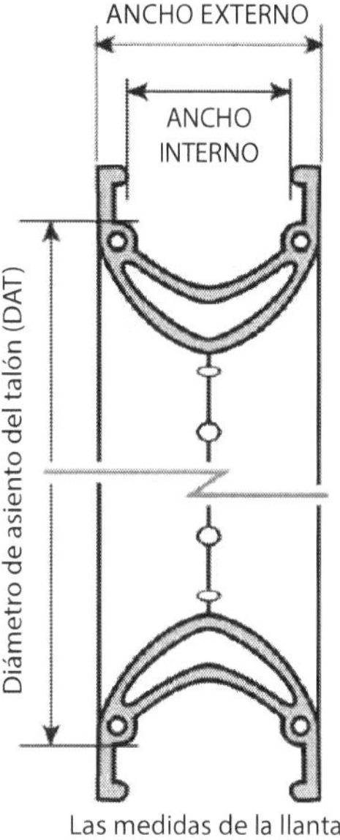

Denominación de las dimensiones

- **Forma**. Es la relación entre la altura (H) y la anchura de la cubierta (Ac) expresada en porcentaje. Esto es debido a que para un mismo diámetro de rueda se fabrican distintas anchuras de cubiertas, por ello conviene saber cuál es la relación de aspecto.

$$Ra = \frac{H}{Ac} \times 100$$

- **Tipo y aplicación**

  En la nomenclatura comercial de la cubierta también aparecen, mediante unos símbolos, el tipo (radial o diagonal) y la velocidad máxima de utilización.

  Ejemplo: Se trata de una cubierta cuya nomenclatura es:

  185/60-R 13 91W

  185 = Ancho de la sección en mm.

  60 = Serie: H/Ac en porcentaje.

  R = Radial.

  13 = Diámetro de la llanta en pulgadas.

  91 = El cuarto número indica el índice de carga del neumático. Este índice se rige por unas tablas en que se recogen las equivalencias en kg del mismo. En el ejemplo el índice "91" equivale a 615 kg por cubierta.

  W = Finalmente la letra indica la velocidad máxima a la que el neumático podrá circular sin romperse o averiarse. Cada letra equivale a una velocidad y en el ejemplo el código W supone una velocidad de hasta 270 km/h.

En las indicaciones en los laterales de los neumáticos, también se puede leer la fecha de fabricación. Junto a la marca DOT, un grabado de cuatro cifras indica cuando fue creado. Los dos primeros números indican la semana del año, y los dos siguientes, el año de fabricación. Así, un neumático con el código DOT 3213, fue fabricado en la 32.ª semana del año 2013.

Decodificador de la Nomenclatura del Neumático

185 - Ancho
Es el ancho de la sección del neumático en milímetros.

60 - Serie (Perfil)
Es la relación porcentual entre la altura del flanco y el ancho de la sección.

R - Estructura
Indica que la construcción del neumático es de tipo Radial.

13 - Diámetro
Es el diámetro de la llanta para la que está diseñado el neumático, medido en pulgadas.

91 - Índice de Carga
Un código que representa la carga máxima que puede soportar (ej: 91 = 615 kg).

W - Código de Velocidad
Una letra que indica la velocidad máxima sostenida que el neumático puede soportar (ej: W = 270 km/h).

185/60-R 13 91W

DOT 3213

Identificando la Fecha de Fabricación

Marcado DOT
Junto a las siglas DOT, un código de cuatro cifras revela cuándo se fabricó el neumático.

32 = Semana 32

13 = Año 2013
Este neumático fue fabricado en la semana 32 del año 2013.

3. Alineamiento del eje delantero

Es importante que todos los vehículos tengan sus cuatro ruedas correctamente alineadas, pues de lo contrario se generarán problemas en la dirección, en el conductor *(fatiga)* y un prematuro e irregular desgaste de los neumáticos.

La alineación de un vehículo consiste en ajustar los ángulos de las ruedas del vehículo para asegurarse de que este se desplaza en relación con el centro geométrico del vehículo. Por rueda, en las operaciones de alineamiento, hemos de entender el conjunto llanta-neumático, teniendo cada conjunto su propio grupo de dinámicas *–avance, caída, convergencia-divergencia, ángulo de viraje, etc.–* especificadas por el fabricante del vehículo.

Los síntomas más frecuentes de una incorrecta alineación del vehículo son, entre otros, los siguientes:

- Rápido e irregular desgaste de los neumáticos.
- Tendencia del vehículo a salirse de una línea recta imaginaria cuando circula.

El mejor tipo de alineado es el que se realiza a las cuatro ruedas, que miden las dinámicas del vehículo en cada una de ellas. Muchos vehículos vienen dotados de dispositivos de alineado ajustable en el eje trasero, pero incluso en aquellos que no se encuentra dotados de él, un alineado a las cuatro ruedas permitirá identificar cualquier problema trasero y compensarlo con el ajuste correspondiente en el eje delantero.

El alineado de las ruedas delanteras, respecto al centro del vehículo, ha quedado obsoleto.

4. El fenómeno aquaplaning

El aquaplaning se produce cuando se acumula agua delante de los neumáticos más rápidamente de lo que el peso del vehículo puede evacuarla. El resultado es que la presión del agua empuja por debajo del neumático y crea una fina capa de agua entre la goma y la superficie de la carretera que hace que el vehículo pierda la capacidad de controlar su trayectoria.

Si la capa de agua es pequeña los neumáticos presentan la capacidad de expulsar el agua hacia los lados a través de las ranuras de su perfil. Obviamente el coche sigue su curso sin contratiempos.

Si la capa de agua adquiere categoría de charco con cierta profundidad el neumático es incapaz de expulsar el agua ya que la capa de agua supera el grosor en que los neumáticos aseguran la adherencia, de forma que el vehículo, si pasa por ese lugar a una cierta velocidad, pierde el contacto con el suelo y patina.

Las probabilidades de aquaplaning aumentan con la velocidad y se reducen con la presión.

Cómo evitar el aquaplaning

1. Comprobar periódicamente los neumáticos y su presión. ...
2. No debes conducir con los neumáticos gastados. ...
3. Reducir la velocidad cuando te aproximes a un charco te ayudará a **evitar** cualquier percance.

Aquaplaning: Guía para Evitar el Peligro en Asfalto Mojado

El aquaplaning es un fenómeno peligroso que ocurre cuando una capa de agua entre los neumáticos y el asfalto provoca una pérdida total de control del vehículo. La velocidad y el estado de los neumáticos son los factores más críticos que determinan el riesgo.

1. Velocidad Baja: Control
El dibujo del neumático desaloja el agua eficazmente, manteniendo el contacto con el asfalto.

2. Velocidad Alta: Riesgo
El agua se acumula delante de la rueda, superando su capacidad de evacuación.

3. Velocidad Muy Alta: Pérdida de Control
Una cuña de agua levanta el neumático por completo, causando la pérdida total de adherencia.

Claves para la Prevención

Reduce la velocidad
Es la acción más importante al ver charcos o si empieza a llover fuerte.

Revisa tus neumáticos
Comprueba regularmente el desgaste y la presión. Son tu mejor defensa.

"Modera la velocidad sobre mojado y ten tus neumáticos siempre a punto."

La combinación clave para evitar sustos en la carretera.

Recuerda que...

La alineación de un vehículo consiste en ajustar los ángulos de las ruedas del vehículo para asegurarse de que este se desplaza en relación con el centro geométrico del vehículo.

Solución a las actividades

Actividad 1.

- ☐ a) Frenos de tambor.
- ☐ b) Frenos de disco.
- ☑ c) Servofreno.

Actividad 2.

Falsa.

Actividad 3.

El conjunto de la rueda está formado por el **disco** o **rueda** metálica y el **neumático**.

Actividad 4.

Llanta.

TEMA 11

Suspensión: Amortiguadores. Estabilizadores. Averías en la suspensión. Ruedas y Neumáticos: Neumáticos. Estabilidad. Duración y cuidados. Averías en los neumáticos. Tablas de carga y presiones

El Palacio de la Memoria o el método Pomodoro son dos técnicas de estudio muy útiles para **memorizar** contenidos extensos y organizar el estudio y el descanso. Te damos todos los detalles y te enseñamos a usarlas en tu Curso MAD360.

Índice

1. Suspensión: Amortiguadores. Estabilizadores. Averías en la suspensión

1.1. Sistemas de suspensión

Entendemos por suspensión de un vehículo el conjunto de componentes encargados de conectar las ruedas con el chasis de un vehículo permitiendo el movimiento relativo entre ambos. Es el elemento de la carrocería que le da movimiento vertical a las ruedas filtrando las irregularidades del trazado, es decir, permitiendo que el vehículo pueda efectuar recorridos complicados gracias a la flexibilidad que pueda llegar a tener.

La suspensión está formada por un conjunto de elementos estructurales encargados de accionar resortes y amortiguadores guiando a las ruedas en su recorrido. Entre los principales citaremos:

- Resorte o elemento elástico
- Amortiguadores
- Brazos y articulaciones

El control de los movimientos vibratorios se realiza a través del sistema de suspensión intercalado entre las masas unidas a las ruedas (masas no suspendidas) y el cuerpo del vehículo (masa suspendida). Este sistema permite el desplazamiento entre ambas por medio de elementos elásticos (resortes) y produce una disipación de energía mediante elementos amortiguadores.

Actualmente, en el mercado, predominan los sistemas convencionales de suspensión, es decir, aquellos que utilizan elementos de suspensión simples, no gestionados electrónicamente. Pero existen también diversos sistemas que emplean otros principios de funcionamiento. Así, tenemos las suspensiones neumáticas, muy utilizadas en camiones, que usan el aire como elemento de suspensión característico y las suspensiones hidroneumáticas, habituales del grupo Citroën, que recurren a un fluido hidráulico como elemento de suspensión característico. También se han desarrollado sistemas pilotados mediante una gestión electrónica, capaces de adaptarse a las condiciones de la calzada, si bien, sólo se han extendido en vehículos de gama alta.

1.2. Elementos. Amortiguadores

1.2.1. Resortes o elementos elásticos

El primer elemento que trabaja en la suspensión es el denominado como 'resorte' o 'elemento elástico'. Actualmente, lo habitual es que estos elementos elásticos sean muelles, pero también puede emplearse ballestas, barras de torsión, etc. Este resorte será el encargado de que la rueda a la que acompaña pueda moverse hacia arriba y hacia abajo según las irregularidades o ángulos que aparezcan en el terreno por el que se circula. Es decir, hacen que el peso de todo el vehículo descanse elásticamente.

1.2.1.1. Ballestas

Se trata de láminas que permiten el deslizamiento entre hojas al deformarse. Pueden montarse de dos formas en el vehículo:

- **Longitudinalmente**: dispuestas con un punto de anclaje fijo delantero, siendo móvil el trasero (permite movimientos oscilantes). Normalmente se emplea en camiones y autocares.

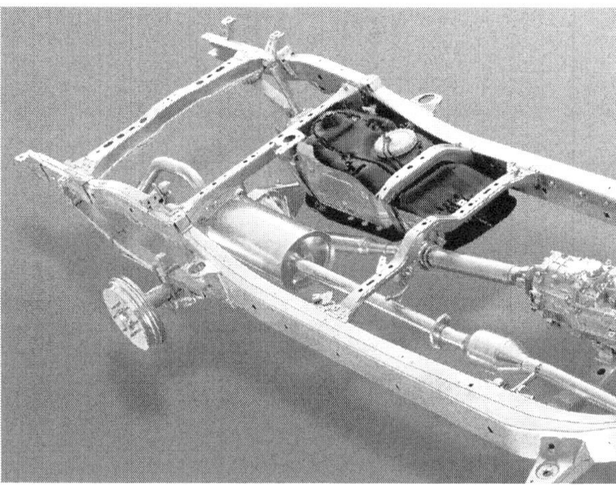

- **Transversalmente**: se unen los extremos a los brazos de suspensión o puente (con interposición de elementos móviles o gemelas) y la base a una traviesa del bastidor. Aplicada en turismos.

Recuerda que...

La *suspensión* es el elemento de la carrocería que le da movi-miento vertical a las ruedas filtrando las irregularidades del trazado

1.2.1.2. Muelles helicoidales

Se utilizan modernamente en casi todos los turismos, en sustitución de las ballestas. Es un arrollamiento helicoidal de acero elástico que trabaja a torsión. Su flexibilidad varía según su diámetro, número y espesor de espiras, paso entre espiras, etc. Se dispone entre el bastidor y la rueda.

Los muelles pueden ser:

- De tensión baja o flexibles.
- De tensión alta o duros.

Lo ideal, para un coche de uso normal, es contar con unos muelles equilibrados en este aspecto. Un muelle de tensión baja absorberá mejor las irregularidades pero le dará al coche un comportamiento más inestable, mientras que un muelle duro hará que el coche rebote más, pero el paso por curva será más óptimo por la ausencia de balanceos. Por eso los coches de competición o con pretensiones deportivas suelen tener una suspensión muy dura y seca, que incluso llega a ser incómoda.

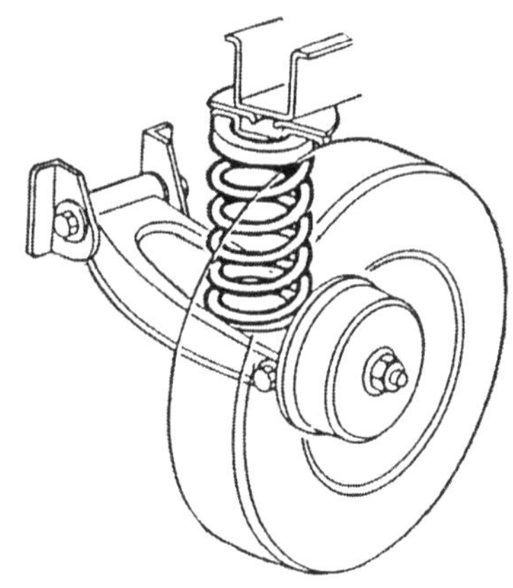

Muelle helicoidal

1.2.1.3. Barras de torsión

Se usan fundamentalmente en suspensiones independientes. Es una varilla de acero fija en un extremo y sometida a torsión en el otro, que vuelve a su estado original cuando cesa el esfuerzo. Uno de los extremos se sujeta al chasis y el otro, va libre en el eje de la rueda.

Pueden disponerse longitudinales, transversales o de forma mixta (longitudinal en la suspensión delantera y transversal en la trasera).

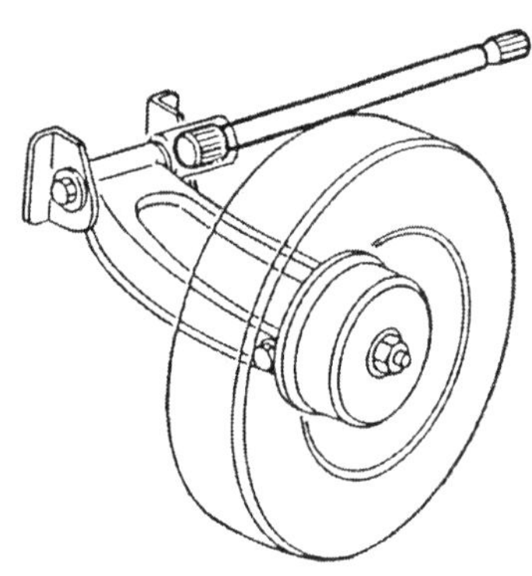

Barra de torsión longitudinal

1.2.2. Barras estabilizadora

Surgen por la necesidad de evitar la inclinación que toman los vehículos como consecuencia de la transferencia de carga entre ruedas que tiene lugar en las curvas (peligro de vuelco). Están constituidas por una varilla de acero que, trabajando a torsión, absorbe el esfuerzo creado cuando una rueda de un eje baja mientras sube la otra, impidiendo la inclinación lateral de la carrocería.

Se montan entre los soportes de suspensión de las ruedas y el bastidor.

1.2.3. Brazos y articulaciones de suspensión

Se utilizan en vehículos con sistema de suspensión independiente (si la suspensión es rígida, los elementos de suspensión no necesitan brazo, puesto que apoyan directamente en el propio eje). Unen bastidor y ruedas, sirviendo de soporte para resortes y amortiguadores.

Los brazos y las articulaciones unen al amortiguador y elemento elástico con el conjunto chasis-rueda. De estos hay un gran abanico disponible: ejes tirados, puentes, tirantes...

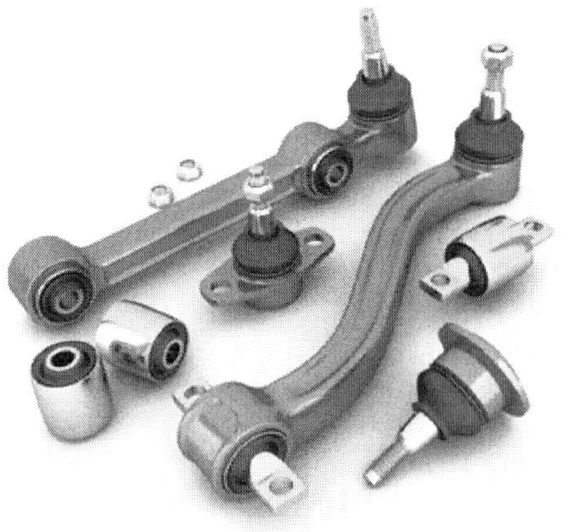

Actividad 1

Si al referirnos a la suspensión de un vehículo hacemos alusión a una "varilla de acero fija en un extremo y sometida a torsión en el otro, que vuelve a su estado original cuando cesa el esfuerzo" nos estamos refiriendo a:

- [ ] a) La barra de torsión.
- [ ] b) La barra estabilizadora.
- [ ] c) Muelle helicoidal.
- [ ] d) Articulación de suspensión.

1.2.4. Amortiguadores

Los amortiguadores son los encargados de impedir que el movimiento del muelle se convierta en un "vaivén" o desplazamiento oscilatorio sin pausa. Sin los amortiguadores, si nuestro coche pasase por un bache, el rebote provocado por la absorción de la irregularidad se prolongaría durante mucho tiempo. El coche se desplazaría rebotando de arriba abajo por el efecto libre de los muelles. Sin ir más lejos, esto es uno de los efectos que puede sufrir nuestro coche si los amortiguadores están en mal estado. Sigue leyendo, lo explicamos más abajo.

Los amortiguadores más comunes suelen ser los de tipo telescopio hidráulico, aunque también existen amortiguadores neumáticos. El funcionamiento de estos radica en el uso del rozamiento que crea un aceite denso sobre un vástago. Este rozamiento es el que hará que cese el movimiento oscilatorio al que tenderá el elemento elástico (mue-lle) descrito líneas arriba.

Los amortiguadores de efecto simple frenan al muelle cuando se dispara; los de doble efecto, también cuando se comprime.

Están constituidos por un cilindro (unido a rueda) dentro del cual se mueve un pistón (unido a bastidor) que divide el volumen en dos cámaras (rellenas de aceite); las cámaras se intercomunican mediante orificios y válvulas que restringen el paso de aceite (efecto amortiguador):

Admiten dos disposiciones:

- **Telescópico convencional**: en fase de compresión, la rueda sube con relación al chasis con lo que también lo hace el cilindro. El aceite pasa de la cámara inferior a la superior y a la auxiliar a través de orificios y válvulas. En fase de expansión, la rueda baja con respecto al chasis y el cilindro también. El aceite pasa de la cámara superior a la inferior y auxiliar por orificios de menor calibre (mayor amortiguación del rebote).

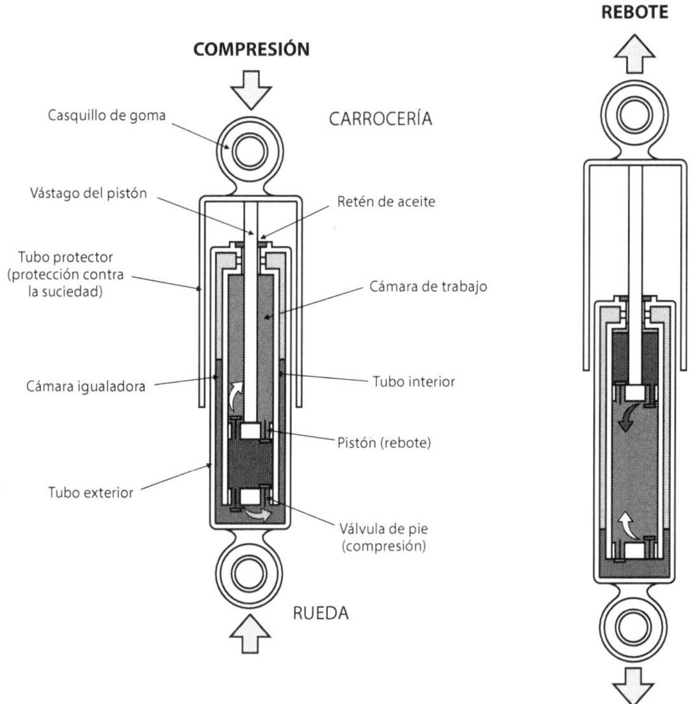

Principio de funcionamiento del amortiguador telescópico convencional

Interesa que en la compresión trabaje el muelle y en el rebote el amortiguador. Obviamente, variando las secciones de paso de orificios y válvulas se pueden conseguir amortiguadores más blandos o duros.

Los amortiguadores telescópicos convencionales tienen un inconveniente: ante elevadas exigencias (frenado) generan burbujas y disminuye su rendimiento. Además, la presencia del vástago del pistón hace que el volumen de las dos cámaras no sea el mismo, y es necesario el uso de cámaras auxiliares.

- **Telescópico con cámara de volumen variable**: se introduce gas dentro del cilindro, que forma una nueva cámara de aire y presuriza el fluido hidráulico. Se elimina el problema de las burbujas y se compensa la variación de volumen en las cámaras principales provocada por la presencia del vástago del émbolo. En este caso, el montaje hace que el pistón se una a la rueda y el cilindro al bastidor.

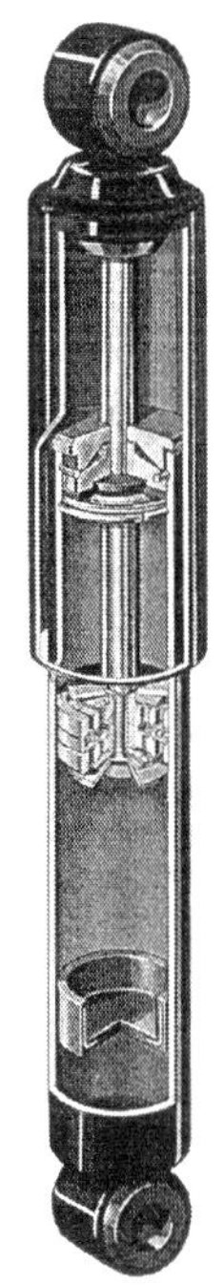

Amortiguador telescópico con cámara de gas adicional en la zona inferior

Recuerda que...

Los amortiguadores son los encargados de impedir que el movimiento del muelle se convierta en un "vaivén" o desplazamiento oscilatorio sin pausa.

Actividad 2

Para evitar la inclinación que toman los vehículos como conse-cuencia de la transferencia de carga entre ruedas que tiene lugar en las curvas se usan:

- ☐ a) La barra de torsión.
- ☐ b) La barra estabilizadora.
- ☐ c) Muelle helicoidal.
- ☐ d) Articulación de suspensión.

Suspensión del vehículo

Función, elementos principales y averías más comunes

¿Qué es la suspensión?

- Conecta las ruedas con el chasis del vehículo.
- Absorbe irregularidades del terreno y mejora el confort.
- Ayuda a mantener la estabilidad, la adherencia y la seguridad.

Elementos principales

Resorte o elemento elástico	Amortiguador	Barra estabilizadora	Brazos y articulaciones
Soporta el peso y absorbe impactos.	Controla el rebote del muelle.	Reduce el balanceo en curvas.	Guían el movimiento de la rueda.

Tipos de resortes

Ballestas	Muelles helicoidales	Barras de torsión
Frecuentes en vehículos pesados.	Los más habituales en turismos.	Trabajan por torsión del eje.

¿Cómo actúa el amortiguador?

1. **Compresión**: La rueda sube y el amortiguador frena el movimiento.
2. **Rebote**: La rueda baja y se controla la oscilación del muelle.

El amortiguador evita el vaivén continuo del vehículo.

Averías y síntomas comunes

- Rebotes excesivos
- Balanceo en curvas
- Ruidos o golpeteos
- Hundimiento en frenada
- Desgaste irregular de neumáticos
- Pérdida de estabilidad

Una suspensión en mal estado reduce la seguridad y el confort.

Ideas clave

- El resorte absorbe las irregularidades.
- El amortiguador controla las oscilaciones.

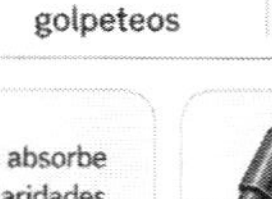

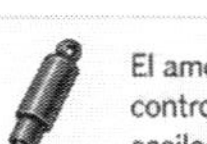

- La estabilizadora mejora el comportamiento en curva.

- El buen estado de la suspensión mejora confort y seguridad.

1.3. Suspensión delantera y trasera

1.3.1. Suspensión delantera

En la actualidad, en las ruedas delanteras suelen usarse suspensiones independientes casi exclusivamente.

1.3.1.1. Suspensión independiente de brazos articulados superpuestos o de trapecio articulado

Los brazos se articulan por un extremo al chasis y por el otro a la mangueta. El muelle y el amortiguador van entre los dos brazos.

Cuando sube la rueda, se levanta la mangueta y se elevan los brazos, oponiéndose a ello el muelle y atenuándose las oscilaciones por medio del amortiguador. El brazo superior es más corto, con el fin de que en las curvas las ruedas vayan paralelas.

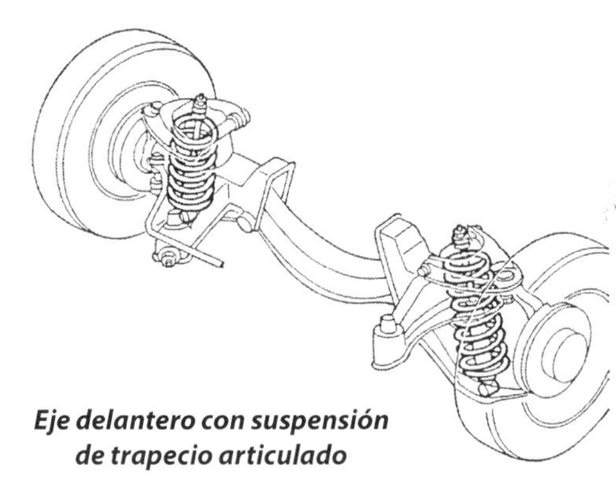

Eje delantero con suspensión de trapecio articulado

1.3.1.2. Suspensión independiente Mc Pherson

La mangueta de rueda se articula en su parte inferior al brazo y en su parte superior al amortiguador, fijándose éste a la carrocería mediante un platillo en su zona superior.

El ángulo que forman las ruedas con el suelo varía poco en cualquier circunstancia, pero la resistencia de la carrocería en la zona donde se acopla el amortiguador debe ser elevada.

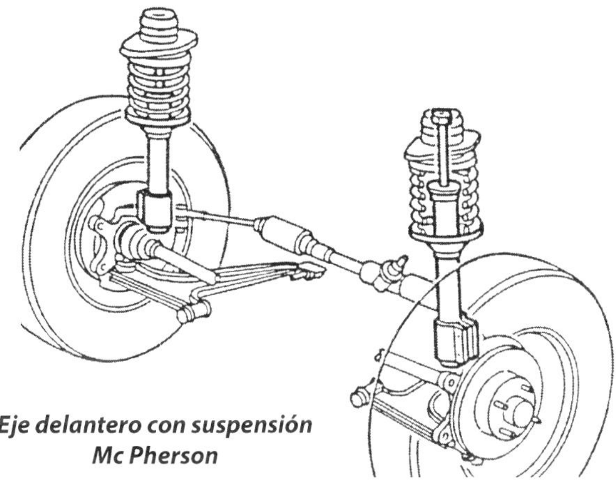

Eje delantero con suspensión Mc Pherson

1.3.1.3. Suspensión por ballesta y brazo articulado

Se sustituyen los muelles por una ballesta transversal montada entre ambas ruedas y anclada en su centro al chasis. El amortiguador se coloca entre ella y el brazo inferior.

1.3.1.4. Suspensión con barras de torsión

Los brazos de suspensión se articulan al chasis. Las barras de torsión se ubican longitudinalmente, unidas por un extremo al brazo inferior y por el otro al bastidor. El amortiguador se dispone entre el brazo inferior y la carrocería.

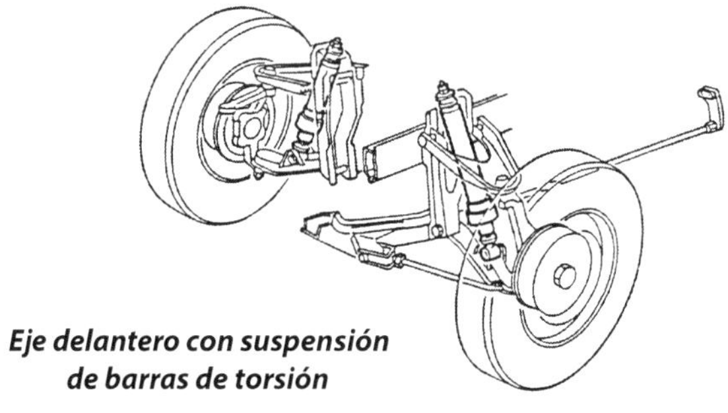

Eje delantero con suspensión de barras de torsión

1.3.2. Suspensión trasera

1.3.2.1. Suspensión con eje rígido

Empleada fundamentalmente por vehículos de propulsión con puente rígido. Se utilizan diversos tipos:

- **Por ballestas**: transversales o longitudinales (entre puente y bastidor) y recibiendo en su centro al amortiguador (entre ballesta y bastidor) y al eje.
- **Por muelles helicoidales**: los muelles se disponen entre las trompetas del eje y el bastidor (el amortiguador pasa por el centro); suelen montar un tirante pivotante entre el puente y el bastidor que actúa como barra estabilizadora (las suspensiones de eje rígido transfieren carga de una rueda a otra).
- **Por tren trasero semirrígido de "brazos tirados"**: los brazos forman cuerpo con la traviesa (ésta trabaja a torsión, como estabilizadora); en los extremos de los brazos se colocan muelles y amortiguadores.

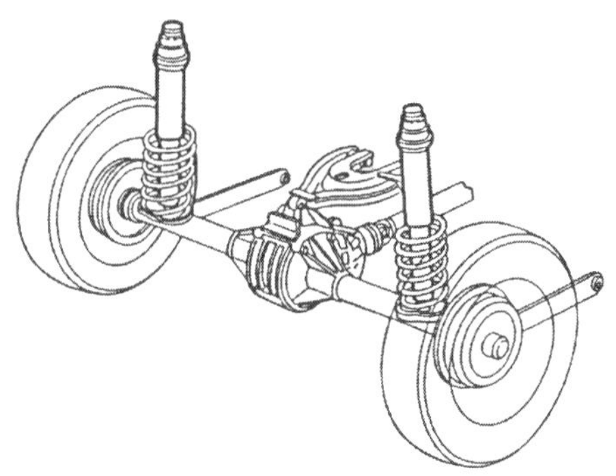

Eje trasero con suspensión de eje rígido por muelles helicoidales

1.3.2.2. Suspensión independiente de las ruedas traseras

- **De eje suspendido o de Dion (utilizada en vehículos a propulsión)**: sería propiamente una suspensión semirrígida, puesto que el eje de Dion, que va de rueda a rueda, se ancla al chasis.

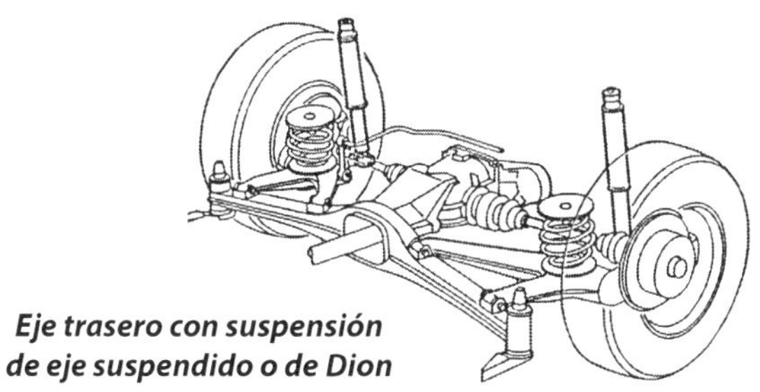

Eje trasero con suspensión de eje suspendido o de Dion

- **Por brazo semiarrastrado y muelles**: brazos de suspensión y bielas de empuje forman una uve articulada al chasis en los extremos; sobre los brazos van muelles y amortiguadores. Habitual en algunos vehículos de tracción.

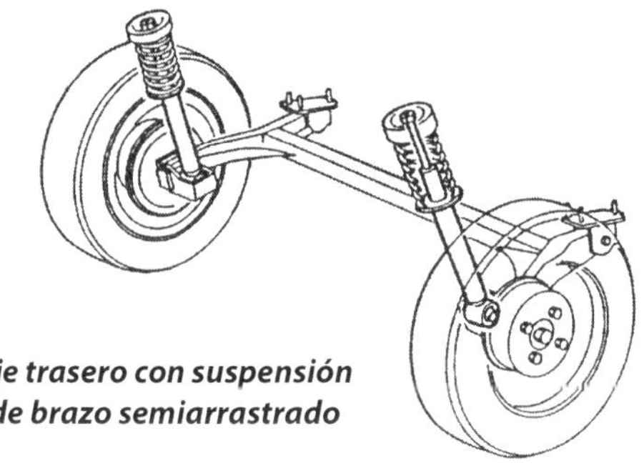

Eje trasero con suspensión de brazo semiarrastrado

- **De brazos semitirados y muelles**: los brazos se unen al bastidor de forma que el puente trasero es "arrastrado". Los muelles y amortiguadores van entre los brazos y el chasis. Frecuente en vehículos de propulsión.

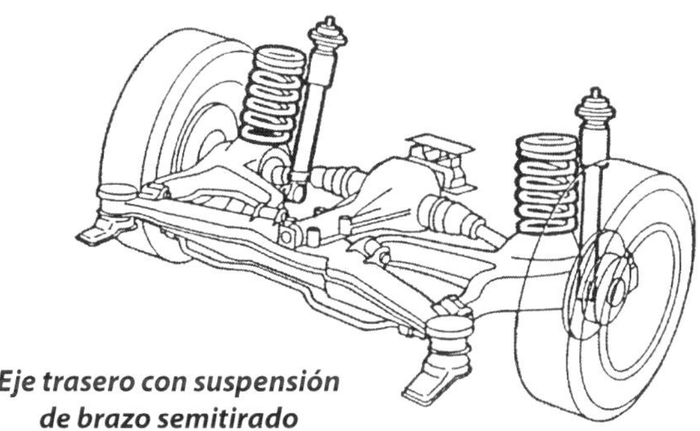

Eje trasero con suspensión de brazo semitirado

- **Por barras de torsión independientes para cada rueda**: se disponen dos barras de lado a lado dentro de un tubo (los brazos son soportados por las barras montadas estriadas por ambos lados al chasis).
- **Por barras de torsión en prolongación**: se emplaza una barra después de otra dentro de sendos tubos encastrados; cada tubo se une a un brazo de suspensión.
- **Multibrazo**: evolución de la suspensión de trapecio articulado, pero con varios brazos oscilantes. Permiten modificaciones de todos los ángulos de rueda y el empleo de ejes traseros autodireccionales.

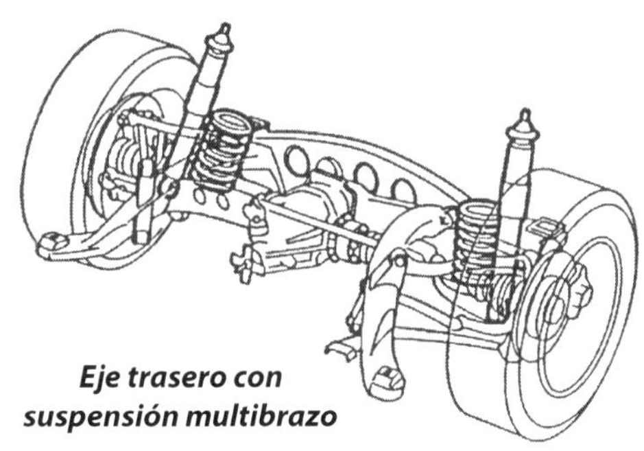

Eje trasero con suspensión multibrazo

1.3.3. Reparación

Los sistemas de suspensión no exigen un mantenimiento periódico, pero eso no quiere decir que no se puedan manifestar problemas que exigen reparaciones puntuales.

1.3.3.1. Control de alturas bajo casco

Es conveniente su revisión cuando se sustituyen componentes del sistema de suspensión (amortiguadores, muelles, etc.). El control se efectúa midiendo la distancia existente entre los puntos de anclaje de la suspensión al chasis con respecto al suelo (previamente hemos situado al vehículo sobre una superficie perfectamente horizontal y comprobado la presión de los neumáticos). Las cotas medidas deben coincidir con las indicadas por el fabricante. Si el control de cotas no es correcto debemos operar de la siguiente manera:

- **Si son trenes dotados de muelles**, sólo podemos sustituirlos.
- **Si son trenes dotados de barras de torsión**, puede efectuarse el reglaje mediante rotación de la barra, siguiendo los procedimientos que el fabricante preconice para cada tipo de suspensión.

1.3.3.2. Comprobación individual de componentes

Los puntos a revisar son los siguientes:

- **Rótulas**: comprobar desgastes y/u holguras así como el estado del guardapolvo. Para ello, basta con forzar la rueda hacia arriba y hacia abajo, lo que pondrá de manifiesto el estado de la rótula. Su sustitución se efectúa con ayuda de útiles específicos.

- **Brazos de suspensión**: forzándolos con ayuda de una barra se puede verificar la existencia de holguras. En algunos casos, intervenir en ellos obliga a alinear la dirección, puesto que puede que se regule el avance por interposición de arandelas de calce entre el brazo y el chasis.
- **Barra estabilizadora**: puede dar lugar a ruidos si los casquillos elásticos que la fijan al chasis se encuentran desgastados, lo que obligaría a sustituirlos.
- **Amortiguadores**: verificar que no existen fugas de aceite, lo que indicaría la necesidad de suplirlos por unos nuevos. De cualquier forma, los amortiguadores deben ser sustituidos periódicamente, cada 50.000 km aproximadamente, operación que puede ser más o menos sencilla, según el tipo de montaje (así, por ejemplo, la suspensión de tipo Mc Pherson obliga a desmontar los muelles junto con los amortiguadores, mientras que en otros casos, van fijados únicamente con tuercas).
- **Muelles o barras de torsión**: cualquier defecto, ya sea rotura o deformación, implica su sustitución.

Recuerda que...

Las vibraciones del vehículo son provocadas fundamentalmente por tres tipos de acciones: irregularidades de la calzada, acción de masas giratorias (motor y transmisión) y acciones aerodinámicas, siendo las primeras las más importantes.

1.4. Suspensión hidroneumática y neumática

1.4.1. Suspensiones neumáticas

1.4.1.1. Características

Es un sistema basado en interponer entre ruedas y elementos suspendidos un resorte neumático. Este resorte está formado por un pistón que actúa sobre un diafragma lleno de aire a presión. La fuerza de reacción está en función del desplazamiento del pistón y la presión interna del diafragma (flexibilidad variable y progresiva).

Es un método muy indicado para vehículos con frenos de aire, puesto que se aprovecha la instalación ya presente, lo que hace que esté muy extendido su uso en vehículos industriales, camiones, autobuses, etc., y sobre todo en el eje trasero.

 Actividad 3

Indica la respuesta correcta si hablamos de la suspensión independiente Mc Pherson:

☐ a) La mangueta de rueda se articula en su parte superior al brazo y en su parte inferior al amortiguador.

☐ b) La mangueta de rueda está soldada en su parte inferior al brazo y en su parte inferior al amortiguador.

☐ c) La mangueta de rueda se articula en su parte inferior al brazo y en su parte superior al amortiguador.

☐ d) Ninguna es correcta.

1.4.1.2. Constitución y funcionamiento

Fundamentalmente, el sistema de suspensión neumática está formado por los propios resortes neumáticos y el circuito de aire comprimido que controla constantemente la presión dentro de los mismos. Este circuito, común con el de frenos, consta de las siguientes partes:

- **Compresor**: accionado por el motor.
- **Válvula limitadora de presión**: prioriza el circuito de frenos (aproximadamente 700 Kpa) con respecto al de suspensión (aproximadamente 1.200 Kpa).
- **Calderín principal**: con la función de almacenar una reserva de aire y eliminar la humedad del aire a través de un grifo de purga.
- **Calderín auxiliar**: equipado con una válvula de rebose para permitir su llenado a partir de los 4 kg/cm^2.
- **Unidades neumáticas**: situadas en cada una de las ruedas.

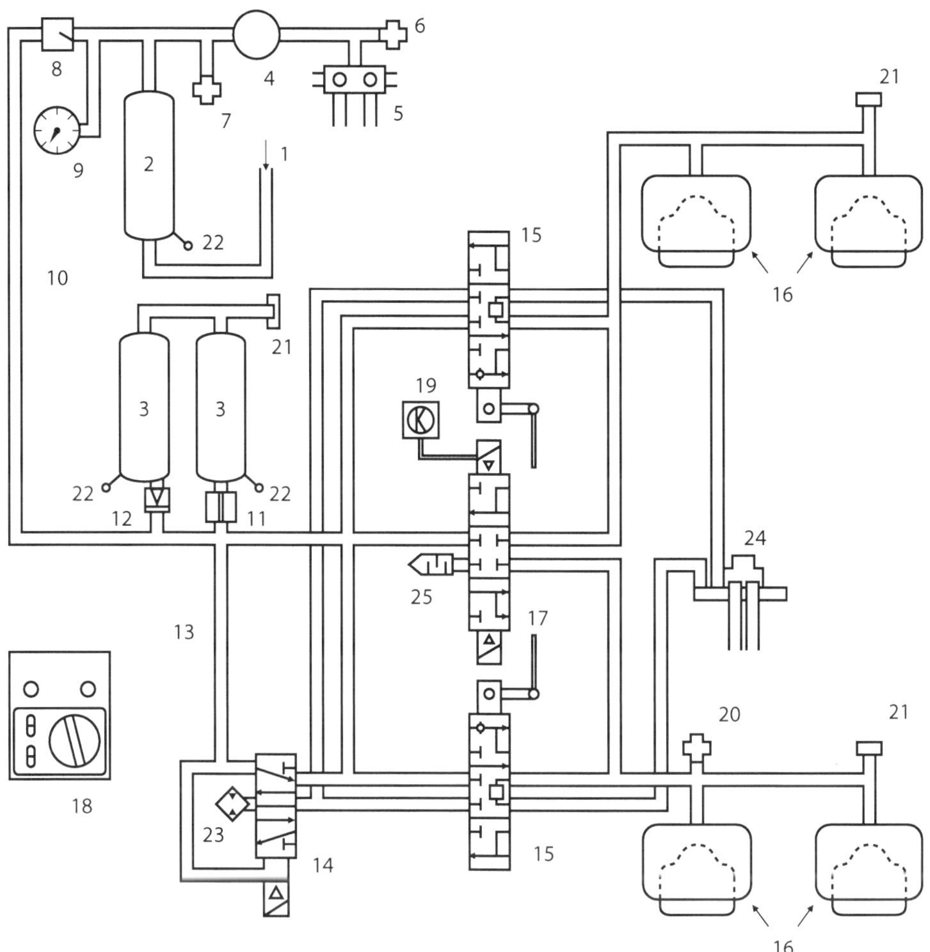

1. Entrada del aire procedente del compresor
2. Depósito húmedo
3. Depósitos de aire para la suspensión
4. Válvula limitadora de presión
5. Válvula de cuatro vías del circuito neumático de frenos

6 y 7. Válvulas de seguridad

8. Válvula de alivio
9. Manómetro
10. Conducto de alimentación
11. Válvula de alivio
12. Válvula antirretorno
13. Conducto hacia la válvula solenoide
14. Válvula de solenoide
15. Válvula de nivel
16. Fuelles neumáticos
17. Válvula de acceso manual
18. Mando eléctrico de la válvula manual
19. Válvula limitadora de altura
20. Válvula de seguridad
21. Racores de presión
22. Grifos de vaciado de los depósitos
23. Filtro de aire
24. Válvula del corrector de frenada
25. Silenciador

Circuito de aire de una suspensión neumática

- **Válvulas de nivel**: regulan el paso de aire hacia los resortes neumáticos. Normalmente se dispone una para el eje delantero y una en cada lado del eje trasero.
- **Válvula niveladora**: válvula de accionamiento eléctrico o neumático que permite el control de altura del vehículo, puesto que comanda a las válvulas de nivel. Este control puede ser automático (pilotaje neumático) o impuesto por el conductor, para lo cual dispone del correspondiente mando en la cabina.
- **Válvula limitadora de altura**: evita una elevación excesiva de la altura de la carrocería.

En los sistemas convencionales, todo el sistema se gobierna con una palanca que en función de la posición que decida el conductor, puede permitir el paso de aire hacia los resortes neumáticos (suspensión sube) o ponerlos en atmósfera (suspensión baja).

1.4.2. Suspensiones hidroneumáticas

1.4.2.1. Características

La característica fundamental de este sistema de suspensión es que sustituye los resortes por un gas (nitrógeno), manteniéndose el amortiguador basado en un fluido hidráulico que pasa a través de un orificio calibrado. El gas y el fluido se alojan dentro de unas esferas, características de este tipo de suspensión.

Esta suspensión permite que la altura de la carrocería se corrija automáticamente al variar la carga (conservando la altura del vehículo constante). También se puede regular la altura en tres posiciones controladas manualmente. Presenta ventajas tales como: una mayor elasticidad y suavidad y la posibilidad de reglaje y nivelación de carrocería automáticamente (válvula de corredera).

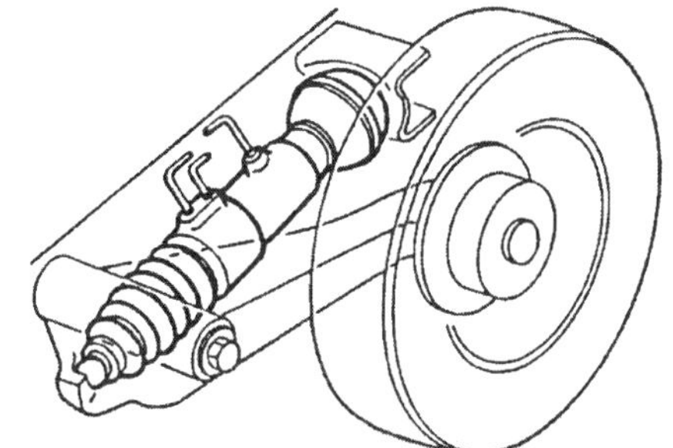

Bloque de suspensión de una suspensión hidroneumática

1.4.2.2. Constitución y funcionamiento

Esencialmente, el sistema de suspensión hidroneumática está formado por las unidades de suspensión (esfera más amortiguador) y el circuito de fluido hidráulico. Este circuito consta de las siguientes partes:

- **Bomba de alimentación**: de pistones y plato excéntrico, aspira fluido del depósito hacia el acumulador.
- **Conjunto disyuntor**: esfera similar a las unidades de suspensión pero de presión controlada por un regulador que vierte el exceso al depósito (aproximadamente 150 bares).
- **Acumulador principal**: almacena el líquido a presión.

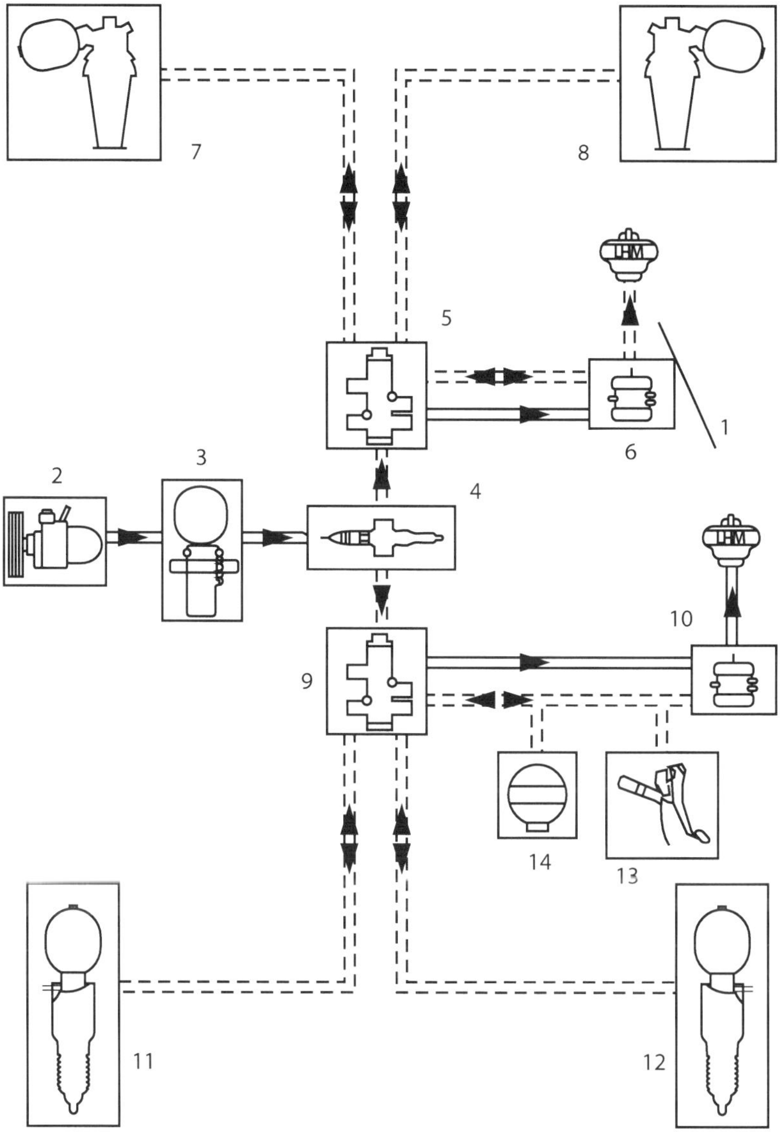

1. Depósito
2. Bomba de alta presión
3. Conjunto disyuntor
4. Válvula de seguridad
5. Válvula anticaida delantera
6. Corrector de altura delantero
7. Bloque de suspensión delantero izquierdo
8. Bloque de suspensión delantero derecho
9. Válvula anticaída trasera
10. Corrector de altura trasero
11. Bloque de suspensión trasero izquierdo
12. Bloque de suspensión trasero derecho
13. Dosificador de freno
14. Acumulador de freno

Circuito hidráulico de una suspensión hidroneumática

- **Correctores de altura**: regulan y reparten las presiones que van a las esferas de suspensión. Se trata de una válvula de corredera de tres funciones: permitir paso de aceite hacia el elemento de suspensión, descargar a depósito o mantener la presión.

  Si el eje del corrector se une a la barra estabilizadora, el mando es automático y la suspensión autonivelante. Si dicho eje se une a una palanca en el habitáculo, el mando es manual y a voluntad del conductor.

- **Esferas o bloques de suspensión**: esferas con dos cámaras separadas por una membrana. Una cámara contiene gas comprimido, que actúa como el muelle, y la otra el aceite que ha pasado a través de las válvulas y orificios del pistón, que actúa como amortiguador.

- **Válvulas anticaída**: evitan las pérdidas de presión en las paradas prolongadas.

Las ruedas se montan en unos brazos oscilantes unidos a un pistón que desliza dentro de un cilindro, el cual, por su parte superior termina en las unidades de suspensión. En el pistón se disponen unos orificios calibrados y unas válvulas que permiten el paso de aceite a la cámara inferior de la esfera.

Si sube la rueda, sube el pistón y pasa aceite a la cámara inferior de la esfera por los pasos calibrados, empujando contra la cámara de gas, la cual se comprime.

Si la rueda baja, baja el pistón, cesa la presión sobre la membrana y es ahora la cámara de gas la que empuja al aceite para que pase por los orificios calibrados del pistón hacia el cilindro.

1.4.3. Reparación

1.4.3.1. Reparación de suspensiones neumáticas

Los sistemas de suspensión neumáticos tienen mayores exigencias de mantenimiento que los convencionales. Periódicamente es necesaria la comprobación del nivel de aceite del compresor y/o su sustitución, la limpieza y/o sustitución del filtro del aire, las presiones del circuito, etc. En cuanto a las reparaciones más habituales, existen dos operaciones de especial importancia: la comprobación de alturas bajo casco y la sustitución de las unidades neumáticas. A continuación se explica cómo se efectúan dichas operaciones de reparación.

Control de alturas bajo casco

El control se efectúa midiendo la distancia existente entre los puntos de anclaje de la unidad neumática al chasis con respecto al suelo o con respecto a la semiballesta portante de la unidad. En cualquier caso, se siguen las indicaciones del fabricante. Si el control de cotas no es correcto debemos efectuar el reglaje de las válvulas de nivel, para lo cual se suele actuar sobre una varilla que une a la válvula con su palanca de accionamiento.

Sustitución de unidades neumáticas

Para la sustitución de una unidad neumática se opera de la siguiente forma:

1. Se coloca un gato hidráulico entre la semiballesta y el bastidor para que soporte el peso antes de retirar el fuelle neumático.
2. Se extrae el aire del interior de la unidad neumática accionando el mando para provocar una bajada.
3. Desmontar el tornillo de sujeción del fuelle y comprimir el émbolo hasta que se pueda desencajar todo el conjunto.
4. Colocar el nuevo fuelle, teniendo la precaución de impregnar en grasa la superficie de contacto superior.
5. Realizar un nuevo control de alturas.

1.4.3.2. Reparación de suspensiones hidroneumáticas

Los sistemas de suspensión hidroneumáticos también necesitan mantenimiento periódico, especialmente la comprobación del nivel del líquido hidráulico. Si es necesario vaciar el circuito, debe hacerse en la posición baja de la suspensión, para evacuar el líquido de las esferas; posteriormente se purga a través de un orificio de que dispone el conjunto disyuntor.

El control se efectúa con el mando de alturas en posición "normal" y el motor al ralentí, midiendo la distancia existente entre ejes y suelo, según indique el fabricante. Si el control de cotas no es correcto se regla rotando la brida del mando automático sobre la barra estabilizadora.

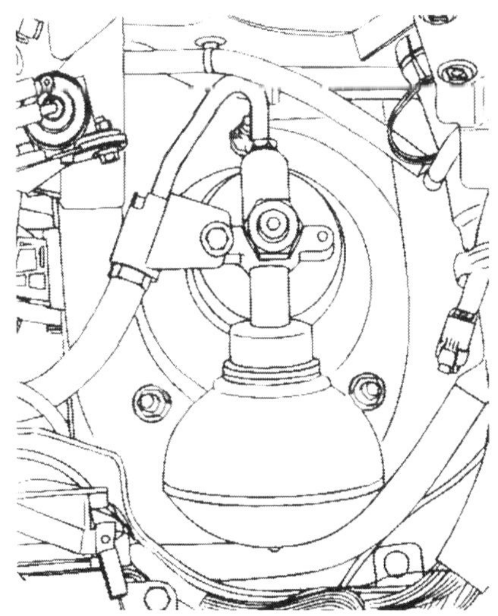

Fijaciones de una esfera de suspensión

Sustitución de esferas de suspensión

El desmontaje de una esfera de suspensión es relativamente una operación sencilla, puesto que se limita a soltar las fijaciones de las esferas y retirar éstas. Sin embargo, es importante respetar las consignas de puesta fuera de presión de los circuitos, tal y como lo indique el fabricante. También debe tenerse la precaución de engrasar la cara de apoyo de la esfera y sustituir las juntas al montar el elemento nuevo.

1.5. Suspensiones pilotadas

1.5.1. Suspensiones convencionales pilotadas

1.5.1.1. Características

La justificación de la gestión electrónica reside en conseguir adaptar el sistema de suspensión para garantizar la condición necesaria que debe cumplir: conservar el vehículo posicionado horizontalmente en toda circunstancia y asegurar unas condiciones de confort óptimas. Para lograrlo, la suspensión debe ser blanda en recta y dura en curvas o a alta velocidad y para conseguir estas condiciones, se debe adecuar el tarado de los amortiguadores a las condiciones de marcha. Esto se logra comandando al amortiguador con electroválvulas pilotadas por un calculador.

Este tipo de suspensión admite varios estados de funcionamiento:

- **Suspensión deportiva**: los amortiguadores restringen más el paso de fluido entre sus cámaras, se vuelven "duros", para favorecer el agarre y la estabilidad.
- **Suspensión confortable**: los amortiguadores permiten un mayor paso de fluido entre cámaras, se vuelven "blandos", para favorecer el confort.
- **Suspensión normal**: los amortiguadores toman un compromiso entre el confort y la estabilidad.

Los modos de utilización también admiten regulación:

- **Modo automático**: la amortiguación es controlada electrónicamente.
- **Modo impuesto**: la amortiguación es deportiva siempre.

1.5.1.2. Constitución y funcionamiento

Amortiguador pilotado electrónicamente

Su funcionamiento se basa en un amortiguador convencional al que se le incorporan dos electroválvulas (una que restringe mucho el paso de fluido y otro que lo restringe poco), controladas por una unidad electrónica, que modifican los pasos calibrados, lo que permite variar la suspensión entre los tres estados de funcionamiento característicos:

- **Modo confortable**: electroválvula de gran paso activada.
- **Modo normal**: electroválvula de pequeño paso activada.
- **Modo deportivo**: ninguna electroválvula activada (paso a través de pistón).

La unidad electrónica gobierna la posición que adoptan las electroválvulas en función de las señales recibidas de los captadores y después de haberlas procesado. Los sensores empleados caracterizan las siguientes magnitudes:

- **Ángulo y velocidad de giro del volante**: mediante un captador óptico-electrónico.
- **Posición del acelerador**: con un potenciómetro en el pedal.
- **Velocidad del vehículo**: sensor Hall colocado en el velocímetro.
- **Frenada**: con un microinterruptor en el pedal de freno.
- **Desplazamiento vertical de la carrocería durante la frenada**: mediante un captador óptico-electrónico.

1.5.2. Suspensiones neumáticas pilotadas

1.5.2.1. Características

Ajusta la dureza de la suspensión y la altura de la carrocería a las condiciones de marcha. Admite varios modos de utilización:

- **Automático**: amortiguación controlada electrónicamente (altura, dureza, etc.).
- **Impuesto**: altura comandada manualmente para elevar la carrocería más de lo normal en circulación por caminos en mal estado.

1.5.2.2. Constitución y funcionamiento

Las partes fundamentales son:

- **Unidades neumáticas**: similares a las convencionales.
- **Grupo motocompresor**: cumple las funciones de compresor, depósito y válvula niveladora, enviando aire a presión hacia los resortes neumáticos o permitiendo el escape.
- **Bloque de válvulas distribuidoras**: un grupo de electroválvulas controlan los pasos de aire hacia los resortes neumáticos, en función de las órdenes recibidas por el calculador.

- **Calculador electrónico**: gobierna el motocompresor y las electroválvulas en función de las señales recibidas de los captadores y después de haberlas procesado.
- **Sensores**: básicamente se utiliza un transmisor de nivel que mide la distancia entre el eje y la carrocería del vehículo mediante un potenciómetro rotativo. Los sistemas más evolucionados pueden llevar múltiples sensores (de frenada, de aceleración, de trayectoria en curva, de irregularidades del terreno, de posición y velocidad de giro del volante, de tracción...).

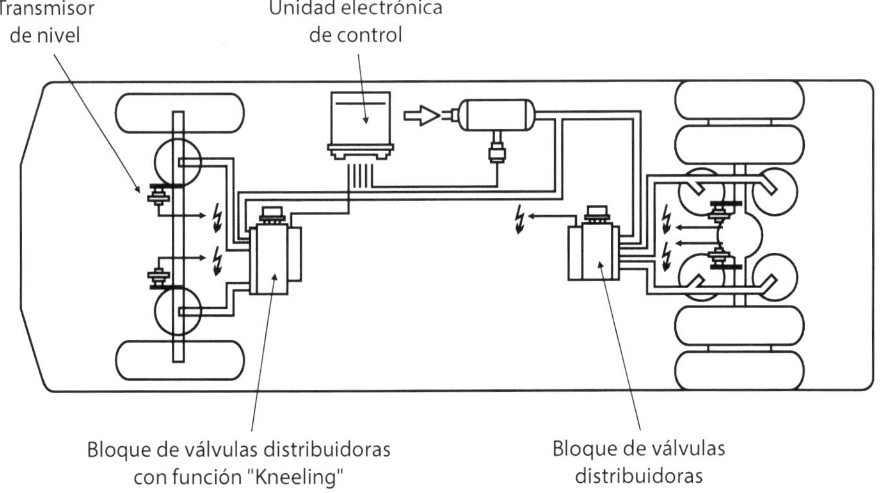

Suspensión neumática pilotada electrónicamente

1.5.3. Suspensiones hidroneumáticas pilotadas

1.5.3.1. Características

Son una variación de las suspensiones hidroneumáticas convencionales en las que se añaden nuevos elementos hidráulicos y electrónicos que permiten una adaptación a cualquier condición de marcha, pero no sólo gobernando el tarado de la amortiguación (limitan oscilaciones e inclinación de carrocería), como los sistemas inteligentes vistos hasta ahora, sino también administrando la flexibilidad de la suspensión (se controla además el balanceo y la distribución de peso en los virajes).

1.5.3.2. Constitución y funcionamiento

El circuito hidráulico presenta variaciones con respecto al sistema convencional:

- **Esferas adicionales**: una por cada tren, que junto con las otras dos, determinan la dureza del comportamiento de la suspensión.

- **Regulador de rigidez**: permite o restringe la comunicación de las esferas de suspensión con la esfera adicional.

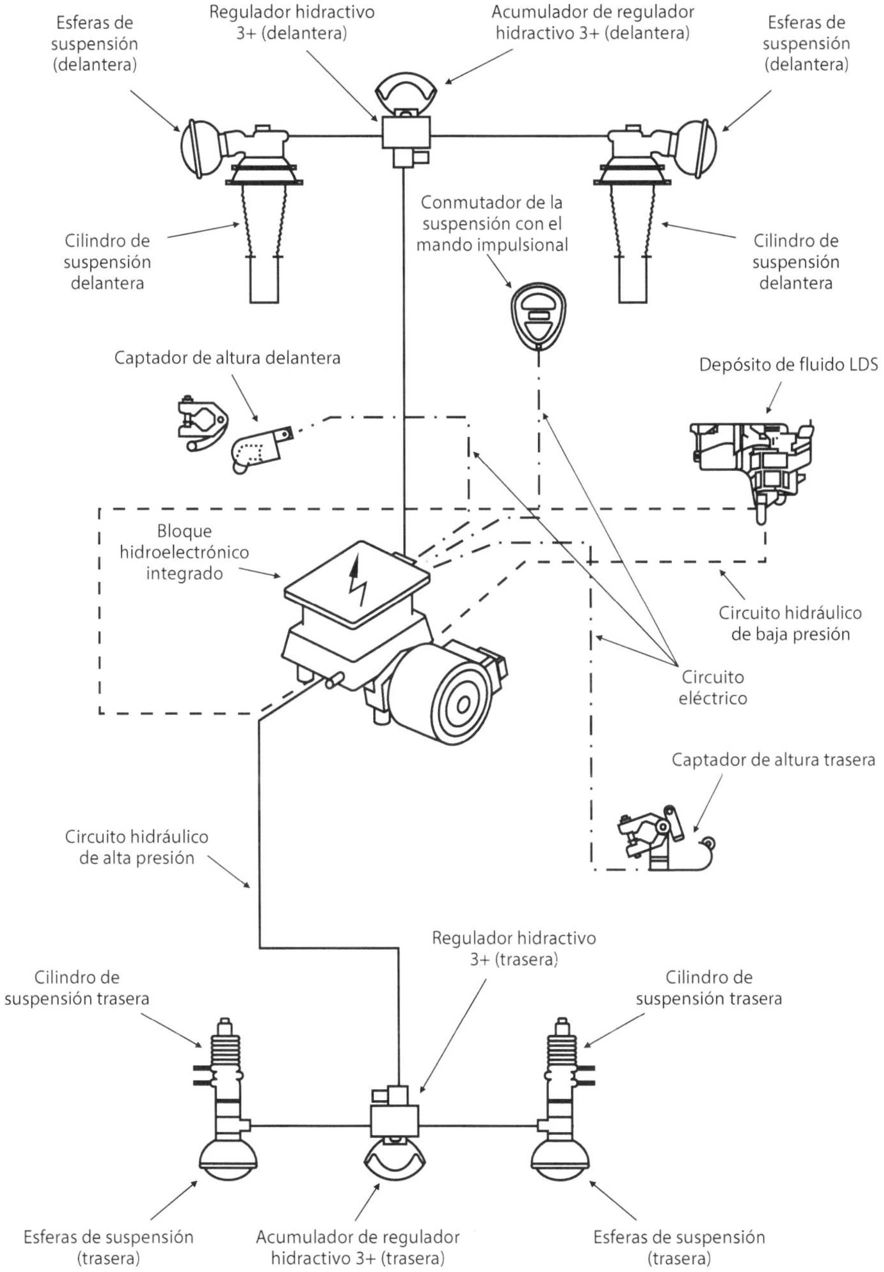

Esferas de suspensión (delantera)
Regulador hidractivo 3+ (delantera)
Acumulador de regulador hidractivo 3+ (delantera)
Esferas de suspensión (delantera)
Conmutador de la suspensión con el mando impulsional
Cilindro de suspensión delantera
Cilindro de suspensión delantera
Captador de altura delantera
Depósito de fluido LDS
Bloque hidroelectrónico integrado
Circuito hidráulico de baja presión
Circuito eléctrico
Captador de altura trasera
Circuito hidráulico de alta presión
Regulador hidractivo 3+ (trasera)
Cilindro de suspensión trasera
Cilindro de suspensión trasera
Esferas de suspensión (trasera)
Acumulador de regulador hidractivo 3+ (trasera)
Esferas de suspensión (trasera)

Circuito hidráulico de una suspensión hidroactiva

- **Electroválvula**: comandada electrónicamente por el calculador, gobierna al regulador de rigidez.
- **Calculador electrónico**: recibe información de la marcha a través de los sensores y actúa sobre el regulador de rigidez en consecuencia, a través de la electroválvula.
- **Sensores**: informan al calculador sobre: inclinación de carrocería; velocidad; giro de volante; frenos; nivelado de ejes; altura de carrocería.

El funcionamiento es totalmente automático, pero admite dos posiciones, que puede decidir el conductor:

- **Posición elástica**: la electroválvula permite que el regulador de firmeza ponga en comunicación las unidades elásticas con la esfera adicional a través de un paso menos restringido. Se logra un mayor confort, al desviarse hacia la esfera adicional parte del fluido.
- **Posición firme**: se corta esa comunicación, lo que independiza cada rueda. Se consigue una mayor dureza y, por tanto, agarre.

El sistema antibalanceo se consigue con una esfera adicional, comandada por un corrector de posición montado sobre la barra estabilizadora delantera. Esta esfera activa otros cilindros adicionales en cada rueda, que aumentan la dureza de la suspensión o la disminuye, para oponerse al balanceo. El calculador activa o desactiva el funcionamiento del antibalanceo al gobernar la esfera adicional.

Actividad 4

Indica la respuesta correcta referida a la suspensión hidroneumática:

- ☐ a) Se sustituyen los resortes por un gas (nitrógeno), manteniéndose el amortiguador basado en un fluido hidráulico que pasa a través de un orificio calibrado.
- ☐ b) No permite que la altura de la carrocería se corrija automáticamente al variar la carga.
- ☐ c) El gas y el fluido se alojan dentro de unas esferas, características de este tipo de suspensión.
- ☐ d) Las respuestas a) y c) son correctas.

1.5.4. Cartas de control y reparación

En los sistemas de suspensión pilotados hay que tener las mismas precauciones y efectuar el mismo mantenimiento que en los sistemas neumáticos e hidroneumáticos ya tratados en anteriores temas. Recordemos una serie de aspectos a tener en cuenta:

- La limpieza debe ser escrupulosa.
- Las unidades de suspensión nuevas deben engrasarse convenientemente al ser montadas, así como ir provistas de juntas nuevas.
- Se debe quitar la presión al circuito antes de intervenir en él, siguiendo el protocolo establecido por el fabricante.

Las dos operaciones de reparación más habituales (el control de altura bajo casco y las sustituciones de los elementos de suspensión) se realizan de forma parecida a lo ya expuesto para los sistemas neumáticos o hidroneumáticos.

La principal diferencia radica en las comprobaciones de la centralita electrónica y su circuito eléctrico. Como en todos los casos en que interviene una gestión electrónica, ésta dispone de una memoria de almacenamiento de fallos, que puede ser requerida para la localización de averías mediante el equipo de diagnosis que establezca el fabricante.

A título orientativo se exponen a continuación los controles a efectuar en una suspensión hidroactiva:

Elemento	Control
Sensor de freno	– Resistencia (motor girando) = 0 Ω sin pisar pedal – Resistencia (motor girando) = ∞ pisando el pedal
	– Tensión (motor girando) al accionar el pedal = 5 V
Sensor de carrera del pedal acelerador	– Resistencia con pedal en reposo = 6 Ω – Resistencia con pedal pisado a tope = 2,5 Ω
	– Tensión con pedal en reposo = 3 – 4 V – Tensión con pedal pisado a tope = < 3 V
Sensor de ángulo y velocidad de rotación del volante	– Tensión sin accionar el volante = 4 – 5 V – Tensión accionando el volante = 0 – 5 V
Sensor de velocidad del vehículo	– Resistencia = 300 Ω
	– Tensión con el vehículo rodando = 1,5 V
Sensor de desplazamiento vertical de la carrocería	– Tensión con el motor girando y variando la altura del vehículo = = oscilaciones de 0 a 5 V
Electroválvulas	– Resistencia = 3 – 5 Ω
	– Tensión = 5 a 6 V

2. Ruedas y Neumáticos: Neumáticos. Estabilidad. Tablas de carga y presiones

El neumático, también denominado cubierta, goma o llanta en América, es una pieza fabricada con un compuesto basado en el caucho que se coloca en la llanta de un vehículo para conferirle, entre otras:

- Adherencia.
- Estabilidad.
- Confort.

Los neumáticos están diseñados para:

- Soportar el peso del vehículo.
- Absorber los impactos de la carretera.
- Trasmitir la tracción, las fuerzas de par y de frenado a la superficie de la carretera.
- Mantener y cambiar la dirección de la marcha del vehículo.

2.1. Tipos de neumáticos

Desde un punto de vista genérico, podernos clasificarlos en neumáticos **con cámara** y neumáticos **sin cámara**.

- **Neumático con cámara**

  La función de la cámara es contener y mantener estanco el aire a presión en su interior.

  Está compuesto por la cubierta, la cámara, la válvula y el protector o flap.

  Este último tiene la misión de evitar el contacto directo de la cámara con la llanta, sobre todo por la zona de los talones donde puede ser pellizcada.

- **Neumático sin cámara (Tubeless).**

  Exteriormente son idénticas a las anteriores, pero por su parte interna la carcasa lleva aplicada una capa de goma impermeable. De esta forma es la propia cubierta la que provoca la estanqueidad del aire a presión. Con esta disposición se evita una pérdida de aire rápida, como consecuencia de un pinchazo, y la posibilidad de un «reventón». Presenta como ventajas con respecto a la anterior que son de menor peso y son mas fáciles de montar y desmontar.

Actividad 5

Indica si la siguiente afirmación es verdadera o falsa:

Cuando un vehículo toma una curva a gran velocidad, su trayectoria queda modificada por la acción de la fuerza centrípeta. Aplicada dicha fuerza sobre las ruedas, hace que la trayectoria seguida por estas también quede modificada.

Verdadera ☐ Falsa ☐

Los parámetros que se utilizan para designar y caracterizar los neumáticos son:

1. **Geométricos**:
   - Anchura nominal de la sección expresada en mm (b_n).
   - Diámetro nominal de la llanta expresado en pulgadas o mm (D_{LL}).
   - Relación nominal de aspecto (R_{NA}). Se define como el céntuplo del número obtenido dividiendo la altura de la sección por la anchura, es decir:

$$R_{NA} = 100 \cdot \frac{h_n}{b_n}$$

2. **Relativos a la estructura, constitución y condiciones de uso**:

   Tipo de estructura:
   * Diagonal (sin indicación).
   * Radial ("R" o "RADIAL").
   * Diagonal cinturado ("B" y BIASBELTED").
   - Utilización o no de cámara:
     * Con cámara (sin indicación).
     * Sin cámara ("TUBELESS").
   - Para neumáticos reforzados ("REINFORCED").
   - Condiciones de utilización:
     * Tipo nieve (M + S, M, S o M & S). Las letras corresponden a las iniciales de "mud and snow" (barro y nieve).
   - Categoría de velocidad. Se usa una letra para expresar la velocidad máxima expresada en km/h.

Rangos de velocidad	
Símbolo de Rango	**Velocidad (km/h)**
A1	5
A2	10
A3	15
A4	20
A5	25
A6	30
A7	35
A8	40
B	50
C	60
D	65
E	70
F	80
G	90
J	100
K	110
L	120
M	130
N	140
P	150
Q	160
R	170
S	180
T	190
U	200
H	210
V	240
W	270
(W)	Más de 270
Y	300
(Y)	Más de 300
ZR	Más de 340

3. **Indicativos de la relación entre el índice de capacidad de carga y la carga máxima:** es una cifra que representa una categoría para la cual se define el valor de la carga máxima que puede soportar el neumático:

$$P_{máx} = 45 \cdot (1.0292)^{n\ kg}$$

Rangos de carga máxima	
Código de carga	**Carga máxima (kg)**
20	80
30	106
35	121
40	136
45	165
50	190
55	218
60	250
65	290
70	335
75	387
80	450
85	515
90	600
95	690
100	800
105	925
110	1060
115	1215
120	1400

4. **Fecha de fabricación.** La fecha de fabricación está ubica junto al lugar del neumático que aparecen las siglas DOT (Department Of Transportation) donde se indica que el neumático cumple con la normativa de seguridad que estipula el Departamento de Transporte de los EE.UU. Normalmente junto a esta marca existe un número de serie o identificación del neumático, que está formada por una combinación alfanumérica que contiene información sobre el centro de producción en el que se ha fabricado el neumático, código sobre la dimensión, una serie de códigos opcionales y, lo más importante, la fecha de fabricación, que aparece al final, con cuatro números. Los dos primeros números designan la semana; y los dos últimos, el año de producción. En el ejemplo, el código de fecha del neumático indica 4714, lo que significa que el neumático fue fabricado en la semana 47 del año 2014.

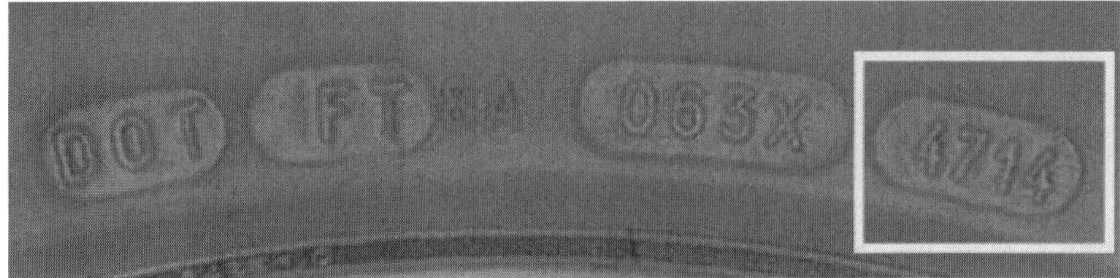

Recuerda que...

Los neumáticos están diseñados para:

- Soportar el peso del vehículo
- Absorber los impactos de la carretera
- Trasmitir la tracción, las fuerzas de par y de frenado a la superficie de la carretera.
- Mantener y cambiar la dirección de la marcha del vehículo

2.2. Efecto de deriva

Cuando un vehículo toma una curva a gran velocidad, su trayectoria queda modificada por la acción de la fuerza centrífuga. Aplicada dicha fuerza sobre las ruedas, hace que la trayectoria seguida por estas también quede modificada. Por tanto, llamamos **deriva o ángulo de deriva**, al ángulo formado por la trayectoria que realmente siguen las ruedas con la que debería seguir debido a la disposición de los elementos de la dirección. Este ángulo de deriva surge por retorcimiento de la superficie de contacto del neumático con el suelo.

A mayor retorcimiento, mayor ángulo de deriva; pudiéndose dar el caso de que al no poder retorcerse más, el neumático se arrastra perdiendo adherencia y dando lugar al derrape del vehículo.

La fuerza centrífuga depende del peso del vehículo, de la velocidad y del radio de la curva, influyendo estas magnitudes en el ángulo de deriva. El valor del ángulo de deriva también depende de la situación del centro de gravedad del vehículo con respecto a las ruedas.

Si el centro de gravedad está más cerca del eje trasero son sus ruedas las que más peso soportan, originándose mayor deriva en ellas. En este caso se dice que el vehículo es **sobrevirador**. Si, por el contrario, el centro de gravedad está más desplazado hacia el

eje delantero, son sus ruedas las que mayor deriva tienen, tratándose de abrir el vehículo en las curvas. En este caso se dice que el vehículo es **infravirador o subvirador**.

Si el centro de gravedad fuese equidistante a los ejes, el ángulo de deriva en sus correspondientes ruedas sería el mismo, obteniéndose un vehículo **neutro**. En este caso, el vehículo será sobre o infravirador, dependiendo esta circunstancia del peso que cargue.

En cualquier caso, el ángulo de deriva de un neumático depende del peso que soporta y disminuye con la presión de inflado o la anchura de la banda de rodadura.

La estabilidad de un vehículo se obtiene haciéndolo infravirador, lo que puede conseguirse desplazando el centro de gravedad hacia la parte delantera o aumentando la presión de los neumáticos en las ruedas traseras.

Los neumáticos radiales, debido a su rigidez, presentan menos deriva siendo, por tanto, más estables los vehículos equipados con ellos. Es por esto por lo que se recomienda la utilización de dichos neumáticos cuando se circula a grandes velocidades. Si se montan neumáticos radiales en un eje y diagonales en el otro, estos últimos deben montarse en el eje delantero ya que presentan mayor deriva y por tanto el vehículo no pierde las condiciones infraviradoras.

2.3. Influencias en la presión de inflado

La presión de inflado de los neumáticos, no solo dependen del peso que soporten sino también de las condiciones sobre o infraviradoras del vehículo. Por todo ello, para un peso dado, si se inflan excesivamente los neumáticos delanteros, tendrán menos deriva y si esta llega a ser menor que la de las ruedas traseras, el vehículo se convierte en sobrevirador. Por el contrario, si son los neumáticos traseros los que se inflan excesivamente, el vehículo será infravirador en exceso teniéndose que ejercer un gran esfuerzo sobre el volante.

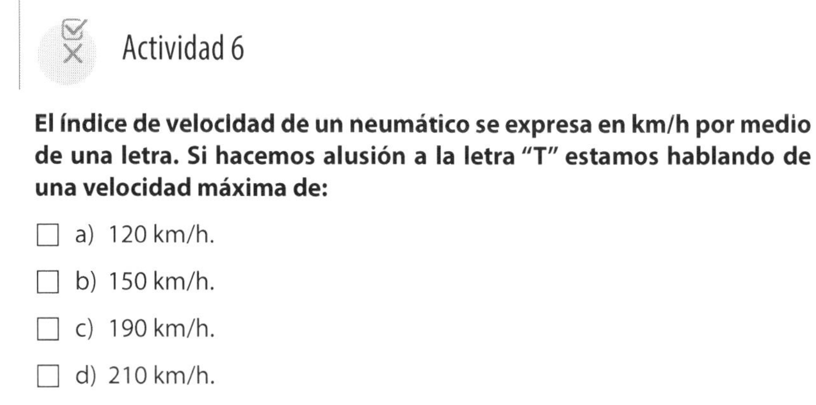

Actividad 6

El índice de velocidad de un neumático se expresa en km/h por medio de una letra. Si hacemos alusión a la letra "T" estamos hablando de una velocidad máxima de:

- ☐ a) 120 km/h.
- ☐ b) 150 km/h.
- ☐ c) 190 km/h.
- ☐ d) 210 km/h.

2.4. Desgaste irregular de los neumáticos

Mediante la observación del desgaste producido en los neumáticos de un vehículo puede diagnosticarse qué tipo de avería se presenta en la dirección o si existe falta de alineación en el eje. A continuación se enumeran unos ejemplos que pueden ser orientativos:

1. **Defecto**: Mayor desgaste y por igual a todo lo largo de la parte central de la banda de rodadura.

   Causa: Elevada presión de inflado del neumático.

   Nota: Una elevada presión de inflado del neumático reduce la vida de los amortiguadores.

2. **Defecto**: Desgaste a lo largo de los laterales de la banda de rodadura.

   Causa: Baja presión de inflado del neumático.

   Nota: Además una baja presión de los neumáticos, produce un mayor desgaste del mismo, mayor consumo de carburante (aumento de emisiones de CO_2), menor seguridad y una pérdida de adherencia.

3. **Defecto**: Desgaste en un punto de la banda asemejando a una mancha.

   Causa: Falta de equilibrio en la rueda.

4. **Defecto**: Desgaste en forma de franja entre los laterales a lo largo de la banda.

   Causa: Excentricidad de la llanta.

5. **Defecto**: Desgaste en distintos puntos de la banda de rodadura.

   Causa: Desequilibrio en la rueda o cojinete de mangueta en mal estado.

6. **Defecto**: Mayor desgaste en la parte interior de la banda de rodadura.

   Causa: Caída negativa.

7. **Defecto**: Mayor desgaste en la parte exterior de la banda de rodadura.

   Causa: Exceso de caída positiva.

8. **Defecto**: Desgaste en forma de cardado del neumático, como si estuviese dañado.

   Causa: Convergencia o divergencia incorrecta.

9. **Defecto**: Excesivo desgaste en el centro y a todo lo largo de la banda de rodadura en forma de surco.

   Causa: Convergencia excesiva.

10. **Defecto**: Desgaste en forma de manchas repartidas irregularmente a lo largo de la banda de rodadura y a uno y otro lado de su ancho.

    Causa: Avance excesivo.

11. Si el caso anterior se presenta más acentuado en una rueda que en otra, esto nos indica que esa rueda tiene **mayor avance**.

Recuerda que...

Se denomina **deriva o ángulo de deriva**, al ángulo formado por la trayectoria que realmente siguen las ruedas con la que debería seguir debido a la disposición de los elementos de la dirección.

3. Duración y cuidados. Averías en los neumáticos

Para conseguir un mejor rendimiento así como una mayor vida útil de los neumáticos, es necesario efectuar un correcto mantenimiento y un meticuloso montaje de los mismos, cuando las circunstancias así lo requieran.

El procedimiento a seguir para obtener lo anteriormente expuesto sería el siguiente:

- Cambio de cubiertas.
- Reparación de la cubierta.
- Equilibrado de las ruedas.

a) Desmontaje y montaje de las cubiertas

Para facilitar el desmontaje de las cubiertas, los diámetros de sus talones y de la llanta están perfectamente diseñados con el fin de que al forzar una sección del borde hacia abajo, la parte diametralmente opuesta pueda pasar sobre la llanta sin grandes esfuerzos.

Este proceso es el mismo para todas las cubiertas, sin embargo deberemos tener especial cuidado con las que no tienen cámara ya que en estas, los talones son los que aseguran la hermeticidad.

En los talleres de reparaciones el desmontaje y montaje de los neumáticos se realiza mediante máquinas especiales. Básicamente consta de un útil que lleva por lo general dos rodillos que se deslizan alrededor de la llanta. En la fase de montaje uno de los rodillos presiona el talón de la cubierta y el otro lo hace sobre el borde de la llanta.

b) Normas para el montaje de una cubierta

- Utilizar siempre cámaras nuevas y con las dimensiones adecuadas.
- Probar la cámara antes de su utilización, introduciéndole aire para detectar cualquier anomalía.
- Comprobar la limpieza tanto de la cubierta como de la cámara.
- Si se cambia alguna cubierta es necesario proceder a su equilibrado.

- En el proceso de montaje de la rueda en el vehículo, los tornillos deben ser, en primer lugar, ajustados y, posteriormente, apretados.
- Siempre que se desmonte una cubierta sin cámara, deberemos comprobar la llanta de la rueda y reparar aquellos defectos que puedan provocar pérdidas de hermeticidad. Se eliminará el óxido o suciedad y los residuos de pasta para sellar, aplicando seguidamente una capa de esmalte de secado rápido.

c) Reparación de una cubierta

Si por la banda de rodadura penetra un cuerpo extraño, se pierde aire pudiendo ocasionar daños de mayor importancia. Hay que poner un especial cuidado en la revisión de una cubierta sin cámara.

Si se trata de un pinchazo limpio y sencillo puede repararse con un tapón en forma de hongo colocado desde dentro hacia fuera; también puede montarse un pequeño tapón y aplicar un parche interior.

d) Equilibrado de las ruedas

Una vez que se ha producido el cambio de cubiertas es preciso proceder al equilibrado de las mismas y para ello será necesario efectuar una revisión del estado de las llantas.

El equilibrado consiste en colocar unos contrapesos en puntos concretos del borde de la llanta para compensar los desequilibrios tanto estáticos como dinámicos.

Estos desequilibrios están motivados por un desigual reparto de masas en la rueda; por ello, una rueda puede estar perfectamente equilibrada estáticamente (en reposo) y sin embargo mal equilibrada dinámicamente (en movimiento).

Son de uso común las máquinas equilibradoras, las cuales son capaces de localizar el punto concreto donde debe colocarse el contrapeso.

Una vez montada la rueda y girando en el mecanismo de arrastre de la máquina, cualquier oscilación es detectada por los aparatos de medida indicando estos el valor del contrapeso a colocar así como el lugar donde se produce el desequilibrio.

4. Alineamiento del eje delantero

Es importante que todos los vehículos tengan sus cuatro ruedas correctamente alineadas, pues de lo contrario se generarán problemas en la dirección, en el conductor *(fatiga)* y un prematuro e irregular desgaste de los neumáticos.

La alineación de un vehículo consiste en ajustar los ángulos de las ruedas del vehículo para asegurarse de que este se desplaza en relación con el centro geométrico del vehículo. Por rueda, en las operaciones de alineamiento, hemos de entender el conjunto llanta-neumático, teniendo cada conjunto su propio grupo de dinámicas –*avance, caída, convergencia-divergencia, ángulo de viraje, etc.*– especificadas por el fabricante del vehículo.

Los síntomas más frecuentes de una incorrecta alineación del vehículo son, entre otros, los siguientes:

- Rápido e irregular desgaste de los neumáticos.
- Tendencia del vehículo a salirse de una línea recta imaginaria cuando circula.

El mejor tipo de alineado es el que se realiza a las cuatro ruedas, que miden las dinámicas del vehículo en cada una de ellas. Muchos vehículos vienen dotados de dispositivos de alineado ajustable en el eje trasero, pero incluso en aquellos que no se encuentra dotados de él, un alineado a las cuatro ruedas permitirá identificar cualquier problema trasero y compensarlo con el ajuste correspondiente en el eje delantero.

El alineado de las ruedas delanteras, respecto al centro del vehículo, ha quedado obsoleto.

5. Convergencia y caída

Las ruedas delanteras han de cumplir una serie de parámetros o cotas para su correcto funcionamiento, que vienen determinados por los ángulos o cotas de dirección siguientes:

- **Ángulo de caída** (*en la mangueta*). Formado por el eje de la rueda –*mangueta*– con la horizontal (C o C´). Su empleo permite desplazar el peso del vehículo hacia el interior de la mangueta, y disminuir el empuje lateral de los cojinetes, sobre los que se apoya la rueda, y el desgaste del mecanismo de dirección. **Puede ser**:
  * **Positivo** si la rueda se encuentra más separada de la carrocería por su parte superior.
  * **Negativo** si las ruedas se encuentran abiertas.

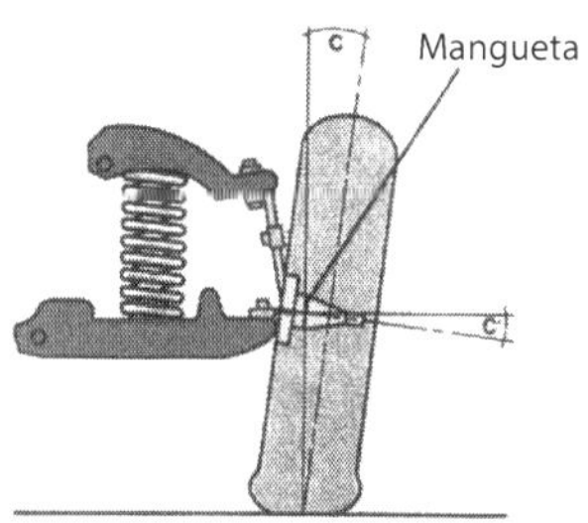

Ángulo de caída

- **Ángulo de salida o inclinación** (*en el pivote*). Es el formado por la prolongación del pivote con la prolongación del eje vertical que pasa por el centro del apoyo de la rueda en sentido transversal. Aumenta la base de apoyo del vehículo y su estabilidad reduce el esfuerzo que se debe realizar para orientar las ruedas y, en combinación con el ángulo de avance, ayuda a que las ruedas vuelvan a su posición original recta tras tomar una curva.

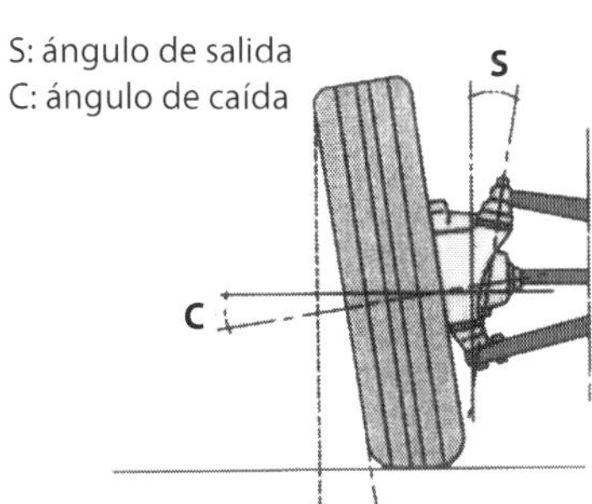

Ángulo de salida o inclinación lateral

- **Ángulo de avance** (*en el pivote*). Formado por la prolongación del pivote con el eje vertical que pasa por el centro de la rueda en sentido longitudinal. El eje del pivote, por su extremo inferior, se encuentra más adelantado que por el superior, lo que significa que su intersección con el suelo está más adelantada (B) que el punto de apoyo de la rueda (M). Con ello se obtiene mayor fijeza y seguridad en la conducción.

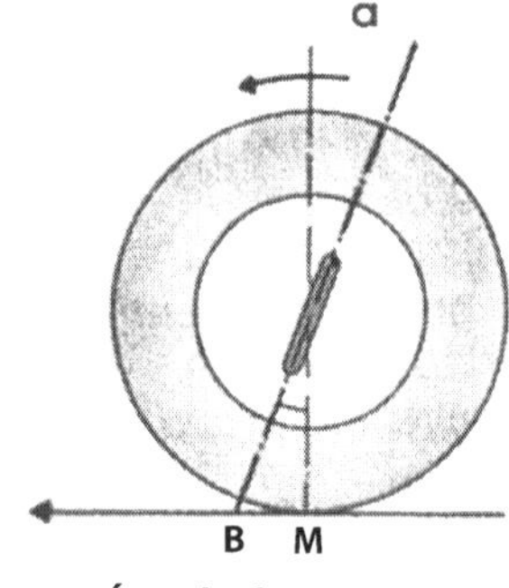

Ángulo de avance

- **Convergencia y divergencia** (*paralelismo*). Generalmente los planos longitudinales de las ruedas delanteras no son paralelos entre sí. La convergencia de dos ruedas (positiva si están cerradas y negativa si están abiertas, ambas según el sentido de la marcha) se mide por la diferencia de distancias entre la parte anterior y la posterior de las llantas. Su valor se establece en función de los ángulos de salida y de caída. En los vehículos de propulsión el esfuerzo tiende a abrir las ruedas, por lo que se les debe dar un cierto ángulo de convergencia para que las ruedas vayan paralelas; en los vehículos de tracción el esfuerzo tiende a cerrar las ruedas, por lo que se les debe dar un cierto ángulo de divergencia (también conocida como convergencia negativa) para que las ruedas vayan paralelas.

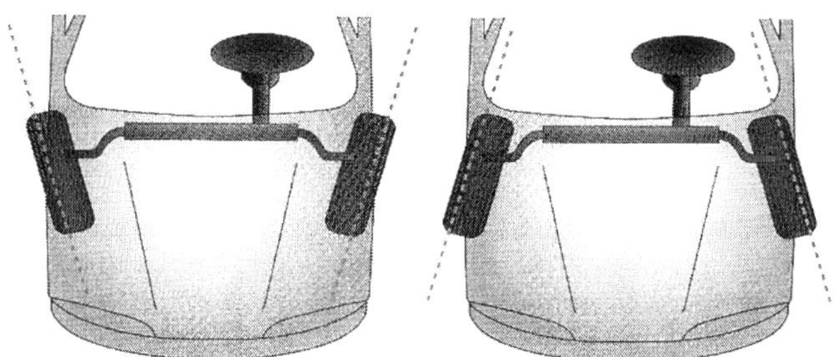

Convergencia y divergencia

Solución a las actividades

Actividad 1.

- [x] a) La barra de torsión.
- [ ] b) La barra estabilizadora.
- [ ] c) Muelle helicoidal.
- [ ] d) Articulación de suspensión.

Actividad 2.

- [ ] a) La barra de torsión.
- [x] b) La barra estabilizadora.
- [ ] c) Muelle helicoidal.
- [ ] d) Articulación de suspensión.

Actividad 3.

- [ ] a) La mangueta de rueda se articula en su parte superior al brazo y en su parte inferior al amortiguador
- [ ] b) La mangueta de rueda está soldada en su parte inferior al brazo y en su parte inferior al amortiguador.
- [x] c) La mangueta de rueda se articula en su parte inferior al bra-zo y en su parte superior al amortiguador.
- [ ] d) Ninguna es correcta.

Actividad 4.

- [ ] a) Se sustituyen los resortes por un gas (nitrógeno), manteniéndose el amortiguador basado en un fluido hidráulico que pasa a través de un orificio calibrado.
- [ ] b) No permite que la altura de la carrocería se corrija automáticamente al variar la carga.
- [ ] c) El gas y el fluido se alojan dentro de unas esferas, característi-cas de este tipo de suspensión.
- [x] d) Las respuestas a) y c) son correctas.

Actividad 5.

Falsa.

Actividad 6.

- ☐ a) 120 km/h.
- ☐ b) 150 km/h.
- ☑ c) 190 km/h.
- ☐ d) 210 km/h.

TEMA 12

Maquinaria pesada. Componentes, utilización y mantenimiento. Maquinaria para obras de movimientos de tierras: buldózeres, motoniveladoras, compactadores, etc. Maquinaria para obras de firmes para carreteras: camiones con basculante, palas cargadoras frontales y retroexcavadoras, esparcidoras de áridos, cisternas de riego, etc

¿Sabes con cuántos colores debes **subrayar** este manual para facilitar tu estudio? Entra en tu Curso MAD360 y te lo contamos todo.

Índice

1. Clasificación general de la maquinaria pesada

La maquinaria pesada comprende el conjunto de máquinas autopropulsadas o remolcadas utilizadas en obras públicas, construcción, movimiento de tierras, mantenimiento de infraestructuras y trabajos de carreteras. Estas máquinas permiten realizar trabajos que requieren gran capacidad de esfuerzo, potencia y rendimiento, reduciendo el tiempo de ejecución y el esfuerzo humano.

La elección de la maquinaria adecuada depende de factores como:

- El tipo de obra.
- Las características del terreno.
- El volumen de material a mover.
- La distancia de transporte.
- Las condiciones de seguridad y productividad.

La maquinaria pesada puede clasificarse según la función principal que desarrolla en obra.

1.1. Maquinaria de movimiento de tierras

Son máquinas destinadas a excavar, empujar, cargar, nivelar o desplazar terrenos y materiales.

Entre las más utilizadas destacan:

- Excavadoras.
- Retroexcavadoras.
- Palas cargadoras.
- Bulldóceres o tractores de cadenas.
- Mototraíllas.
- Motoniveladoras.

Estas máquinas se emplean principalmente en excavaciones, apertura de zanjas, desmontes y terraplenes, nivelación de terrenos y preparación de explanadas.

1.2. Maquinaria de transporte

Se utiliza para trasladar tierras, áridos, escombros u otros materiales dentro o fuera de la obra.

Las principales máquinas de transporte son:

- Camiones basculantes.
- Dumpers.

- Bañeras.
- Cisternas.

Su función principal es garantizar el movimiento rápido y seguro de materiales entre las distintas zonas de trabajo.

1.3. Maquinaria de compactación

Su finalidad es aumentar la densidad del terreno o de los materiales empleados en firmes y pavimentos, eliminando huecos y mejorando la estabilidad.

Entre ellas destacan:

- Rodillos compactadores lisos.
- Compactadores de patas de cabra.
- Compactadores neumáticos.
- Bandejas vibratorias.

Se utilizan en firmes de carretera, terraplenes, pavimentaciones y zanjas y rellenos.

1.4. Maquinaria para firmes y pavimentación

Son máquinas específicas para la construcción y mantenimiento de carreteras.

Las más habituales son:

- Extendedoras de asfalto.
- Fresadoras.
- Hormigoneras.
- Equipos de riego asfáltico.

Permiten extender mezclas bituminosas, reparar firmes deteriorados y preparar superficies de rodadura.

1.5. Maquinaria de elevación y manipulación

Destinada a elevar, desplazar o posicionar cargas pesadas durante la ejecución de obras.

Entre ellas destacan:

- Grúas.
- Camiones grúa.
- Plataformas elevadoras.
- Manipuladores telescópicos.

Estas máquinas requieren especiales medidas de seguridad debido al riesgo de vuelco, caída de cargas y atrapamientos.

1.6. Maquinaria auxiliar

Incluye equipos complementarios utilizados para apoyar distintas fases de la obra.

Por ejemplo:

- Compresores.
- Generadores eléctricos.
- Martillos hidráulicos.
- Equipos de bombeo.

2. Maquinaria pesada. Componentes, utilización y mantenimiento. Maquinaria para obras de movimientos de tierras

2.1. Compactadores

Las obras de carreteras requieren el uso frecuente de máquinas que compacten las distintas capas construidas (explanadas, terraplenes, subases, bases, capas intermedias, capas de rodaura, rellenos localizados, etc.).

Cada tipo de compactador consigue el mayor rendimiento en ciertos materiales y condiciones de funcionamiento.

A continuación exponemos cada tipo de compactador y sus aplicaciones.

2.1.1. Compactador vibratorio

Este tipo de compactador consta de uno o dos rodillos metálicos (también llamados tambores) que vibran. El efecto de compactación es una combinación del peso del compactador y de la vibración. Con ello se consigue una eficaz reducción de los huecos que posee una capa antes de ser compactada.

Los compactadores de mayor tonelaje (150 Ton) son también llamados supercompactadores. En la fotografía de la página siguiente podemos ver un ejemplo de compactador vibratorio con un neumático pinchado durante el trabajo.

Durante su trabajo, este compactador circula a baja velocidad (entre 3 y 7 km/h). El espesor máximo de la capa que se puede compactar con esta máquina varía con el peso, potencia de los distintos modelos y número de tambores (uno o dos). Como norma orientativa, no se deben compactar capas cuyo espesor sea de más de 40 o 50 cm, siendo habitual trabajar con capas de 30 cm.

Este tipo de compactador es quizás el más versátil y por tanto el que más tipos de capas compacta: explanadas, terraplenes, subbases y bases de zahorra artificial.

Compactador vibratorio con un rodillo

2.1.2. Compactador de alta velocidad

Se emplea para compactar mezclas bituminosas. Debe su nombre a que circula a unos 35 km/h sobre la capa de mezcla recién extendida. Posee dos rodillos lisos y cierto poder de vibración. Los rodillos están permanentemente mojados de agua para disminuir la adherencia al betún caliente.

Compactador vibratorio de alta velocidad

2.1.3. Compactador de neumáticos

Este compactador tiene neumáticos en vez de rodillos. Estos neumáticos están repartidos en dos trenes: el tren delantero y el tren trasero. El poder de compactación viene dado por el peso de la misma.

Son utilizados normalmente en acabados de capas asfálticas, ya que el paso de los neumáticos no sólo compacta, sino que sella o cierra la superficie de la capa de rodadura.

Compactador de neumáticos

Esta máquina posee una particularidad destacable: realiza numerosas pasadas de ida y vuelta sobre la misma capa. Para evitar girar 180º al final de cada pasada o para que el conductor no tenga que circular marcha atrás, existen dos juegos de mandos y pedales en la cabina situados uno frente a otro. Así, el conductor, que está entre ambos mandos, sólo ha de girar su asiento 180º para iniciar otra pasada.

2.1.4. Compactador de pata de cabra

Aunque las arcillas no son material recomendable para construir carreteras, a veces es inevitable su empleo y deben ser compactadas también. El compactador específico para esta tarea es el de pata de cabra y no se suele emplear para otros materiales. Su rodillo delantero está surcado por resaltes metálicos que amasan y compactan la arcilla al mismo tiempo.

Compactador de pata de cabra

Recuerda que...

El efecto de compactación es una combinación del peso del compactador y de la vibración.

2.1.5. Pisones vibrantes

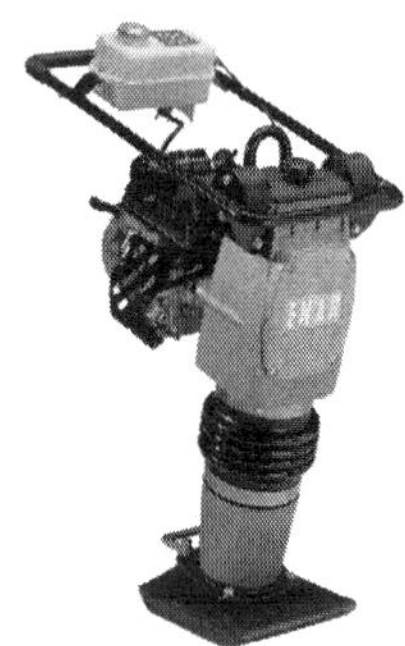
Pisón vibrante

Para pequeños rellenos donde no cabe si quiera un pequeño compactador, existe la posibilidad de emplear pisones, también llamados "ranas", debido a que durante su funcionamiento emiten diminutos y frecuente saltos. Como su poder de compactación es pequeño, las capas objeto de compactación deben ser de pequeño espesor (entre 10 y 15 cm) y el número de pasadas debe ser elevado.

2.1.6. Utilidades y manejo

Las obras de carreteras requieren el uso frecuente de máquinas que compacten las distintas capas construidas (explanadas, terraplenes, subbases, bases, capas intermedias, capas de rodadura, rellenos localizados...). Cada tipo de compactador consigue el mayor rendimiento en ciertos materiales y condiciones de funcionamiento.

Los compactadores también se utilizan en todas aquellas operaciones de reparación de asfalto. El operador debe situar las manos en el manillar de la máquina con unos guantes de protección y dirigir la velocidad de avance de la misma.

En el caso de dar varias pasadas o cambiar de dirección de avance, el trabajador debe apoyar su peso en el manillar, disminuyendo la base de compactación y girando el mando, a efecto de palanca, en el sentido contrario al de avance. Es aconsejable usar protectores acústicos con la utilización de estas máquinas, aunque en muchas ocasiones, llevan instalados silenciadores de serie.

2.1.7. Normas de seguridad y accesorios

2.1.7.1. Normas de seguridad

Aunque estos motores tienen silenciador, se deben proteger los oídos de los ruidos prolongados. Al compactar el asfalto, hay que utilizar vestimentas de cobertura en material resistente que no se enganche en las partes sobresalientes de la máquina. Este tipo de ropas tienen que tener, además, buena ventilación y libertad de movimientos.

Se debe completar el equipo con un buen par de guantes. También es importante utilizar zapatos fuertes de protección o botas con suela de fuerte esculpido que ofrezcan buena estabilidad en asfaltos con altas temperaturas.

2.1.7.2. Accesorios de seguridad

Los accesorios básicos de seguridad son:

1. Protector acústico.
2. Ropas de protección con gran movilidad.
3. Guantes.
4. Botas de protección con suela de fuerte esculpido.

2.1.8. Mantenimiento y limpieza

En este apartado se describen las siguientes operaciones de mantenimiento y limpieza:

1. Apagar siempre el motor y asegurarse que la herramienta está detenida antes de hacer cualquier trabajo de mantenimiento, reparación o limpieza de la herramienta motorizada. Debe usarse guantes para manipular o reparar la máquina.
2. Mantener la base de compactación bien limpia.
3. Guardar la compactadora en un lugar seco y lejos del alcance de los niños.
4. Antes de guardar la máquina durante un período de más de algunos días, vaciar siempre el tanque de combustible.
5. Lubricar la transmisión después de 25 horas de funcionamiento.

2.1.9. Componentes principales de los compactadores

Aunque existen distintos tipos de compactadores, la mayoría de estas máquinas comparten una serie de elementos fundamentales para realizar las operaciones de compactación de terrenos y firmes.

Los principales componentes son los siguientes:

Motor

Es el elemento encargado de proporcionar la potencia necesaria para el desplazamiento y funcionamiento del sistema de compactación. Habitualmente son motores diésel debido a su elevado par motor y resistencia en trabajos continuados.

Sistema de transmisión

Permite transmitir la potencia del motor a las ruedas o tambores de compactación. Puede ser mecánico, hidrostático o hidráulico, según el modelo y tamaño de la máquina.

Rodillos o tambores

Son los elementos que ejercen la compactación sobre el terreno. Pueden ser:

- Lisos.

- Vibratorios.
- De patas de cabra.
- Neumáticos.

Su elección depende del tipo de material a compactar.

Sistema vibratorio

En los compactadores vibratorios, este sistema genera vibraciones mediante masas excéntricas internas, aumentando la eficacia de compactación al reducir los huecos del terreno o del firme.

Chasis

Es la estructura portante de la máquina. Debe soportar grandes esfuerzos mecánicos y vibraciones durante el trabajo.

Sistema hidráulico

Acciona diferentes mecanismos de la máquina:

- Dirección.
- Vibración.
- Desplazamiento.
- Elevación de elementos auxiliares.

Trabaja mediante bombas, latiguillos y cilindros hidráulicos.

Cabina o puesto de conducción

Lugar desde el que el operador controla la máquina. Suele disponer de:

- Volante o mandos de dirección.
- Pedales.
- Panel de instrumentos.
- Asiento antivibratorio.
- Sistemas de protección antivuelco.

Sistema de dirección y frenado

Permite controlar la trayectoria y detener la máquina con seguridad durante las maniobras y trabajos de compactación.

Sistema de riego de agua

Presente especialmente en compactadores para mezclas bituminosas. Evita que el asfalto caliente se adhiera a los tambores.

Elementos de seguridad

Entre ellos destacan:

- Luces y señalización.
- Avisador acústico de marcha atrás.
- Cinturón de seguridad.
- Estructura rops/fops de protección.
- Espejos y cámaras de visión.

2.1.10. Mantenimiento preventivo básico de los compactadores

El mantenimiento preventivo de los compactadores resulta fundamental para garantizar:

- La seguridad del operador.
- El correcto funcionamiento de la máquina.
- La calidad de la compactación.
- Y la durabilidad de los equipos.

Las operaciones básicas de mantenimiento deben realizarse siguiendo las instrucciones del fabricante y respetando las medidas de seguridad.

Comprobación de niveles

Antes de iniciar la jornada deben revisarse:

- Aceite del motor.
- Líquido refrigerante.
- Combustible.
- Aceite hidráulico.

Un nivel insuficiente puede provocar averías graves o sobrecalentamientos.

Revisión del sistema hidráulico

Se debe comprobar:

- Ausencia de fugas.
- Estado de latiguillos.
- Conexiones.
- Cilindros hidráulicos.

Las pérdidas hidráulicas reducen el rendimiento y pueden generar riesgos de seguridad.

Inspección de rodillos o neumáticos

Debe verificarse:

- Desgaste.
- Deformaciones.
- Grietas.
- Presión de neumáticos (en compactadores neumáticos).

Un mal estado afecta directamente a la calidad de la compactación.

Limpieza de tambores y máquina

Es importante eliminar:

- Restos de tierra.
- Barro.
- Asfalto.
- Materiales adheridos.

En compactadores asfálticos debe comprobarse el correcto funcionamiento del sistema de riego de agua.

Engrase periódico

Los puntos de engrase deben lubricarse según los intervalos establecidos por el fabricante para evitar desgastes prematuros.

Revisión del sistema vibratorio

En compactadores vibratorios se debe comprobar:

- Funcionamiento uniforme.
- Ausencia de ruidos anómalos.
- Fijaciones y elementos excéntricos.

Comprobación de frenos y dirección

Antes de trabajar se verificará el correcto funcionamiento de:

- Frenos.
- Dirección.
- Mandos de control.

Revisión de elementos de seguridad

Debe comprobarse:

- Señalización luminosa.
- Avisador acústico.
- Cinturón de seguridad.
- Retrovisores.
- Sistemas antivuelco.

Almacenamiento de la máquina

Cuando no se utilice:

- Debe guardarse en lugar seco y protegido.
- Desconectar sistemas eléctricos si procede.
- Y evitar largos periodos con combustible envejecido.

Inspección diaria del operador

El operador debe realizar una revisión visual antes del inicio de los trabajos para detectar:

- Fugas.
- Tornillos flojos.
- Daños estructurales.
- Anomalías mecánicas o hidráulicas.

El mantenimiento preventivo reduce averías, mejora el rendimiento y aumenta la seguridad durante los trabajos de compactación.

2.2. La hormigonera

2.2.1. Descripción

En este apartado se van a clasificar las hormigoneras, según la capacidad de producción, en dos tipos:

1. La máquina que se usa para la elaboración de hormigón y mortero a pequeña escala. Consta de un motor (eléctrico o gasolina) que hace rotar una cubeta donde se amasa el cemento con la arena, el agua… En la imagen de la página siguiente se muestra un dibujo de una hormigonera y sus partes principales.

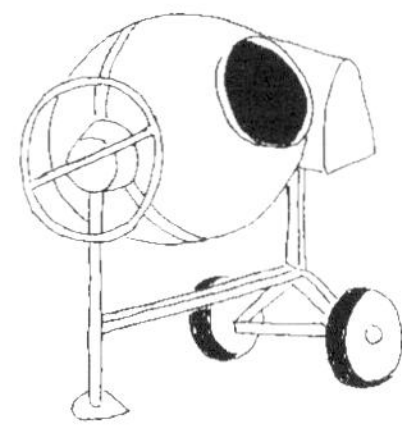

1. Estructura
2. Volante de inclinación de la cubeta
3. Cubeta
4. Motor eléctrico o de explosión que hace girar la cubeta
5. Ruedas de desplazamiento del conjunto

Hormigonera

En la zona de la cubeta se encuentra unos perfiles de unidos a ésta que permiten una mezcla más homogénea.

2. Las máquinas que se usan para la elaboración de hormigón y mortero a gran escala. En este subapartado se distinguen entre los camiones hormigonera, las bombas de hormigón, las autohormigoneras y las pavimentadoras de hormigón.

   Los camiones hormigonera transportan el hormigón fabricado en una central o planta de hormigones hasta la obra. Para ello constan de una cuba giratoria en la que el hormigón es amasado durante el transporte. Existen dos tamaños de cuba para camión: 7 m^3 y 10 m^3.

   Cuando se haya acabado el vertido del hormigón, es fundamental vaciar de hormigón sobrante de la cuba para evitar que éste fragüe dentro de la misma. El conductor del camión debe entregar en obra un albarán que contiene los datos básicos del hormigón suministrado (tipo de hormigón, aditivos, hora de fabricación, hora de carga, volumen de hormigón…). En la fotografía se observa un camión hormigonera cargando en una planta de hormigones.

Camión hormigonera durante la carga de hormigón

Las bombas de hormigón son máquinas que impulsan el hormigón a través de una tubería articulada. Se suele emplear en el hormigonado de estructuras y cuando no se posee de una grúa fija en obra. La bomba va montada sobre un camión y el proceso de trabajo se basa, principalmente, en un camión hormigonera que descarga su contenido

en la tolva de la bomba y de allí es bombeado hacia la tubería, por cuyo extremo se vierte el hormigón. El hormigón para bombeo es un hormigón especial pues ha de contener aditivos específicos para este uso.

Bomba de hormigón

Actividad 1

Indica las que formen parte de los accesorios básicos de seguridad:

- ☐ a) Protector acústico.
- ☐ b) Ropas de protección con gran movilidad.
- ☐ c) Guantes.
- ☐ d) Todas son correctas.

Las autohormigoneras son máquinas que fabrican el hormigón en la propia obra. Para ello los ingredientes se introducen por la tolva y son amasados y transportados a la vez. El hormigón así fabricado no es de calidad, por lo que se emplea en obras de difícil acceso a camiones hormigonera para ejecutar aceras, bordillos, hormigón de limpieza…

Autohormigonera

Para acabar con las máquinas relacionadas con el hormigón, se citará la extendedora de hormigón, como se muestra en la fotografía. Se trata de la máquina empleada para la construcción de pavimentos de hormigón.

Extendedora de hormigón

2.2.2. Utilidades y manejo

Una de las utilidades de la hormigonera es la preparación del mortero. Éste sirve para colocar ladrillos, bloques y piedras; aplicar enlucidos sobre fachadas; preparar capas sobre suelos de hormigón y otros innumerables trabajos de construcción.

El mortero está compuesto por cemento (aglomerante), arena de construcción (conglomerado) y agua. A veces se puede usar cal para obtener un mortero más plástico. La dosificación del mortero para un saco de cemento depende de la aplicación del mismo.

Otra de las utilidades de la hormigonera es la preparación del hormigón. Este sirve para efectuar numerosos trabajos en las obras de construcción (cimientos, solerías...). Para mejorar la resistencia del hormigón se le añade mallazo (de acero) y se obtiene hormigón armado. El hormigón armado está compuesto por cemento (argamasa), arena de construcción (conglomerado), grava (conglomerado) y agua. La dosificación del hormigón para un metro cúbico depende de la aplicación del mismo.

Los pasos a seguir para preparar la masa a pequeña escala en la hormigonera son los siguientes:

1. Verter dos litros de agua dentro de la cuba de la hormigonera. Añadir la arena para el mortero. Echar primero la grava y a continuación la arena para el hormigón.

2. Dejar que se mezcle durante dos minutos. Verter otros dos litros de agua y añadir el cemento.

3. Ir incorporando el agua necesaria hasta obtener la consistencia de la mezcla deseada para el mortero o para el hormigón.

No se debe parar nunca la hormigonera en plena carga. Algunos modelos más potentes pueden pararse con la cubeta llena y después ponerse en marcha de nuevo. La utilización de una hormigonera eléctrica o diesel ofrece diversas ventajas: se ahorra tiem-

po, se pueden emprender trabajos de mayor envergadura y se obtiene una mezcla más homogénea tanto de mortero como de hormigón.

Para facilitar el trabajo y ganar tiempo (sobre todo cuando no se dispone del equipo necesario o no se está acostumbrado a realizar este tipo de trabajo), pueden utilizarse sacos de mortero y hormigón predosificados. Con sólo incorporar agua al contenido del saco, se obtiene una mezcla homogénea y no se corre el riesgo de equivocarse con la dosificación y, como consecuencia, alterar la calidad del trabajo.

También se pueden añadir aditivos al mortero o al hormigón de base que aportan distintas cualidades, y se eligen en función de la aplicación que se le vaya a dar al producto.

2.2.3. Mantenimiento y limpieza

En este apartado se realizan las siguientes operaciones de mantenimiento y limpieza de manera general:

1. Si se opta por una hormigonera eléctrica, comprobar que la electricidad llega hasta la obra.
2. No se debe engrasar nunca ni el piñón ni la corona de las hormigoneras (a no ser que lo contemple el fabricante).
3. Cuando se haya terminado la obra, limpiar la parte interior de la cubeta de las hormigoneras con agua.
4. Realizar una puesta a punto al motor eléctrico o de gasolina cada vez que lo contemple el fabricante.
5. No sobrecargar la cubeta de las hormigoneras.
6. Guardar las hormigoneras en un lugar seco y lejos del alcance de los niños.

2.2.4. Mantenimiento preventivo básico de la hormigonera

El mantenimiento preventivo de la hormigonera es fundamental para:

- Garantizar la calidad de la mezcla.
- Evitar averías.
- Aumentar la vida útil de la máquina.
- Mejorar la seguridad durante el trabajo.

Las principales operaciones de mantenimiento son las siguientes:

1. Limpieza del tambor

Después de cada uso debe eliminarse completamente el hormigón adherido al interior del tambor para evitar:

- Endurecimientos.

- Pérdida de capacidad.
- Desequilibrios.
- Daños mecánicos.

La limpieza suele realizarse con:

- Agua.
- Herramientas manuales.
- Sistemas automáticos de lavado.

2. Revisión del motor

Debe comprobarse periódicamente:

- Nivel de aceite.
- Refrigeración.
- Combustible.
- Estado de filtros.
- Funcionamiento general.

3. Inspección del sistema de transmisión

Se revisará:

- Tensión de correas.
- Desgaste de engranajes.
- Cadenas.
- Elementos de unión.

Un desgaste excesivo puede provocar fallos de funcionamiento.

4. Engrase de elementos móviles

Las partes móviles deben lubricarse regularmente para reducir:

- Fricción.
- Desgaste.
- Calentamientos.

5. Revisión de palas interiores

Las palas del tambor sufren desgaste continuo por abrasión de áridos y cemento. Debe comprobarse:

- Deformación.

- Desgaste.
- Fijaciones.
- Estado general.

6. Comprobación eléctrica o hidráulica

En función del tipo de hormigonera, se revisará:

- Cableado eléctrico.
- Conexiones.
- Bombas hidráulicas.
- Latiguillos.
- Sistemas de accionamiento.

7. Verificación de ruedas y chasis

En hormigoneras móviles se inspeccionará:

- Presión y estado de neumáticos.
- Estabilidad.
- Soldaduras.
- Posibles grietas del bastidor.

8. Revisión de sistemas de seguridad

Debe comprobarse el correcto funcionamiento de:

- Protecciones mecánicas.
- Interruptores.
- Frenos.
- Dispositivos de parada de emergencia.

9. Protección frente a la corrosión

El contacto continuo con agua y cemento favorece la oxidación. Por ello deben limpiarse y protegerse adecuadamente las partes metálicas.

10. Inspección diaria del operador

Antes de comenzar el trabajo debe realizarse una revisión visual para detectar:

- Fugas.
- Ruidos anómalos.

- Vibraciones.
- Piezas sueltas.
- Acumulaciones de hormigón endurecido.

El mantenimiento preventivo permite aumentar la seguridad, reducir averías y garantizar una correcta fabricación del hormigón en obra.

2.3. Bulldozer o buldócer

2.3.1. Componentes principales del bulldozer o buldócer

El bulldozer o buldócer es una máquina pesada de gran potencia utilizada principalmente para:

- Empujar tierras.
- Abrir caminos.
- Realizar desmontes.
- Nivelar terrenos.
- Y mover grandes volúmenes de material.

Se caracteriza por disponer de una gran hoja frontal y, habitualmente, por desplazarse mediante cadenas, lo que le proporciona gran estabilidad y capacidad de tracción en terrenos difíciles.

Los principales componentes del bulldozer son los siguientes:

1. Motor

Es el elemento que proporciona la potencia necesaria para el desplazamiento y trabajo de la máquina. Generalmente son motores diésel de elevada potencia y resistencia.

2. Chasis

Es la estructura principal que soporta todos los elementos del bulldozer. Debe resistir grandes esfuerzos mecánicos y vibraciones durante el trabajo.

3. Hoja empujadora

Es el elemento frontal utilizado para:

- Empujar materiales.
- Nivelar terrenos.
- Abrir pistas.
- Y desplazar tierras.

Existen distintos tipos de hojas:

- Hoja recta.
- Hoja angular.
- Hoja universal.

La elección depende del trabajo a realizar.

4. Sistema hidráulico

Permite accionar:

- La elevación.
- Inclinación.
- Y orientación de la hoja frontal.

Está formado por:

- Bombas hidráulicas.
- Cilindros.
- Latiguillos.
- Y válvulas de control.

5. Tren de rodaje

En la mayoría de bulldozers está compuesto por:

- Cadenas.
- Ruedas guía.
- Rodillos.
- Y ruedas motrices.

Las cadenas permiten trabajar en terrenos blandos, irregulares o con poca adherencia.

6. Cabina de conducción

Es el puesto desde el que el operador controla la máquina. Dispone de:

- Mandos de dirección.
- Palancas hidráulicas.
- Panel de instrumentos.
- Asiento ergonómico.
- Y sistemas de protección antivuelco.

7. Sistema de transmisión

Transmite la potencia del motor al tren de rodaje. Puede ser:

- Mecánico.
- Hidrostático.
- O powershift.

8. Escarificador o ripper

Muchos bulldozers incorporan en su parte trasera un escarificador o ripper, utilizado para:

- Romper terrenos compactos.
- Fracturar roca blanda.
- Y facilitar posteriores trabajos de excavación.

9. Sistema de dirección y frenado

Permite controlar la trayectoria y detener la máquina con seguridad durante las maniobras.

10. Elementos de seguridad

Entre ellos destacan:

- Estructura ROPS/FOPS.
- Cinturón de seguridad.
- Luces y señalización.
- Avisador acústico.
- Retrovisores.
- Cámaras de visión.
- Y sistemas de parada de emergencia.

2.3.2. Mantenimiento preventivo básico del bulldozer o buldócer

El mantenimiento preventivo del bulldozer es esencial para:

- Garantizar su rendimiento.
- Evitar averías.
- Aumentar la seguridad.
- Y prolongar la vida útil de la máquina.

Debido a las duras condiciones de trabajo a las que se somete, requiere revisiones periódicas y un control constante de sus componentes.

Las principales operaciones de mantenimiento son las siguientes:

1. Comprobación de niveles

Antes del inicio de la jornada deben revisarse:

- Aceite del motor.
- Líquido refrigerante.
- Combustible.
- Aceite hidráulico.
- Y niveles de transmisión.

2. Revisión del sistema hidráulico

Debe comprobarse:

- Ausencia de fugas.
- Estado de cilindros.
- Latiguillos.
- Conexiones.
- Y presión de trabajo.

Las averías hidráulicas afectan directamente al manejo de la hoja y del ripper.

3. Inspección del tren de rodaje

Las cadenas y rodillos sufren gran desgaste debido al contacto continuo con el terreno.

Debe verificarse:

- Tensión de cadenas.
- Desgaste de zapatas.
- Estado de rodillos.
- Ruedas guía.
- Y ruedas motrices.

4. Limpieza de la máquina

Es importante eliminar:

- Barro.
- Piedras.
- Restos de tierra.
- Y materiales acumulados.

Especialmente en el tren de rodaje y sistema hidráulico.

5. Engrase periódico

Las partes móviles deben lubricarse regularmente para reducir:

- Fricción.
- Desgaste.
- Y calentamientos.

6. Revisión de la hoja empujadora

Debe comprobarse:

- Desgaste del filo.
- Deformaciones.
- Fisuras.
- Tornillería.
- Y estado de los cilindros hidráulicos.

7. Comprobación del escarificador o ripper

En caso de disponer de este elemento, debe revisarse:

- Desgaste de dientes.
- Fijaciones.
- Y funcionamiento hidráulico.

8. Revisión de frenos y dirección

Antes de trabajar se verificará:

- Respuesta de dirección.
- Sistema de frenado.
- Mandos de control.
- Y maniobrabilidad general.

9. Inspección de elementos de seguridad

Debe comprobarse el correcto funcionamiento de:

- Cinturón de seguridad.
- Luces.
- Avisadores acústicos.

- Retrovisores.
- Estructura antivuelco.
- Y sistemas de emergencia.

10. Inspección diaria del operador

El operador debe realizar una revisión visual previa para detectar:

- Fugas.
- Piezas sueltas.
- Grietas.
- Ruidos anómalos.
- O daños estructurales.

El mantenimiento preventivo del bulldozer reduce averías, mejora la productividad y garantiza unas condiciones de trabajo más seguras en obra.

3. Maquinaria para obras de firmes para carreteras

Los tipos de máquinas empleados en obras de carreteras son numerosísimos, razón por la que en este apartado del tema exponemos sólo los más utilizados. De cada máquina describiremos brevemente las características del trabajo que realiza.

3.1. Camiones con basculante

El camión con basculante o camión volquete es un camión cuya carrocería es un volquete o bañera. El volquete se fija sobre el bastidor y se acciona mediante un cilindro/gato hidráulico. También existen camiones cuyo volquete es amovible: los camiones con gancho portacontenedor (o camiones con brazo articulado) si están equipados de un brazo hidráulico, o los camiones portacontenedores de cadenas, que permiten montar diferentes volquetes.

En general, la basculación del volquete se hace por la parte trasera. Cuando es posible hacer la oscilación del volquete de lado, se trata de un camión de volquete bilateral. Existen también camiones trilaterales en los que el volquete puede bascular tanto a la derecha, a la izquierda como hacia atrás. Un camión volquete puede estar equipado de una grúa auxiliar que facilita la carga y descarga.

Algunos volquetes son concebidos para un uso específico: los volquetes cerealeros para el transporte de cereales o de granulados a granel, y los volquetes escolleras para el transporte de bloques de piedra. Aunque la mayor parte de los volquetes cerealeros están hechos de aluminio, el volquete escollera está hecho de acero reforzado y su configuración es semicilíndrica para amortiguar la caída de las rocas. Este tipo de volquete se puede encontrar en los camiones de obra y dúmperes articulados.

Camión basculante

Camión volquete escollera

3.2. Palas cargadoras

La pala cargadora es una máquina idónea para labores de extracción y movimiento de tierras. No sólo se emplea en carreteras: son imprescindibles en canteras o plantas productoras de hormigón para cargar áridos.

Existen dos tipos fundamentales: la pala cargadora sobre ruedas y la pala cargadora sobre cadenas. Si el terreno de trabajo es uniforme, la cargadora de ruedas es la indicada, pero si el terreno es abrupto se emplea la de cadenas. Si la pala debe arrancar terreno, poseerá dientes en su zona delantera inferior. Si el terreno es blando o ya ha sido movido, la pala tendrá un acabado liso. La falta de dientes en la pala cargadora nos indica en este caso que trabaja en zonas blandas con tierras ya movidas.

Pala cargadora3

2.3. Retroexcavadoras

Este tipo de máquinas se emplean allá donde se necesite excavar el suelo, siempre que este no sea muy duro. Durante la excavación, el movimiento del brazo es de adelante hacia atrás (de ahí el nombre). Zanjas, pozos, rebajes, desmontes, pequeñas demoliciones y un largo etcétera son los trabajos que realiza. Los distintos modelos se diferencian en el sistema de desplazamiento (ruedas o cadenas), en la longitud del brazo y en la potencia. A una misma máquina se pueden acoplar cucharas de diferentes anchuras u otros aperos como el martillo hidráulico que se emplea para romper suelos rocosos, hormigón, pavimentos antiguos, etc. En la fotografía de la página anterior vemos un ejemplo de retroexcavadora sobre ruedas y en la fotografía siguiente se muestra un martillo neumático montado sobre el brazo de una retropala. Existe una versión manual del martillo (en este caso neumático) de uso muy frecuente en obras de vías urbanas para romper aceras, pavimentos, soleras, etc. En este último caso junto al martillo encontramos siempre un compresor de aire (accionado con motor de explosión) que suministra el aire comprimido al martillo. El manejo de esta máquina requiere protectores oculares y auditivos. Aun así su manejo durante periodos prolongados es perjudicial para la salud del operario, debido a las vibraciones que transmite.

Retroexcavadora

Recuerda que...

Existen dos tipos fundamentales de palas cargadoras:

a) La pala cargadora sobre ruedas.

b) La pala cargadora sobre cadenas.

Martillo hidráulico montado en una retropala

Actividad 2

Indica la/s que creas son características de un volquete de escollera:

- ☐ a) Está hecho de acero reforzado.
- ☐ b) Es semicilíndrico.
- ☐ c) Es un volquete normal.
- ☐ d) Las respuestas a) y b) son correctas.

Existen máquinas que son a la vez pala cargadora y retroexcavadora: se trata de las ya citadas retropalas y son muy versátiles aunque poco potentes y de tamaño mediano.

Retropala

Para excavaciones de pequeñas zanjas se pueden emplear modelos muy pequeños (*minis*).

Para excavaciones de cimientos profundos, como pozos de cimentación o muros pantalla, se emplean las enormes retroexcavadoras de cuchara bivalva, que pueden excavar a profundidades superiores a los 12 m (ver fotografía). Existen incluso cucharas bivalvas redondas para la excavación de pozos circulares.

3.4. Esparcidora de áridos

Existen diferentes tipos de maquinaria dedicadas a esparcir áridos. Así podemos hablar de esparcidoras de granos, legumbres u otros cereales; de las esparcidoras de abonos como el estiércol; de las destinadas a esparcir arena o sal; de las destinadas a esparcir materiales rocosos como las arenas o las gravas empleados en las argamasas, etc.

Comentaremos la gravilladora o esparcidora de áridos.

Existen dos tipos de máquinas extendedoras de gravilla, también denominadas gravilladoras:

- **Extendedora de gravilla sobre camión o rampa de extendido**: A la caja basculante del camión se le acopla un extendedor desmontable que puede incorporar un tornillo sin fin para mejorar la distribución de la gravilla. La gravilla cae de la caja cuando bascula y llega al extendedor, que es una chapa de forma parabólica con unos separadores que uniformizan el extendido al caer al suelo. Un operario regula la apertura de la rampa para determinar la cantidad de árido a extender. El camión debe circular marcha atrás para no pisar el riego sin gravilla.
- **Extendedora de gravilla remolcada**: En este caso el extendedor se remolca por un camión que suministra la gravilla a la pequeña tolva de la extendedora, distribuyéndola según la velocidad del camión. Un tornillo sin fin distribuye la gravilla de forma uniforme. Esta máquina se limita a las gravas gruesas y la construcción de arcenes.

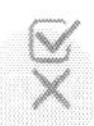

Actividad 3

Indica la respuesta correcta: La extendedora de gravilla sobre camión:

☐ a) La remolca el camión.

☐ b) Está indicada para gravas gruesas.

☐ c) El camión debe circular marcha atrás.

☐ d) Todas son falsas.

3.5. Cisternas de riego

Nos referiremos, en este apartado, al **camión cisterna**, entendiendo por tal el vehículo provisto de una cisterna para el transporte de líquidos y agua potable o para riego, combustibles crudos o refinados, gases líquidos, corrosivos, etc.

Las capacidades de los camiones cisterna son muy variables, desde los 1.000-2.000 litros de los pequeños camiones cuba hasta superar los 20.000 litros. Normalmente, no interesa conocer exactamente el volumen de líquido transportado, sino su peso, ya que los camiones cisterna deben respetar los límites de dimensiones y pesos regulados por el Reglamento General de Vehículos para estos.

Los camiones cisterna se diferencian entre sí, tanto por el tipo de autobastidor como por la forma de la cisterna. Ésta puede ser: paralelepipédica, de sección elíptica (para el transporte de combustibles para automóviles) y de sección circular (para el transporte de gases licuados del petróleo).

El material de que está hecha la cisterna puede ser chapa vitrificada interiormente, de aluminio u otras aleaciones ligeras, plástico, acero inoxidable e incluso caucho.

Cualquiera que sea el material empleado para la construcción de las cisternas, sus paredes deben poseer un espesor que garantice una resistencia equivalente, al menos, a la de las paredes de chapa de acero dulce de 2,5 mm de espesor.

Las cisternas deben ser absolutamente estancas y las mayores han de poseer al menos una abertura, que permita el paso de un hombre para su inspección y limpieza. Interiormente van provistas de diafragmas rompeolas cuya finalidad consiste en frenar el movimiento del líquido en sentido longitudinal. Dichos diafragmas ocupan toda la sección transversal de la cisterna a excepción de la base y la parte más alta, donde se hallan unas pequeñas aberturas de equilibrio.

El transporte de materiales líquidos a las obras se realiza en cubas montadas sobre camión. Las cubas más empleadas son las que contienen agua y las que contienen emulsiones bituminosas. Las primeras riegan las capas de suelos o zahorras antes de ser compactadas, ya que la compactación requiere humedad.

El caso de las cubas para emulsiones bituminosas es diferente. Se trata de cubas dotadas de una barra trasera que contiene numerosos aspersores. Por ellos y a presión sale la emulsión bituminosa, empleada en riegos de imprimación, de adherencia, en tratamientos superficiales mediante riego con gravilla, etc.

Emulsión asfáltica con camión cisterna

Recuerda que...

En los vehículos cisterna, normalmente, no interesa conocer exactamente el volumen de líquido transportado, sino su peso.

3.6. Mototraíllas

En obras grandes, donde el volumen de las tierras que hay que mover es elevado, resulta ventajoso el empleo de las mototraíllas (fotografía página siguiente). Esta máquina carga el material en su tolva central inclinando la parte delantera de la misma y abriendo la trampilla inferior, al tiempo que avanza sobre el material. Acabado el llenado de la tolva, cierra la trampilla. Después se dirige a la zona donde el material deba ser extendido y una vez allí, sin detenerse, abre la trampilla soltando el material de la tolva y extendiéndolo hacia el exterior merced a una cuchilla posterior hidráulica. Como vemos, la máquina realiza todo el trabajo en movimiento continuo y sin la ayuda de otras máquinas. De no contar con traíllas, este conjunto de tareas requieren el uso simultáneo de retroexcavadoras y camiones volquetes o dumpers.

Las traíllas tienen una gran capacidad de carga y pueden transitar con facilidad por terrenos irregulares. También existe la traílla, cuya función es similar a la mototraílla,

con la diferencia de que requiere ser remolcada por una cabeza tractora al carecer de un sistema propio de propulsión. No obstante, es muy común en obra llamar traíllas a las mototraíllas.

Para terminar con esta máquina, diremos que su manejo no resulta fácil, debiendo ser realizado por conductores expertos.

Mototraílla

3.7. Niveladoras

La niveladora es una máquina versátil dentro de las dedicadas a movimiento de tierras (ver fotografía). Como sucede con la mototraílla, su manejo necesita un alto grado de especialización debido a sus múltiples funciones. Esta máquina se emplea para perfilar taludes en terraplenes y desmontes, así como las cunetas de carreteras y caminos, merced al grado de inclinación regulable de su cuchilla central. Ésta puede inclinarse a izquierda o a derecha verticalmente casi a 90 grados y girar horizontalmente. Otro trabajo básico que realizan es el extendido de gravas y zahorras.

Niveladora

Recuerda que...

Las traíllas tienen una gran capacidad de carga y pueden transitar con facilidad por terrenos irregulares.

3.8. Camiones y dumpers

Dumper

En las obras de carreteras el transporte de todo tipo de materiales se realiza normalmente en camiones dotados de volquete o en dumpers. El transporte puede ser dentro de la propia obra (suelos extraídos de una zona que son depositados en otra), o bien se pueden transportar fuera de la obra materiales que no se vayan a utilizar (vertederos). Asimismo, es habitual traer a las obras multitud de materiales procedentes de otros lugares (suelos procedentes de préstamos, hormigón, zahorras, mezclas bituminosas, aceros, etc.). Únicamente cuando el transporte discurre dentro de la obra se utilizan unos camiones especiales llamados dumpers (ver fotografía). Se emplean también en canteras. Se trata de vehículos muy robustos, mayores que los camiones con volquete, capaces de transitar por terrenos abruptos merced a sus grandes ruedas. Además, el volquete o caja de los dumpers está reforzado con nervios para soportar los golpes de rocas y las pesadas cargas a que se les somete. Los dumpers son rentables en obras de gran tamaño (tramos de autopista, por ejemplo).

Los camiones con volquete no requieren definición dado que son por todos conocidos. La mayor parte de los materiales de construcción que llegan a las obras lo hacen a bordo de estos camiones. Existen camiones especializados en transportar maquinaria de obras públicas que no puede circular por carretera debido a sus características particulares o a su lentitud (compactadores, tractores de cadenas, retroexcavadoras, extendedoras, etc.). Estos camiones son comúnmente conocidos como góndolas. Otros camiones disponen de una grúa que se emplea en la descarga de determinados materiales que

no se pueden descargar por elevación del volquete: es el caso de prefabricados, aceros, señales de tráfico... El hormigón llega a obra mediante camiones hormigonera (ver apartado 2.2. Hormigoneras).

Actividad 4

Indica la respuesta correcta. La niveladora es una máquina que se usa en el movimiento de tierras para:

- ☐ a) Perfilar taludes en terraplenes.
- ☐ b) Realizar desmontes.
- ☐ c) Perfilar cunetas de caminos.
- ☐ d) Todas son correctas.

3.10. Extendedoras de aglomerado

La extendedora de aglomerado es la máquina que extiende las mezclas bituminosas en caliente en forma de capa delgada ligeramente compactada. Como se puede ver en la fotografía, la mezcla llega a obra a bordo de un camión con volquete. Dicho camión se coloca delante de la extendedora en punto muerto. La extendedora empuja lentamente al camión, al tiempo que éste eleva el volquete, con lo que la mezcla cae a la tolva que la extendedora posee. Tras la tolva existe un tornillo sin fin que homogeneiza la mezcla y la pasa a la extendedora propiamente dicha (zona trasera de la máquina), por la que sale la mezcla.

Extendedora

La extendedora (también conocida como asfaltadora) es una máquina precisa ya que el extendido que ejecuta tiene exactitud milimétrica. Sólo así se explica su capacidad para realizar peraltes y dar la inclinación deseada a las pendientes. Por su extremo posterior va extendiendo el aglomerado sirviéndose de unas guías o cordones laterales que previamente se han ido instalando a lo largo de los márgenes de la zona que se va a pavimentar, con el fin de que el sensor de la máquina (varilla lateral que sobresale hacia la cuneta) pueda captar el espesor de la capa asfáltica. De esta forma, si se hace una correcta instalación de los clavos o varillas por las que discurre apoyado el cordón guía, el resultado será óptimo. En zonas sobre las que ya existe un firme regular o pendientes bien definidas no se necesita dicho cordón guía, siendo suficiente con definir manualmente el espesor de la capa de aglomerado que se desea extender, ya que la guía es el pavimento sobre el que circula la máquina.

El conductor del camión debe entregar en obra una nota o albarán que contiene las características de la mezcla bituminosa suministrada: tipo de mezcla, tipo de betún, contenido en betún, hora de carga, etc.

3.11. Grúas

En las obras de carreteras y en general en todo tipo de obras se requiere maquinaria de elevación de cargas. Si durante la obra la necesidad es permanente, se instala una grúa fija (grúa torre, grúa Derrick, etc.). Así sucede en la construcción de estructuras de hormigón armado o pretensado, como los puentes. Se accionan por control remoto y están normalmente dotadas de una cabina superior para un mejor dominio y control de las operaciones por parte del gruísta.

Sin embargo, sucede con frecuencia que la necesidad de elevar cargas es puntual en el tiempo. En este caso se emplean los camiones grúa, como el de la fotografía. Gracias a ellos se pueden colocar, por ejemplo, las vigas prefabricadas de un puente, aunque sus posibilidades son variadísimas.

Grúa autopropulsada

Cuba para riegos bituminosos

Grúa torre dotada de cabina superior

Recuerda que...

El conductor del camión debe entregar en obra una nota o albarán que contiene las características de la mezcla bituminosa suministrada: tipo de mezcla, tipo de betún, contenido en betún, hora de carga, etc.

3.12. Fresadora de pavimentos

El fresado de un pavimento consiste en la eliminación del mismo mediante triturado o corte que produce un rebaje en la superficie. La fresadora es la máquina que ejecuta esta tarea (ver fotografía). El tambor de corte es la parte de la máquina dotada de giro que corta el pavimento a la profundidad deseada. Las fresadoras también recogen el asfalto u hormigón triturado y, mediante una cinta transportadora, lo depositan en el lugar deseado, que normalmente es el volquete de un camión que acompaña a la fresadora en su trabajo. El efecto del fresado es un rebaje de pocos centímetros en la capa objeto de reforma. La anchura del rebaje (que es la del tambor), oscila entre 40 y 200 cm, según modelos. En cuanto a la profundidad, existen potentes modelos que rebajan hasta 32 cm.

Las fresadoras se emplean en obras de rehabilitación de pavimentos deteriorados en el caso de que no se desee aumentar la altura de la carretera o calle. Mediante la retirada de la capa deteriorada y su sustitución por la nueva, la carretera renovada queda a la misma cota. El aglomerado retirado puede ser reciclado.

Fresadora de pavimentos

Solución a las actividades

Actividad 1.

- [ ] a) Protector acústico.
- [ ] b) Ropas de protección con gran movilidad.
- [ ] c) Guantes.
- [x] d) Todas son correctas.

Actividad 2.

- [ ] a) Está hecho de acero reforzado.
- [ ] b) Es semicilíndrico.
- [ ] c) Es un volquete normal.
- [x] d) Las respuestas a) y b) son correctas.

Actividad 3.

- [ ] a) La remolca el camión.
- [ ] b) Está indicada para gravas gruesas.
- [x] c) El camión debe circular marcha atrás.
- [ ] d) Todas son falsas.

Actividad 4.

- [ ] a) Perfilar taludes en terraplenes.
- [ ] b) Realizar desmontes.
- [ ] c) Perfilar cunetas de caminos.
- [x] d) Todas son correctas.

TEST

TEST N.º 5

Sistemas de refrigeración y lubricación. Tipos, características y funcionamiento. Lubricación y engrase en los vehículos. Elementos que lo componen. Averías y sus consecuencias. Engrases de piezas móviles. Tipos de lubricantes: aceites, valvolinas, grasas, fluidos hidráulicos, líquidos de dirección y frenos. Empleo y cuidados. Líquidos de refrigeración: mantenimiento, niveles y conservación

1. ¿Cuál es la finalidad principal del circuito de refrigeración en el motor?

a) Calentar el aceite del cárter para mejorar la lubricación inicial.
b) Absorber parte del calor generado para evitar que el motor sufra daños (gripar).
c) Incrementar la temperatura de los gases de escape para el catalizador.
d) Reducir el consumo de combustible mediante el enfriamiento de la gasolina.

2. ¿En qué principio físico se basa la circulación de refrigerante por termosifón?

a) En el uso de una bomba mecánica que acelera el caudal de agua.
b) En aprovechar la tendencia natural del agua caliente a establecer una corriente ascendente respecto a la fría.
c) En la presurización del líquido mediante válvulas de descarga neumática.
d) En el accionamiento de un ventilador eléctrico que empuja el agua fría hacia el bloque.

3. ¿Cómo regula el termostato el caudal de agua hacia el radiador en función de la temperatura?

a) Se mantiene siempre abierto y regula el paso mediante una electroválvula de vacío.
b) Corta el paso de agua a 95 ºC y lo deja pasar todo cuando el motor está frío.
c) Corta el paso de agua a motor frío, a 85 ºC deja pasar parte y a 95 ºC lo deja pasar todo.
d) Abre un orificio de retorno cuando la presión supera los 1,5 kg/cm2.

4. ¿Qué característica operativa tienen los tapones de presión en los circuitos cerrados de refrigeración?

a) Mantienen la presión constante a 10 kg/cm2 en todo momento.
b) Disponen de una única válvula de vacío que se abre al arrancar el motor.
c) Están sellados herméticamente y no permiten liberar presión bajo ninguna circunstancia.
d) Tienen una válvula que abre hacia arriba venciendo la oposición de un muelle cuando la presión aumenta (a 1,5 kg/cm2).

5. ¿Qué ventaja operativa presentan los circuitos de refrigeración sellados frente a los cerrados?

a) No se pierde líquido en el circuito, luego no es necesario rellenar y, además, no entra aire con la depresión, ya que lo hace el líquido del vaso.
b) Carecen de vaso de expansión, lo que reduce el peso y volumen total del motor.
c) Trabajan a temperaturas por debajo de los 60 ºC, aumentando la densidad de la mezcla.
d) Eliminan la necesidad de utilizar líquido anticongelante durante el invierno.

6. ¿Qué solución se aplica en los motores refrigerados por aire para compensar el bajo coeficiente de transmisión térmica metal-aire?

a) Se inyecta agua pulverizada directamente sobre los cilindros.
b) Se emplean elevados caudales de aire, lo que se logra con la ayuda de un ventilador; también se aumenta la superficie en contacto con el aire empleando aletas.
c) Se construyen los cilindros exclusivamente en acero de alta densidad térmica.
d) Se eliminan las aletas exteriores para facilitar el flujo aerodinámico a altas velocidades.

7. ¿Qué tipo de bomba de agua se emplea habitualmente en los circuitos de refrigeración del automóvil?

a) Bomba de engranajes helicoidales.
b) Bomba de émbolos o pistones recíprocos.
c) Bomba de engrase por barboteo.
d) Bomba de tipo centrífugo.

8. ¿Cómo funciona mecánicamente el elemento sensible de un termostato de refrigeración tradicional?

a) Es un sensor piezoeléctrico que emite una señal de voltaje a la centralita del motor.
b) Es un resorte bimetálico que se contrae por el paso del calor.
c) Es un termocontacto que activa un embrague electromagnético al alcanzar 82 ºC.
d) Normalmente son unas cápsulas de cera que al dilatarse obligan a la válvula a abrirse.

9. ¿Qué mezcla base se emplea habitualmente como anticongelante en los sistemas sellados?

a) Una disolución de agua y glicol etilénico al 50 % que da un punto de congelación de –35 ºC.
b) Una mezcla de agua destilada y alcohol isopropílico concentrado al 10 %.

c) Una solución pura de queroseno refinado que solidifica a –50 ºC.
d) Una mezcla de aceite mineral y glicerina líquida protectora.

10. ¿Qué función física cumple la botella de expansión dentro del circuito de refrigeración?

a) Depurar el refrigerante de las pequeñas impurezas metálicas desprendidas del bloque.
b) El exceso de agua (al aumentar la temperatura) circulará del radiador a la botella y de esta al radiador cuando la temperatura disminuya.
c) Enfriar mecánicamente el agua antes de que retorne de nuevo hacia la culata.
d) Homogeneizar la mezcla de líquido anticongelante y agua introducida en el motor.

11. Al verificar la tensión de la correa de la bomba de agua en la fase de mantenimiento, ¿qué tolerancia es correcta?

a) Se mide la flecha que debe estar entre 1 y 3 mm.
b) Se mide la flecha que debe estar entre 15 y 20 mm.
c) Se mide la flecha que debe estar entre 5 y 10 mm.
d) Se mide la flecha que debe estar entre 10 y 15 cm.

12. Si tras arrancar en frío se observa que el motor tarda excesivamente en alcanzar su temperatura de régimen ideal, ¿cuál suele ser la causa de la avería?

a) El panel del radiador está totalmente obstruido por suciedad exterior.
b) La bomba de agua gira en sentido inverso por una avería en la polaridad eléctrica.
c) El tapón de presión del vaso expansor tiene el tarado excesivamente bajo.
d) Casi siempre es debido a que el termostato permanece abierto de continuo.

13. ¿De dónde capta el calor el sistema de calefacción estándar para calentar el habitáculo del vehículo?

a) Se aprovecha el líquido de refrigeración del motor, a través de un circuito en paralelo al radiador principal.
b) De una resistencia eléctrica independiente situada sobre el colector de escape del bloque.
c) De los gases de escape, que se introducen directamente tras un proceso de filtrado.
d) Del intercambiador térmico conectado al cárter inferior del aceite del motor.

14. ¿Qué dos tecnologías de motoventilador se emplean en el calefactor para variar sus revoluciones?

a) De escobillas de carbono recambiables y de turbina axial continua.
b) De imanes permanentes y de devanado inductor.
c) De moderna inducción estática y de propulsión rotativa por vacío.
d) De arrastre mecánico directo y de émbolos excéntricos.

15. ¿Cómo se realiza la lubricación específica de los pistones y los cilindros en el interior del bloque?

a) Mediante inyección directa de fluido a presión desde las válvulas superiores de la culata.
b) A través de la potente succión de la bomba de vacío secundaria del cárter.
c) Los pistones y los cilindros se van a lubricar por la acción de centrifugado del aceite que se realiza en los cojinetes de biela.
d) Manteniéndolos sumergidos constantemente en el fluido de la caja de cambios.

16. ¿Qué método de lubricación es el más empleado en los motores de combustión de los vehículos actuales?

a) El engrase exclusivo por barboteo mecánico.
b) El engrase presurizado total estricto y sin derivaciones.
c) El engrase mixto.
d) El engrase por mezcla continua de aceite con combustible.

17. ¿A qué presión está tarada y suele disparar completamente la válvula de descarga del circuito de aceite?

a) Suelen disparar completamente cuando la presión se encuentra entre los 4,5 o 5 bares.
b) Disparan a una presión de 1,5 kg/cm2 exactos.
c) Disparan siempre que la presión descienda por debajo de 1 bar.
d) Suelen disparar completamente a un régimen constante de 10 o 15 bares.

18. ¿Cuál es la disposición de los componentes internos de una bomba de aceite de lóbulos?

a) Dos engranajes rectos e idénticos de diez dientes entrelazados cada uno.
b) Lleva dos rotores. Uno de ellos está formado por cuatro lóbulos y gira por acción del árbol de levas. El otro, con forma de anillo que rodea al anterior y giro libre, tiene cinco lóbulos.
c) Una turbina dotada de álabes flexibles accionada mediante una polea o correa dentada.
d) Un émbolo oscilante que comprime directamente el aceite contra una pared ciega del cárter.

19. ¿De qué manera reducen la contaminación los sistemas actuales de ventilación de gases del cárter?

a) Los filtran a través de un tubo de escape secundario instalado en paralelo.
b) Los derivan al filtro de habitáculo para su depuración acústica previa a la salida.

c) Actualmente estos gases son ventilados de forma cerrada y devueltos de nuevo a los cilindros, sin verterlos al exterior.

d) Los incineran mediante un calentador auxiliar situado en las proximidades del radiador principal.

20. De los gases expulsados por el escape, ¿cuáles están clasificados como contaminantes principales no nocivos derivados de la combustión?

a) El monóxido de carbono, los hidrocarburos pesados y el ozono residual.
b) El óxido de nitrógeno y los óxidos de azufre generados en alta compresión.
c) Las partículas sólidas de hollín y el azufre incombusto.
d) Nitrógeno, agua y dióxido de carbono.

Solución al test n.º 5

1. b) Absorber parte del calor generado para evitar que el motor sufra daños (gripar).

2. b) En aprovechar la tendencia natural del agua caliente a establecer una corriente ascendente respecto a la fría.

3. c) Corta el paso de agua a motor frío, a 85 ºC deja pasar parte y a 95 ºC lo deja pasar todo.

4. d) Tienen una válvula que abre hacia arriba venciendo la oposición de un muelle cuando la presión aumenta (a 1,5 kg/cm2).

5. a) No se pierde líquido en el circuito, luego no es necesario rellenar y, además, no entra aire con la depresión, ya que lo hace el líquido del vaso.

6. b) Se emplean elevados caudales de aire, lo que se logra con la ayuda de un ventilador; también se aumenta la superficie en contacto con el aire empleando aletas.

7. d) Bomba de tipo centrífugo.

8. d) Normalmente son unas cápsulas de cera que al dilatarse obligan a la válvula a abrirse.

9. a) Una disolución de agua y glicol etilénico al 50 % que da un punto de congelación de –35 ºC.

10. b) El exceso de agua (al aumentar la temperatura) circulará del radiador a la botella y de esta al radiador cuando la temperatura disminuya.

11. c) Se mide la flecha que debe estar entre 5 y 10 mm.

12. d) Casi siempre es debido a que el termostato permanece abierto de continuo.

13. a) Se aprovecha el líquido de refrigeración del motor, a través de un circuito en paralelo al radiador principal.

14. b) De imanes permanentes y de devanado inductor.

15. c) Los pistones y los cilindros se van a lubricar por la acción de centrifugado del aceite que se realiza en los cojinetes de biela.

16. c) El engrase mixto.

17. a) Suelen disparar completamente cuando la presión se encuentra entre los 4,5 o 5 bares.

18. b) Lleva dos rotores. Uno de ellos está formado por cuatro lóbulos y gira por acción del árbol de levas. El otro, con forma de anillo que rodea al anterior y giro libre, tiene cinco lóbulos.

19. c) Actualmente estos gases son ventilados de forma cerrada y devueltos de nuevo a los cilindros, sin verterlos al exterior.

20. d) Nitrógeno, agua y dióxido de carbono.

TEST N.º 6

El Motor: carburación: arranque en frío. Colector de admisión. Doble carburador (dual). Carburadores escalonados. Carburadores anticontaminantes. Carburadores cuádruples. Cárter. Calefacción de la mezcla. Compresores. Filtros de aire y gasolina. Alimentación del carburador. Averías en la carburación. Inyección de gasolina. Inyección eléctrica

1. ¿Qué relación teórica de aire y gasolina establece un carburador cuando el vehículo necesita desarrollar más potencia y requiere una mezcla rica?

a) 12/1 (doce partes de aire por una de gasolina).
b) 17/1 (diecisiete partes de aire por una de gasolina).
c) 20/1 (veinte partes de aire por una de gasolina).
d) 10/1 (diez partes de aire por una de gasolina).

2. El funcionamiento del difusor del carburador se basa en el efecto Venturi, un principio físico que relaciona la velocidad del gas con la succión generada. ¿Cómo se define esta relación?

a) La succión creada en el conducto es directamente proporcional a la temperatura del gas e inversamente proporcional a su humedad.

b) La succión o vacío creado en un conducto es directamente proporcional a la velocidad con que circula el gas, e inversamente proporcional al estrechamiento o sección de paso.

c) La succión es independiente de la velocidad del fluido y depende exclusivamente del diámetro de la válvula de mariposa.

d) La presión del conducto es directamente proporcional a la cantidad de combustible e inversamente proporcional al caudal del aire aspirado.

3. La inyección de gasolina ofrece ventajas técnicas respecto al carburador tradicional en la distribución y control de la mezcla. ¿Cuál de las siguientes es una ventaja característica de este sistema?

a) Incrementa el consumo en deceleración para refrigerar las válvulas.
b) Depende completamente de la depresión generada en el colector de admisión.

c) Logra un mejor reparto del combustible hacia aquellos cilindros más alejados.
d) Requiere una bomba de succión mecánica accionada por el árbol de levas.

4. En los motores de gasolina actuales, el lugar donde se forma la mezcla determina el tipo de inyección. ¿Qué sistemas predominan en la actualidad por realizar la mezcla fuera de la cámara de combustión?

a) Los sistemas de inyección directa a alta presión.
b) Los sistemas de carburación asistida electrónicamente.
c) Los sistemas de inyección en tubo de admisión o colector de admisión.
d) Los sistemas Common Rail de conducto común.

5. La tecnología de los sistemas de inyección diésel tipo Common Rail ha permitido incrementar drásticamente la fuerza de pulverización del combustible. ¿Qué presión máxima de inyección alcanzan los sistemas actuales?

a) 2000 bar de presión máxima.
b) 200 bar de presión máxima.
c) 800 bar de presión máxima.
d) 100 bar de presión máxima.

6. En la arquitectura del sistema diésel Common Rail, ¿cómo se gestionan la generación de presión y la inyección del combustible?

a) Ambas funciones se realizan conjuntamente mediante una bomba rotativa mecánica.
b) Se realizan de forma separada, la generación de presión es mecánica, mientras que la inyección es electrónica.
c) Ambas fases se ejecutan de manera electrónica a través de la bomba de transferencia.
d) Se llevan a cabo mediante un único inyector-bomba accionado por el árbol de levas central.

7. Las electroválvulas de los inyectores del sistema Common Rail dividen el suministro de combustible por ciclo de trabajo para optimizar el rendimiento del motor. ¿Cuáles son estas etapas de inyección?

a) Aspiración, compresión e ignición.
b) Inyección primaria y barrido de gases.
c) Pre inyección, inyección principal y post inyección.
d) Cebado inicial, inyección sostenida y corte rápido.

8. La bomba mecánica de membrana empleada en el circuito de alimentación de combustible es accionada por un componente mecánico del motor. ¿Qué elemento realiza este accionamiento?

a) La polea del alternador de corriente.
b) El eje de la mariposa de gases.

c) El piñón del cigüeñal directamente.
d) Una palanca que contacta con la excéntrica del árbol de levas.

9. El filtro de aire del sistema de alimentación de combustible separa las partículas gruesas sometiendo la corriente de aspiración a bruscos cambios de dirección. ¿Qué fuerza física aprovecha para realizar esta separación inicial?

a) La fuerza centrífuga.
b) La fuerza electromagnética.
c) La fuerza de gravedad.
d) La presión hidrostática.

10. En el carburador, el economizador regula el caudal suplementario de combustible en función de la depresión del colector. ¿De qué elemento principal está constituido este dispositivo?

a) Una válvula de retención de bola de acero.
b) Una válvula de membrana que abre un circuito en paralelo al del calibre principal.
c) Un inyector piezoeléctrico comandado por la unidad electrónica.
d) Una palanca excéntrica unida rígidamente a la mariposa estranguladora.

11. ¿Cuál es la finalidad funcional del econostato dentro de la estructura de un carburador?

a) Cortar el suministro de combustible cuando el vehículo desciende una pendiente prolongada.
b) Proporcionar el aire necesario exclusivamente durante el régimen de ralentí.
c) Aumentar la riqueza de la mezcla en las condiciones de funcionamiento a plena potencia.
d) Calentar la cámara de combustión antes del primer arranque en días fríos.

12. El dispositivo de arranque en frío del carburador produce un enriquecimiento de la mezcla al arrancar un motor a baja temperatura. ¿Qué mecanismo físico utiliza para aumentar la succión de gasolina en el surtidor principal?

a) Una resistencia eléctrica calefactora insertada en la cuba.
b) Una bomba de aceleración accionada a máxima presión.
c) Una inyección adicional directa sobre la válvula de escape.
d) Una mariposa estranguladora que restringe el paso de aire hacia el surtidor.

13. Cuando el motor de carburación se apaga, los pistones pueden continuar su movimiento por inercia aspirando mezcla residual. ¿Qué mecanismo evita que el circuito de baja siga suministrando combustible al detener la llave de contacto?

a) Una aguja cónica comandada por un electroimán que corta el calibre de ralentí.
b) Una compuerta térmica que sella la entrada de la cuba de nivel constante.

c) Un termocontacto que despresuriza el colector de admisión.
d) Un freno neumático aplicado directamente sobre la mariposa de gases.

14. Al apagar un motor equipado con carburador cesa la ventilación forzada, provocando un excesivo calentamiento de sus componentes anexos. ¿Qué fenómeno ocurre en la gasolina debido a este incremento de temperatura?

a) La vaporización de la gasolina en la cuba, en el cuerpo de bomba, en el surtidor, etc.
b) La cristalización inmediata del combustible en los conductos del ralentí.
c) La pérdida total de octanaje de la mezcla por la exposición estática al oxígeno.
d) La condensación del agua ambiental dentro de las paredes de la bomba de membrana.

15. En un carburador de doble cuerpo alimentado por una sola cuba, las mariposas de gases cuentan con un ensamblaje mecánico para apertura escalonada. ¿En qué momento inicia su apertura la mariposa del segundo cuerpo?

a) Exactamente cuando la del primer cuerpo supera el 10% de su recorrido útil.
b) De manera instantánea y simultánea junto con la del primer cuerpo desde el ralentí.
c) Cuando la del primer cuerpo no ha alcanzado los 2/3 de su abertura total.
d) Únicamente cuando la del primer cuerpo alcanza el 100% de su recorrido mecánico.

16. El sistema de inyección L-Jetronic inyecta combustible en el colector de admisión de forma controlada. ¿Qué dispositivo electrónico caracteriza a este sistema al ser el encargado principal de medir el volumen de aire admitido?

a) Un sensor piezoeléctrico de presión absoluta en el cárter.
b) Una termistencia ubicada a la salida del filtro de aceite.
c) Una bomba mecánica volumétrica de baja presión.
d) El caudalímetro.

17. La bomba eléctrica de combustible del sistema de inyección L-Jetronic emplea una cámara cilíndrica excéntrica para presurizar la gasolina. ¿Qué elementos giran impulsados por la fuerza centrífuga en su interior?

a) Cinco rodillos que se alojan en los alvéolos de la periferia de un disco.
b) Tres paletas de material plástico insertadas en un rotor estriado.
c) Dos engranajes rectos de acero endurecido cruzados en diagonal.
d) Un émbolo oscilante provisto de membrana flexible de goma.

18. En el sistema de alimentación de combustible multipunto, el regulador de presión ajusta la fuerza de impulsión hacia los inyectores basándose en un parámetro dinámico. ¿Qué parámetro de referencia utiliza para modular la presión?

a) La temperatura del líquido de refrigeración de la culata.
b) La presión reinante en el colector de admisión.

c) Las revoluciones por minuto del cigüeñal del motor.
d) El volumen exacto de gasolina almacenado en la rampa distribuidora.

19. En el sistema L-Jetronic, la unidad electrónica gestiona la cadencia inyectando la gasolina necesaria por ciclo de forma precisa y simultánea en todos los cilindros. ¿Cuántas veces es excitado o activado cada inyector por un ciclo completo de trabajo?

a) Cuatro veces por ciclo completo.
b) Una única vez por ciclo termodinámico.
c) Dos veces por ciclo.
d) Continuamente sin ninguna interrupción.

20. Para ajustar la dosificación de la inyección, la unidad de mando determina la temperatura del aire aspirado utilizando una sonda térmica emplazada en el caudalímetro. ¿Qué tecnología emplea este sensor?

a) Un potenciómetro rotativo de carbón.
b) Un sensor de efecto Hall.
c) Una sonda térmica de tipo NTC.
d) Una resistencia cerámica tipo PTC.

Solución al test n.º 6

1. a) 12/1 (doce partes de aire por una de gasolina).

2. b) La succión o vacío creado en un conducto es directamente proporcional a la velocidad con que circula el gas, e inversamente proporcional al estrechamiento o sección de paso.

3. c) Logra un mejor reparto del combustible hacia aquellos cilindros más alejados.

4. c) Los sistemas de inyección en tubo de admisión o colector de admisión.

5. a) 2000 bar de presión máxima.

6. b) Se realizan de forma separada, la generación de presión es mecánica, mientras que la inyección es electrónica.

7. c) Pre inyección, inyección principal y post inyección.

8. d) Una palanca que contacta con la excéntrica del árbol de levas.

9. a) La fuerza centrífuga.

10. b) Una válvula de membrana que abre un circuito en paralelo al del calibre principal.

11. c) Aumentar la riqueza de la mezcla en las condiciones de funcionamiento a plena potencia.

12. d) Una mariposa estranguladora que restringe el paso de aire hacia el surtidor.

13. a) Una aguja cónica comandada por un electroimán que corta el calibre de ralentí.

14. a) La vaporización de la gasolina en la cuba, en el cuerpo de bomba, en el surtidor, etc.

15. c) Cuando la del primer cuerpo no ha alcanzado los 2/3 de su abertura total.

16. d) El caudalímetro.

17. a) Cinco rodillos que se alojan en los alvéolos de la periferia de un disco.

18. b) La presión reinante en el colector de admisión.

19. c) Dos veces por ciclo.

20. c) Una sonda térmica de tipo NTC.

TEST N.º 7

Equipo eléctrico del automóvil: generadores, semiconductores, limitadores y reguladores, baterías y sistema de arranque, alumbrado y aparatos de medida y esquema general eléctrico. Averías más comunes y consecuencias posibles. Conocimientos básicos de funcionamiento

1. En el interior de los vasos de una batería de plomo, ¿cuál es la composición habitual del electrolito que baña las placas?

a) Dos partes de ácido sulfúrico y diez partes de agua destilada.
b) Cinco partes de ácido sulfúrico y cinco partes de agua destilada.
c) Tres partes de ácido sulfúrico y ocho partes de agua destilada.
d) Ocho partes de ácido sulfúrico y tres partes de agua destilada.

2. ¿Qué valor de tensión resulta necesario para conseguir una chispa eficaz dentro de los cilindros debido a la gran presión de los gases?

a) En torno a los 20.000 voltios.
b) Exactamente 12 voltios continuos.
c) Aproximadamente 500 voltios.
d) Entre 85 y 100 voltios.

3. ¿Cuál es la fórmula matemática que expresa y calcula la capacidad eléctrica de una batería?

a) $C = Uo \cdot I$
b) $C = V / t$
c) $C = R \cdot I$
d) $C = I \cdot t$

4. En las baterías denominadas sin mantenimiento, ¿qué aleación metálica sustituye al antimonio en el armazón de las placas?

a) Aleación de cadmio y níquel.
b) Aleación de calcio.

c) Aleación de plomo y zinc.
d) Aleación de hierro dulce y cobre.

5. ¿Qué conexión entre varias baterías debe realizarse cuando el vehículo necesita disponer de un mayor voltaje?

a) Conexión en serie, uniendo el borne negativo de la primera con el positivo de la segunda.
b) Conexión en paralelo, uniendo los bornes negativos entre sí y los positivos entre sí.
c) Conexión mixta, alternando un borne positivo a masa y el negativo al alternador.
d) Conexión en derivación directa mediante un puente rectificador de diodos cruzados.

6. ¿Cuántas espiras y de qué grosor conforman el arrollamiento secundario interno de la bobina de encendido?

a) Unas 200 a 300 espiras de 1 mm de diámetro.
b) Exactamente 1.000 espiras de 5 mm de diámetro.
c) Unas 20.000 espiras de hilo de 0,1 mm de diámetro.
d) Unas 5.000 espiras planas de 2 mm de grosor.

7. ¿Cuál es la medida exacta de separación a la que la leva del distribuidor abre los contactos del ruptor?

a) 0,10 mm.
b) 1,50 mm.
c) 0,80 mm.
d) 0,40 mm.

8. ¿De qué material específico están fabricados el martillo y el yunque que conforman los contactos del ruptor?

a) De cobre puro recubierto de cadmio.
b) De tungsteno o volframio recubiertos frecuentemente de platino.
c) De hierro dulce fundido con aleación de zinc.
d) De grafito sintético compactado con silicio.

9. ¿Qué componente eléctrico se coloca en el circuito primario para limitar el arco eléctrico entre los contactos del ruptor?

a) El condensador.
b) El puente rectificador de diodos.
c) El regulador de tensión.
d) La resistencia de carbón grafitado.

10. Para evitar la acumulación de hollín o la fusión de sus elementos, ¿en qué rango térmico debe mantenerse una bujía en funcionamiento?

a) Entre 100º C y 200º C.
b) Entre 900º C y 1.500º C.

c) Entre 500º C y 900º C.
d) Entre 85º C y 110º C.

11. ¿Qué característica física define el diseño estructural de una bujía fría destinada a motores muy potentes?

a) Posee un electrodo de masa doble y una longitud de rosca triplicada.
b) Carece de aislante exterior para favorecer el contacto directo con la culata.
c) El aislante es más largo y fino para retener el calor latente.
d) El aislante del electrodo central es más corto y grueso para evacuar rápidamente el calor.

12. En los sistemas de avance variable, ¿de qué factor depende mecánicamente el avance al encendido por contrapesos o centrífugo?

a) De la presión exacta del aceite en el cárter inferior.
b) De las revoluciones de giro del motor.
c) De la temperatura del líquido refrigerante.
d) De la depresión o vacío creado en el colector de admisión.

13. ¿Qué magnitud física gobierna y deforma la membrana en el sistema de avance al encendido por depresión?

a) La depresión del momento en el colector de admisión.
b) La temperatura de los gases emitidos por el escape.
c) La velocidad angular de la polea del cigüeñal.
d) La presión inyectada por la bomba eléctrica de gasolina.

14. ¿Qué conjunto de elementos convierte las ondas de las tres fases del alternador en corriente continua hacia la batería?

a) Las escobillas de carbón grafitado sobre los anillos rozantes.
b) Las masas polares alojadas en el estátor.
c) La carcasa porta-diodos o puente rectificador.
d) El regulador electromagnético de intensidad.

15. En la estructura de un alternador, ¿qué elemento recibe la corriente por excitación de la batería convirtiéndose en un electroimán móvil?

a) El estátor.
b) El rotor.
c) La carcasa porta-diodos.
d) El colector de delgas.

16. ¿Por qué motivo técnico no precisa de un disyuntor el grupo regulador asociado al alternador?

a) Porque el rotor carece de bobina inductora metálica.
b) Porque la velocidad de giro se autolimita mecánicamente por el ventilador frontal.

c) Porque la tensión inducida se frena mediante un condensador de seguridad.

d) Porque los diodos del puente rectificador impiden la descarga de la batería a través de los arrollamientos del estátor.

17. Para lograr la puesta en marcha de un motor térmico, ¿cuántas revoluciones debe proporcionarle inicialmente el motor de arranque?

a) Unas 50-60 rpm.
b) Unas 150-200 rpm.
c) Unas 800-900 rpm.
d) Unas 10-15 rpm.

18. ¿Cuál es la intensidad de corriente aproximada que requiere para funcionar el potente motor eléctrico de arranque?

a) Alrededor de 50 A.
b) Alrededor de 350 A.
c) Alrededor de 2 A.
d) Alrededor de 12 A.

19. ¿Qué mecanismo físico transmite el giro del motor de arranque a la corona del volante motor y evita su arrastre posterior?

a) El puente de diodos.
b) El relé o solenoide principal.
c) El mecanismo de inercia o Bendix.
d) El embrague electromagnético de escobillas.

20. ¿Qué dispositivo de alumbrado es obligatorio instalar en vehículos cuya anchura total supere los 2,10 metros?

a) Luz de trabajo posterior.
b) Luz antiniebla delantera.
c) Catadióptricos laterales triangulares.
d) Luz de gálibo.

Solución al test n.º 7

1. c) Tres partes de ácido sulfúrico y ocho partes de agua destilada.

2. a) En torno a los 20.000 voltios.

3. d) C = I · t

4. b) Aleación de calcio.

5. a) Conexión en serie, uniendo el borne negativo de la primera con el positivo de la segunda.

6. c) Unas 20.000 espiras de hilo de 0,1 mm de diámetro.

7. d) 0,40 mm.

8. b) De tungsteno o volframio recubiertos frecuentemente de platino.

9. a) El condensador.

10. c) Entre 500º C y 900º C.

11. d) El aislante del electrodo central es más corto y grueso para evacuar rápidamente el calor.

12. b) De las revoluciones de giro del motor.

13. a) La depresión del momento en el colector de admisión.

14. c) La carcasa porta-diodos o puente rectificador.

15. b) El rotor.

16. d) Porque los diodos del puente rectificador impiden la descarga de la batería a través de los arrollamientos del estátor.

17. a) Unas 50-60 rpm.

18. b) Alrededor de 350 A.

19. c) El mecanismo de inercia o Bendix.

20. d) Luz de gálibo.

TEST N.º 8

Transmisiones: tipos y elementos. Embragues: tipos, funcionamiento y averías. Cajas de cambio: tipos, funcionamiento y averías. Árboles de transmisión y rótulas. Conocimientos de grupo cónico, palieres y mandos finales. Tracción y propulsión y sus averías más frecuentes. Transmisiones hidrostáticas e hidrodinámicas. Sistema hidráulico

1. ¿Cuál es la misión fundamental del embrague en el momento de iniciar la marcha del vehículo o de modificar las relaciones de transmisión?

a) Incrementar exponencialmente el régimen de revoluciones para superar el par resistente de las ruedas de tracción.
b) Desconectar el motor de las ruedas en el momento de arrancar o realizar un cambio de marcha.
c) Enfriar el árbol primario mediante la circulación forzada de fluido hidráulico a alta presión térmica.
d) Conectar directamente el volante de inercia con el puente trasero sin interrupción ni resbalamiento progresivo.

2. ¿Qué características mecánicas debe reunir el embrague para lograr el máximo aprovechamiento de la energía en todo el régimen de funcionamiento?

a) Ser completamente rígido para evitar pérdidas torsionales en el eje longitudinal.
b) Funcionar exclusivamente en un entorno hermético mediante baño de aceite continuo.
c) Contar con un doble árbol de transmisión asimétrico para repartir las inercias dinámicas.
d) Debe ser resistente, rápido y seguro.

3. En la arquitectura del grupo propulsor, ¿dónde se ubica exactamente el mecanismo del embrague?

a) Entre el árbol motor o cigüeñal y el eje primario de la caja de cambios.
b) Entre el mecanismo diferencial de la caja de cambios y el árbol de transmisión longitudinal.

c) A la salida de los piñones del diferencial y justo antes de las juntas homocinéticas de los palieres.
d) Entre el pesado volante de inercia del propulsor y la pequeña polea tensora del alternador.

4. En la fabricación de los forros de fricción que recubren el disco de embrague, ¿qué material ha sido eliminado por motivos de salud?

a) El recubrimiento superficial de tungsteno.
b) La aleación pesada de plomo.
c) El amianto.
d) La resistente fibra de carbono.

5. Dentro de la constitución del plato o disco de presión, ¿qué elementos conectan mecánicamente la carcasa exterior y el plato de presión interno?

a) Muelles o diafragma.
b) Engranajes helicoidales entrelazados.
c) Casquillos de bronce grafitado.
d) Ruedas libres dentadas con muelles de retorno.

6. En la posición operativa de desembragado, ¿qué componente empuja directamente al plato de presión para liberar el disco de fricción?

a) El extremo dentado del árbol secundario.
b) El propio volante de inercia rotativo.
c) El collarín.
d) El sincronizador de bronce de primera velocidad.

7. En un sistema de mando hidráulico del embrague, ¿qué elemento mecánico recibe directamente el fluido a presión para mover el collarín de empuje?

a) Una válvula reguladora de presión estática.
b) Un cilindro receptor.
c) El fondo del cárter de aceite.
d) Un convertidor de par hidrodinámico.

8. En un embrague equipado con diafragma, ¿cómo se posiciona este resorte cuando el mecanismo se encuentra en posición de embragado?

a) Orientada permanentemente hacia el eje secundario de la caja de velocidades.
b) Totalmente plana y perpendicular al plano de fricción del volante motor.
c) La conicidad se dispone hacia dentro.
d) La conicidad del diafragma está orientada hacia fuera.

9. En el embrague de diseño automático centrífugo, ¿qué elementos generan la presión sobre el plato en función de la velocidad de giro del motor?

a) Contrapesos.
b) Potentes electroválvulas de actuación neumática.
c) Resortes concéntricos bimetálicos termosensibles.
d) Robustos discos de material cerámico puro.

10. Durante las labores de reparación y comprobación del disco de embrague, ¿qué útil de medición se requiere para verificar posibles imperfecciones geométricas?

a) Un micrómetro de exteriores de precisión micrométrica.
b) Un calibre pie de rey con mordazas templadas.
c) Un reloj comparador.
d) Una fina galga de espesores calibrada.

11. En los embragues electromagnéticos, ¿qué material se ubica en el entrehierro para efectuar físicamente la unión solidaria entre la bobina y la armadura?

a) Un fluido hidráulico viscoso de altísima densidad.
b) Polvo magnético.
c) Una capa sólida de grasa de litio conductiva.
d) Varios discos de ferodo flotantes de pequeño diámetro.

12. En la estructura de un embrague hidráulico, ¿qué forma geométrica particular poseen la corona motriz y la corona arrastrada dotadas de álabes?

a) Forma de disco plano completamente liso en su base.
b) Forma de cilindro excéntrico rectificado.
c) Forma de engranaje cónico con dentado recto.
d) Forma geométrica de semitoroide.

13. Para lograr el aumento del par a la salida en un convertidor de par, ¿qué elemento específico se intercala mecánicamente entre la bomba y la turbina?

a) Un reactor (o estator) montado en una rueda libre.
b) Un moderno sincronizador de triple cono de fricción.
c) Un flexible diafragma de acero templado.
d) Una válvula de corredera de control electromagnético.

14. En una caja de cambios manual de tres ejes, ¿cómo se conecta cinemáticamente el árbol intermediario con el árbol primario?

a) Mediante una ancha cadena metálica de transmisión de doble eslabón.
b) Exclusivamente a través del sólido sincronizador de la tercera y cuarta velocidad.

c) A través de un único piñón.
d) Mediante un sofisticado engranaje cónico helicoidal con dentado hipoide.

15. En una caja de cambios manual de tres ejes, ¿en qué árbol de transmisión se emplazan los sincronizadores?

a) Estrictamente en el árbol primario junto al cojinete de empuje.
b) Directamente encajados a presión sobre el árbol intermediario.
c) A lo largo del eje del grupo de reducción final cónico.
d) En el árbol secundario (eje secundario).

16. ¿Qué característica geométrica define y diferencia al grupo cónico hipoide empleado en el puente trasero?

a) El piñón de ataque y la inmensa corona poseen exclusivos dentados totalmente rectos.
b) El eje del piñón corta al de la corona por debajo de su centro.
c) La ancha corona está dentada exteriormente y es tomada por el piñón en su zona superior.
d) El eje sólido del piñón y el de la corona discurren completamente paralelos sin intersección.

17. En una caja de cambios convencional de tres ejes, ¿cómo se logra la transmisión de la cuarta velocidad o transmisión directa?

a) Acoplamiento directo de secundario y primario a través del sincronizador de 3.ª y 4.ª.
b) Engranando de manera constante el piñón recto de marcha atrás con el eje intermediario de bronce.
c) Frenando mecánicamente la pesada corona del tren epicicloidal exterior.
d) Bloqueando hidráulicamente los ligeros satélites del mecanismo diferencial central.

18. ¿A qué disposición mecánica de vehículo resulta aplicable la arquitectura de la caja de cambios compacta de dos ejes?

a) Vehículos de motor delantero longitudinal pesado y propulsión mecánica trasera.
b) Exclusivamente en rudos vehículos todoterreno que incorporan tracción total de uso permanente.
c) Grandes camiones pesados con ejes múltiples de giro direccional.
d) Coches con tracción y motor delantero.

19. En las cajas de cambio de cinco velocidades, ¿dónde se sitúan habitualmente los dos engranajes adicionales responsables de la quinta marcha o supermarcha?

a) Estrictamente en el húmedo interior del cárter de aluminio del embrague.
b) Integrados de forma directa y permanente en el cuerpo del piñón cónico de ataque.

c) Fuera de la carcasa de la caja, pero formando un único recinto hermético con ella.

d) Sumamente resguardados dentro de la carcasa protectora del diferencial de deslizamiento limitado.

20. En las cajas de cambio manuales, ¿qué tipo de fluido se utiliza fundamentalmente para pulverizar y lubricar los piñones en movimiento?

a) Aceite (SAE 90).
b) Aceite ligero multigrado SAE 10W40.
c) Aceite sintético de frenado DOT 4.
d) Fluido hidráulico incompresible LHM verde.

Solución al test n.º 8

1. b) Desconectar el motor de las ruedas en el momento de arrancar o realizar un cambio de marcha.

2. d) Debe ser resistente, rápido y seguro.

3. a) Entre el árbol motor o cigüeñal y el eje primario de la caja de cambios.

4. c) El amianto.

5. a) Muelles o diafragma.

6. c) El collarín.

7. b) Un cilindro receptor.

8. d) La conicidad del diafragma está orientada hacia fuera.

9. a) Contrapesos.

10. c) Un reloj comparador.

11. b) Polvo magnético.

12. d) Forma geométrica de semitoroide.

13. a) Un reactor (o estator) montado en una rueda libre.

14. c) A través de un único piñón.

15. d) En el árbol secundario (eje secundario).

16. b) El eje del piñón corta al de la corona por debajo de su centro.

17. a) Acoplamiento directo de secundario y primario a través del sincronizador de 3.ª y 4.ª.

18. d) Coches con tracción y motor delantero.

19. c) Fuera de la carcasa de la caja, pero formando un único recinto hermético con ella.

20. a) Aceite (SAE 90).

TEST N.º 9

Sistemas de dirección. Descripción, características, funcionamiento y tipos. Cuidados. Averías más comunes y consecuencias posibles

1. ¿Cuál es el propósito funcional de dotar a la dirección de los mecanismos desmultiplicadores correspondientes?

a) Reducir la adherencia estática de los neumáticos sobre el pavimento irregular.
b) Multiplicar el esfuerzo realizado por el conductor y de esta manera evitar su fatiga.
c) Incrementar la fuerza de arrastre mecánica de los palieres direccionales delanteros.
d) Frenar automáticamente el vehículo de forma segura en las curvas muy pronunciadas.

2. ¿Qué característica constructiva de la dirección evita la transmisión de las reacciones del terreno al volante?

a) Precisión.
b) Estabilidad.
c) Irreversibilidad.
d) Seguridad.

3. Para lograr un giro concéntrico y evitar derrapes, la geometría de la dirección mediante el trapecio de Jeantaud determina una acción específica en las ruedas durante una curva. ¿En qué consiste esta acción?

a) La rueda exterior debe abrirse exactamente igual que la rueda interior.
b) La rueda interior del vehículo debe abrirse más en la curva que la exterior.
c) La rueda exterior del vehículo debe abrirse más en la curva que la interior.
d) Ambas ruedas permanecen completamente paralelas durante toda la maniobra direccional.

4. ¿Qué componente del sistema es el encargado de unir mecánicamente los brazos de la dirección para transmitir el desplazamiento de una rueda a la otra?

a) El árbol o columna principal de la caja de dirección.
b) El engranaje cónico principal del mecanismo diferencial.

c) La biela pendular oscilante fijada al chasis.
d) La barra de acoplamiento.

5. ¿Qué disposición física obligatoria debe presentar la palanca de ataque instalada en la mangueta izquierda respecto a la calzada?

a) Su disposición debe ser paralela al suelo.
b) Debe formar un ángulo exacto de 45 grados.
c) Se instala de forma completamente perpendicular.
d) Debe presentar una inclinación negativa de 10 grados.

6. ¿Con qué finalidad técnica se monta la palanca de mando en posición vertical y formando un ángulo de 90º con el suelo?

a) Para evitar el roce directo con los componentes térmicos del sistema de escape.
b) Para que sus desplazamientos angulares sean iguales en ambos sentidos.
c) Para garantizar el retorno automático de la columna de dirección al centro.
d) Para reducir la presión hidráulica máxima del fluido de la bomba de asistencia.

7. En los tipos de mecanismos de dirección de tornillo sinfín, ¿qué modelo hace que el elemento de traslación gire sobre su propio eje describiendo un arco?

a) El sinfín cilíndrico puro.
b) El sinfín globoidal.
c) El husillo de cremallera transversal.
d) El mecanismo de tornillo y tuerca directa.

8. En la caja de dirección de tuerca con hilera de bolas, ¿qué finalidad práctica se persigue con la interposición interna de las esferas metálicas?

a) Bloquear la columna de dirección al extraer la llave del contacto general.
b) Multiplicar el caudal de aceite enviado por la bomba centrífuga auxiliar.
c) Evitar la rotura por cizallamiento del sector dentado en caso de impacto frontal.
d) Permitir un desplazamiento más suave y un mayor reparto de las fuerzas de rozamiento.

9. En los mecanismos de cremallera, ¿cómo se compensa y corrige la holgura radial que pueda surgir por desgaste frente al piñón?

a) Mediante una pieza que hace presión sobre la cremallera por medio de un muelle.
b) Intercalando arandelas de mayor grosor entre los dientes helicoidales del piñón.
c) Sustituyendo completamente la carcasa exterior metálica por una de menor diámetro.
d) Aumentando la compresión de los neumáticos directrices en 0,5 bares de fuerza.

10. En el montaje de un sistema de cremallera no lineal o paralelo, ¿a qué elemento van unidas las bieletas articuladas de las ruedas?

a) Directamente a los extremos exteriores huecos de la propia cremallera sin intermediarios.
b) A la palanca de ataque montada verticalmente mediante rótulas elásticas fijas.
c) A una barra, llamada de acoplamiento, paralela a la cremallera.
d) Al árbol secundario exterior de la robusta caja de velocidades delantera.

11. ¿Qué beneficio operativo se consigue empleando una servodirección en lugar de aumentar la relación de desmultiplicación mecánica en el sistema?

a) Reducir drásticamente el consumo de carburante en las lentas maniobras de estacionamiento prolongadas.
b) Aumentar drásticamente la carga dinámica del eje delantero para mejorar la tracción de los neumáticos.
c) Disminuir el esfuerzo a realizar en el volante sin utilizar mayores desmultiplicaciones que provocarían pérdida de sensibilidad.

d) Eliminar por completo el complejo y pesado sistema mecánico de rótulas y tirantes metálicos.

12. En la servodirección hidráulica integral, ¿cómo se realiza mecánicamente la conexión entre la válvula distribuidora y el husillo de la dirección?

a) Mediante un robusto engranaje planetario de acero templado y carbono.
b) Por medio de una junta homocinética de bolas de gran tamaño estriada.
c) A través de una tensa cadena de transmisión continua de doble eslabón metálico.
d) Mediante una unión elástica (barra de torsión).

13. En el circuito de asistencia hidráulica, ¿qué elemento montado en el interior del depósito asegura el suministro de aceite en caso de obstrucción del filtrado?

a) Una válvula de seguridad.
b) Un circuito paralelo auxiliar de refrigeración forzada por agua.
c) Un segundo filtro micrométrico de repuesto activado en serie.
d) Un inyector de derivación volumétrica de presión completamente negativa.

14. En un sistema de servodirección de accionamiento coaxial, ¿a partir de qué grado de fuerza física aplicada al volante entra en funcionamiento el mecanismo hidráulico?

a) A partir de registrar los 15 Kp continuados de empuje.
b) Superando permanentemente los 0,5 Kp de presión constante lateral.
c) Cuando el conductor efectúa un esfuerzo superior a los 2 Kp.
d) Cuando los engranajes aplican más de 100 Kp de fuerza por fricción.

15. En el esquema de una servodirección de tipo neumático, ¿qué función específica tiene encomendada la válvula de descarga rápida?

a) Disminuir la presión del líquido hidráulico interno en caso de sobrecalentamiento.
b) Vaciar de aire el cilindro de mando, cuando se deja de actuar sobre el volante al realizar una maniobra.
c) Inyectar presión adicional suplementaria si la temperatura exterior desciende drásticamente.
d) Bloquear todo el flujo de aire comprimido circulante hacia los frenos traseros del vehículo.

16. En la servodirección neumática, el grifo de paso automático aísla el circuito de dirección respecto al circuito de frenos ante una pérdida de presión general. ¿En qué límite de presión actúa este mecanismo?

a) Por debajo de los exigentes 10 Kp/cm2.
b) Cuando la presión total es inferior a 0,5 Kp/cm2 sostenidos.
c) Al alcanzar repentinamente los 8 Kp/cm2 de presión estables.
d) Cuando la presión del aire desciende de un valor previamente prefijado (4 Kp/cm2 aprox.).

17. En la geometría de la dirección, para disminuir el brazo de palanca y los esfuerzos soportados, ¿entre qué márgenes angulares suele regularse el ángulo de salida o King Pin?

a) Entre unos valores de 15º y 25º negativos convergentes.
b) Estrictamente comprendido entre 0º y 2º positivos neutros.
c) Suele estar comprendido entre los 5º y 10º positivos.
d) Debe ser exactamente de 0º constantes para mantener la verticalidad total del eje.

18. En la configuración del avance del eje direccional de los vehículos equipados con tracción delantera, ¿qué margen de ángulo de Caster suele aplicarse como valor estándar?

a) Suele estar comprendido entre 0º y 3º.
b) Debe situarse siempre dentro de la horquilla de entre 5º y 10º.
c) Se ajusta invariable y fijamente a un valor de -5º negativos constantes.
d) Supera amplia y constantemente la cota de los 15º positivos puros.

19. Cuando un vehículo presenta un ángulo de caída (Camber) de tipo negativo, ¿qué inclinación característica adoptan físicamente los neumáticos con respecto a su eje de simetría?

a) Se produce cuando la parte inferior del neumático se inclina hacia el exterior.
b) La parte superior del neumático sobresale marcadamente hacia fuera respecto a la parte inferior.

c) La rueda permanece completamente perpendicular al pavimento sin inclinación alguna en ambos ejes.

d) La parte inferior de la goma converge fuertemente dirigiéndose hacia el centro físico del chasis.

20. Para la regulación de la alineación de las ruedas directrices en los vehículos dotados de tracción delantera, ¿qué tipo de convergencia geométrica se emplea por norma de diseño?

a) La convergencia estrictamente positiva de más de 20 milímetros de cierre central exacto.

b) La convergencia neutra absoluta con un valor inamovible verificado de 0 milímetros geométricos.

c) Una caída positiva extrema compensatoria que fuerza a las gomas a juntarse superiormente.

d) La convergencia negativa, que se adopta en vehículos con tracción delantera.

Solución al test n.º 9

1. b) Multiplicar el esfuerzo realizado por el conductor y de esta manera evitar su fatiga.

2. c) Irreversibilidad.

3. b) La rueda interior del vehículo debe abrirse más en la curva que la exterior.

4. d) La barra de acoplamiento.

5. a) Su disposición debe ser paralela al suelo.

6. b) Para que sus desplazamientos angulares sean iguales en ambos sentidos.

7. b) El sinfín globoidal.

8. d) Permitir un desplazamiento más suave y un mayor reparto de las fuerzas de rozamiento.

9. a) Mediante una pieza que hace presión sobre la cremallera por medio de un muelle.

10. c) A una barra, llamada de acoplamiento, paralela a la cremallera.

11. c) Disminuir el esfuerzo a realizar en el volante sin utilizar mayores desmultiplicaciones que provocarían pérdida de sensibilidad.

12. d) Mediante una unión elástica (barra de torsión).

13. a) Una válvula de seguridad.

14. c) Cuando el conductor efectúa un esfuerzo superior a los 2 Kp.

15. b) Vaciar de aire el cilindro de mando, cuando se deja de actuar sobre el volante al realizar una maniobra.

16. d) Cuando la presión del aire desciende de un valor previamente prefijado (4 Kp/cm2 aprox.).

17. c) Suele estar comprendido entre los 5º y 10º positivos.

18. a) Suele estar comprendido entre 0º y 3º.

19. a) Se produce cuando la parte inferior del neumático se inclina hacia el exterior.

20. d) La convergencia negativa, que se adopta en vehículos con tracción delantera.

TEST N.º 10

Frenos. Sistemas de frenados. Sistema convencional. Sistema neumático. Sistemas mixtos (hidroneumáticos). Ralentizados eléctricos e hidrodinámicos. Ruedas y neumáticos en los distintos vehículos: características, medidas, estructura, uso y conservación

1. ¿En qué principio físico fundamental se basa el sistema hidráulico de mando de los frenos?

a) En el efecto Venturi aplicado a la aceleración de fluidos gaseosos.
b) En la incompresibilidad de los líquidos y el Principio de Pascal.
c) En la compresibilidad extrema de los fluidos sintéticos bajo carga térmica.
d) En la dilatación volumétrica de los gases al aumentar la presión del cilindro.

2. ¿Qué condición define la fuerza de frenado máxima que puede aplicarse a una rueda sin que se produzca un bloqueo por deslizamiento?

a) Aquella que supera a la fuerza de impulsion generando un par de giro continuo.
b) Aquella que iguala sin superar a la fuerza de impulsión.
c) La que equivale al doble del peso total gravitante sobre el eje delantero.
d) Aquella que duplica la energía cinética acumulada durante la aceleración.

3. Si durante una frenada de emergencia se produce el bloqueo exclusivo de las ruedas del eje delantero, ¿qué efecto direccional sufre el vehículo?

a) El vehículo sufre una desviación del tren trasero girando sobre su eje vertical (sobreviraje).
b) La dirección se desvía bruscamente hacia el lado contrario a la curva descrita.
c) Hay una pérdida de control direccional que tiende a seguir una trayectoria recta (subviraje).
d) El coche recupera automáticamente la dirección marcada por el volante anulando el peso transferido.

4. Durante el momento del frenado, ¿hacia qué eje se transfiere parte del peso del vehículo por efecto de la inercia?

a) Hacia el eje direccional trasero en vehículos de propulsión.
b) Se distribuye equitativamente hacia los laterales en función de la fuerza centrífuga.
c) Hacia el eje delantero, debiéndose por tanto aplicar una mayor fuerza de frenado a este eje.
d) Hacia el eje trasero, debiendo aplicar menor fuerza hidráulica en sus cilindros.

5. ¿Qué característica define el comportamiento sobrevirador en la dinámica de un vehículo?

a) Se produce cuando el centro de gravedad se encuentra más próximo a las ruedas traseras que a las delanteras.
b) Ocurre cuando el centro de gravedad recae exclusivamente sobre la vertical del eje delantero directriz.
c) Aparece cuando las ruedas delanteras poseen una mayor rigidez a la deriva geométrica.
d) Sucede únicamente en vehículos equipados con tracción integral y diferencial bloqueado.

6. En el sistema de frenos de tambor, ¿cómo debe ser el reparto de la fuerza de frenado entre las zapatas?

a) Idéntico para ambas zapatas, asegurando un desgaste equilibrado.
b) La parte correspondiente a la zapata delantera debe ser mayor que la que corresponde a la trasera.
c) La fuerza aplicada sobre la zapata secundaria tiene que duplicar a la de la primaria.
d) Debe incidir totalmente sobre la zapata trasera para contrarrestar el par de acuñamiento.

7. Entre las ventajas que presentan los frenos de disco respecto a los de tambor, destaca una característica termodinámica. ¿Cuál es?

a) Un incremento sustancial del coeficiente aerodinámico de penetración de las llantas.
b) Menor desgaste progresivo por la supresión del efecto frotamiento continuo.
c) Menores dilataciones por la mejora de la refrigeración.
d) Una superficie de frenado mucho mayor que reduce el esfuerzo sobre el pedal.

8. Dentro de los mecanismos correctores de frenado, ¿cómo funcionan los limitadores de tarado variable?

a) Limitan la presión en el circuito trasero a un valor máximo predeterminado y fijo de origen.
b) Elevan el valor de presión máxima admisible solo cuando el vehículo circula a muy baja velocidad.
c) Controlan la presión exclusivamente en función de la deceleración angular instantánea medida en la carrocería.
d) Cortan la presión en función de la carga del eje trasero.

9. ¿Qué temperatura de ebullición aproximada alcanzan los líquidos de frenos tipo SAE DOT 4 empleados últimamente en los vehículos?

a) De aproximadamente 250 ºC.
b) De exactamente 100 ºC.
c) En torno a los 450 ºC estables.
d) Unos 120 ºC al nivel del mar.

10. Durante la inspección y reparación de los frenos de disco, ¿por debajo de qué límite de espesor deben sustituirse las pastillas?

a) Si el espesor de la capa de desgaste se reduce por debajo de los 5 mm.
b) Se sustituyen si su espesor es menor de 2 mm.
c) Deben cambiarse cuando midan menos de 10 mm en el eje delantero.
d) Se cambian si su grosor es inferior a los 0,5 mm de soporte metálico.

11. En las comprobaciones aplicadas al servofreno para verificar su correcta estanqueidad, ¿qué herramienta de medición específica se utiliza?

a) Un manómetro de alta presión hidrostática intercalado en el cilindro maestro.
b) Un micrómetro de interiores para las cámaras de depresión.
c) Un dinamómetro acoplado directamente sobre el vástago del pedal de freno.
d) Un vacuómetro, colocado entre el propio servofreno y la toma de vacío.

12. Al realizar el purgado manual de un circuito de frenos convencional, ¿qué orden aconsejan seguir generalmente los fabricantes?

a) Empezar simultáneamente por las dos ruedas del eje trasero de tracción.
b) Iniciar la operación por la rueda más alejada a la bomba y terminar en la más próxima.
c) Sangrar únicamente los actuadores del tren direccional delantero por su mayor responsabilidad en la frenada.
d) Se comienza el proceso por la rueda más cercana y se finaliza en la más lejana.

13. ¿En qué principio físico basan su funcionamiento los circuitos de frenos de tipo neumático?

a) En aprovechar la compresibilidad de los gases.
b) En el uso de fluidos oleosos incompresibles y estancos.
c) En la transmisión de calor por efecto de la rotación centrífuga de un gas expandido.
d) En la resistencia hidrodinámica generada por un flujo laminar constante.

14. ¿Qué rango de presión genera el compresor de aire utilizado en el circuito neumático para acumular en los depósitos?

a) Entre 20 y 30 kg/cm^2.
b) Entre 6-8 kg/cm^2.
c) Aproximadamente 2 kg/cm^2 constantes.
d) Superando holgadamente los 100 kg/cm^2 en plena carga.

15. En el sistema neumático, ¿cómo actúan los denominados cilindros de freno de resortes?

a) Frenan inyectando aire a alta presión a través del vástago de acción directa sobre el eje.
b) Comprimen hidráulicamente los resortes hasta expandir las zapatas mediante fluido mixto.
c) Frenan cuando no hay presión, al descomprimirse los muelles.
d) Liberan el resorte exclusivamente por una señal eléctrica del calculador del remolque.

16. ¿Por qué fenómeno físico se produce el efecto de retención en el funcionamiento de un freno eléctrico ralentizador?

a) Por el bloqueo progresivo de unas zapatas metálicas impulsadas hidráulicamente contra el eje.
b) Por el roce violento entre un estator de fricción dentado y los aros del disco del eje de transmisión.
c) Por la interrupción mecánica instantánea de la inyección de carburante y cierre de la mariposa de escape.
d) Por la reacción de las corrientes inducidas sobre el elemento móvil por efecto de un campo magnético inductor.

17. Dentro del freno eléctrico, ¿cómo se posicionan físicamente los polos magnéticos de las bobinas en los lados del estator?

a) Deben estar montadas en oposición sobre los núcleos, de forma que los polos de cada bobina sean alternativos en cada lado del estator.
b) Todas las bobinas comparten la misma polaridad constante generando un campo magnético de giro unidireccional.
c) Se instalan de manera aleatoria en el anillo excéntrico para evitar sobrecalentamientos locales por histéresis.
d) Las bobinas se conectan estrictamente en paralelo continuo sobre un único núcleo central inducido.

18. ¿Cuáles son los componentes mecánicos internos de impulsión y reacción que constituyen el cuerpo central de un freno hidrodinámico?

a) Una turbina de álabes variables conectada a la salida del colector de escape y una bomba de engranajes rectos.
b) Dos rotores de paletas: uno fijo, denominado estator de freno, y otro móvil, llamado rotor de freno.
c) Un sistema epicicloidal húmedo sumergido en fluido sintético frenado por bandas de fricción hidráulicas.
d) Un cilindro de doble efecto cruzado y una válvula limitadora de sobrepresión rotativa de paletas.

19. En el freno de motor instalado en el sistema de escape de vehículos pesados, ¿qué doble acción ejecuta su circuito de mando al ser activado?

a) Abre completamente el acelerador electrónico y satura la entrada de aire en la admisión forzada.
b) Reduce el par mecánico de la caja de cambios e introduce el rotor electromagnético en la línea del árbol transversal.
c) Corta el suministro de combustible a la bomba de inyección y actúa la válvula neumática que cierra el escape.
d) Enciende una bujía incandescente y desvía los gases por una válvula bypass del tubo de silenciador.

20. ¿De qué manera opera mecánicamente el sistema ABS para conseguir una frenada estable en condiciones críticas?

a) Desconecta por completo el circuito hidráulico y emplea exclusivamente la retención mecánica de la transmisión y el freno motor.
b) Aumenta ininterrumpidamente la presión sobre las pastillas para fundir rápidamente cualquier placa de hielo bajo el neumático.
c) Detecta el bloqueo de las ruedas y reacciona permitiendo que la fuerza del frenado se mantenga constante o disminuya, hasta que desaparezcan las condiciones de bloqueo.
d) Bloquea permanentemente las ruedas traseras para evitar derrapes mientras guía la trayectoria con el eje delantero libre de presión.

Solución al test n.º 10

1. b) En la incompresibilidad de los líquidos y el Principio de Pascal.

2. b) Aquella que iguala sin superar a la fuerza de impulsión.

3. c) Hay una pérdida de control direccional que tiende a seguir una trayectoria recta (subviraje).

4. c) Hacia el eje delantero, debiéndose por tanto aplicar una mayor fuerza de frenado a este eje.

5. a) Se produce cuando el centro de gravedad se encuentra más próximo a las ruedas traseras que a las delanteras.

6. b) La parte correspondiente a la zapata delantera debe ser mayor que la que corresponde a la trasera.

7. c) Menores dilataciones por la mejora de la refrigeración.

8. d) Cortan la presión en función de la carga del eje trasero.

9. a) De aproximadamente 250 ºC.

10. b) Se sustituyen si su espesor es menor de 2 mm.

11. d) Un vacuómetro, colocado entre el propio servofreno y la toma de vacío.

12. d) Se comienza el proceso por la rueda más cercana y se finaliza en la más lejana.

13. a) En aprovechar la compresibilidad de los gases.

14. b) Entre 6-8 kg/cm^2.

15. c) Frenan cuando no hay presión, al descomprimirse los muelles.

16. d) Por la reacción de las corrientes inducidas sobre el elemento móvil por efecto de un campo magnético inductor.

17. a) Deben estar montadas en oposición sobre los núcleos, de forma que los polos de cada bobina sean alternativos en cada lado del estator.

18. b) Dos rotores de paletas: uno fijo, denominado estator de freno, y otro móvil, llamado rotor de freno.

19. c) Corta el suministro de combustible a la bomba de inyección y actúa la válvula neumática que cierra el escape.

20. c) Detecta el bloqueo de las ruedas y reacciona permitiendo que la fuerza del frenado se mantenga constante o disminuya, hasta que desaparezcan las condiciones de bloqueo.

TEST N.º 11

Suspensión: Amortiguadores. Estabilizadores. Averías en la suspensión. Ruedas y Neumáticos: Neumáticos. Estabilidad. Duración y cuidados. Averías en los neumáticos. Tablas de carga y presiones

1. ¿Qué conjunto de componentes permite el movimiento vertical de las ruedas y filtra las irregularidades del trazado en un vehículo?

a) El mecanismo de dirección de cremallera.
b) El sistema de suspensión.
c) El bloque diferencial trasero.
d) El sistema hidrodinámico de frenado.

2. En el mercado predominan las suspensiones con elementos simples, pero existen sistemas específicos habituales en camiones que utilizan un fluido concreto. ¿Qué elemento de suspensión característico emplean las suspensiones neumáticas?

a) Fluido hidráulico incompresible LHM.
b) Aceite de silicona térmico.
c) Nitrógeno a 150 bares de presión.
d) El aire.

3. Dentro de los elementos elásticos, ¿qué disposición adoptan las ballestas cuando cuentan con un anclaje delantero fijo y uno trasero móvil?

a) Montaje longitudinal.
b) Montaje transversal uniendo los extremos a los brazos.
c) Montaje coaxial integrado en el puntal de amortiguación.
d) Montaje en diagonal cruzada con bieletas.

4. En los turismos actuales se emplea habitualmente un arrollamiento helicoidal de acero elástico. ¿Qué característica operativa ofrece un muelle de tensión alta?

a) Absorbe mejor las irregularidades proporcionando un comportamiento inestable.
b) Permite que el vehículo se balancee suavemente en las curvas largas.
c) Hace que el coche rebote más, pero el paso por curva será más óptimo por la ausencia de balanceos.
d) Actúa exclusivamente trabajando a la compresión sin torsión.

5. En las suspensiones independientes se emplean varillas de acero fijadas al chasis y sometidas a esfuerzo. ¿Cómo se denomina este elemento que vuelve a su estado original al cesar el esfuerzo?

a) Brazo articulado inferior.
b) Barra estabilizadora de balanceo.
c) Barra de torsión.
d) Ballesta transversal.

6. Para evitar la inclinación lateral de la carrocería en las curvas por la transferencia de carga, se instala un componente transversal. ¿Cómo está constituido este elemento?

a) Por una varilla de acero que, trabajando a torsión, absorbe el esfuerzo creado cuando una rueda de un eje baja mientras sube la otra.
b) Por un muelle neumático de volumen variable anclado al buje central.
c) Por una esfera de nitrógeno conectada directamente a la mangueta.
d) Por un cilindro receptor hidráulico de doble efecto.

7. En los vehículos con sistema de suspensión independiente, ¿qué elementos sirven de soporte para resortes y amortiguadores uniendo el bastidor y las ruedas?

a) Los discos de embrague macizos.
b) Los brazos y las articulaciones.
c) Las juntas homocinéticas de la dirección.
d) Las barras estabilizadoras coaxiales.

8. En el funcionamiento de un amortiguador telescópico convencional, ¿qué acción realiza el aceite durante la fase de expansión o rebote?

a) Fluye libremente hacia la cámara de igualación sin pasar por ningún orificio para facilitar la caída de la rueda.
b) Pasa de la cámara inferior a la superior y a la auxiliar a través de las válvulas de admisión primarias.
c) Se mezcla con el nitrógeno comprimido para absorber la transferencia de calor del bastidor.
d) Pasa de la cámara superior a la inferior y auxiliar por orificios de menor calibre (mayor amortiguación del rebote).

9. Los amortiguadores telescópicos convencionales pueden generar burbujas ante elevadas exigencias. ¿Qué solución adopta el amortiguador con cámara de volumen variable para eliminar este problema?

a) Se introduce gas dentro del cilindro, que forma una nueva cámara de aire y presuriza el fluido hidráulico.

b) Utiliza un rotor externo de paletas para recircular el fluido ininterrumpidamente hacia un radiador frontal.

c) Emplea únicamente un muelle neumático exterior sustituyendo por completo el uso de aceite en las cámaras.

d) Carece de vástago de pistón para evitar las diferencias de volumen internas durante la compresión pura.

10. En la suspensión independiente de trapecio articulado o brazos superpuestos, ¿por qué motivo el brazo superior es más corto que el inferior?

a) Para alojar la rótula de dirección secundaria dentro de la columna de amortiguación.

b) Para disminuir el recorrido del muelle durante las frenadas bruscas e impedir el cabeceo frontal del vehículo.

c) Con el fin de que en las curvas las ruedas vayan paralelas.

d) Para multiplicar la fuerza del fluido hidráulico al comprimir la cámara superior del cilindro de carga.

11. ¿Qué tipo de suspensión independiente articula la mangueta de rueda en su parte inferior al brazo y en su parte superior al propio amortiguador?

a) Suspensión de barra de torsión longitudinal.

b) Suspensión independiente Mc Pherson.

c) Suspensión de trapecio articulado.

d) Suspensión trasera de eje rígido de trompetas.

12. En la suspensión trasera con eje rígido accionada por muelles helicoidales, ¿qué componente se suele montar para contrarrestar la transferencia de carga entre ruedas?

a) Un sistema de ballestas dispuestas transversalmente entre las trompetas del eje motriz principal.

b) Una segunda esfera acumuladora de nitrógeno anclada directamente sobre el diferencial.

c) Un brazo semiarrastrado independiente por cada rueda fijado al chasis en sus extremos opuestos.

d) Un tirante pivotante entre el puente y el bastidor que actúa como barra estabilizadora.

13. ¿Qué sistema de suspensión trasera independiente fija el eje transversal firmemente al chasis convirtiéndose en una suspensión semirrígida habitual en vehículos de propulsión?

a) Suspensión multibrazo de oscilaciones múltiples y brazos cruzados en paralelo.

b) Suspensión por tren trasero de brazos tirados arrastrados por una traviesa central.

c) Suspensión Mc Pherson anclada directamente sobre el maletero trasero de chapa.
d) Suspensión de eje suspendido o de Dion.

14. La suspensión que evoluciona desde el trapecio articulado e incorpora varios brazos oscilantes permitiendo modificar todos los ángulos de la rueda se denomina:

a) Suspensión de brazo semiarrastrado y muelles simples.
b) Suspensión multibrazo.
c) Suspensión delantera por ballesta transversal y mangueta ciega.
d) Suspensión de doble barra de torsión en prolongación.

15. Tras sustituir componentes del sistema de suspensión, debe efectuarse el control de alturas bajo casco. ¿Qué medida exacta se toma para este control?

a) La distancia existente entre los puntos de anclaje de la suspensión al chasis con respecto al suelo.
b) La longitud extendida y comprimida del propio vástago del amortiguador nuevo antes de montarlo.
c) El diámetro total del neumático desde el pavimento hasta el borde inferior de la aleta de chapa delantera.
d) La presión interna del fluido hidráulico alojado en las esferas de suspensión del eje trasero y delantero.

16. Para garantizar la seguridad dinámica del vehículo, ¿cada cuántos kilómetros es aconsejable sustituir periódicamente los amortiguadores convencionales?

a) Cada 200.000 km aproximadamente.
b) Cada 15.000 km junto con el aceite del cárter y los filtros de la revisión anual preventiva.
c) Cada 50.000 km aproximadamente.
d) Cada 100.000 km.

17. En el circuito de aire de una suspensión neumática, ¿qué función cumple la válvula limitadora de presión respecto a los circuitos del vehículo?

a) Elimina la humedad del aire almacenado a través de un grifo de purga automático inferior.
b) Prioriza el circuito de frenos (aproximadamente 700 Kpa) con respecto al de suspensión (aproximadamente 1.200 Kpa).
c) Ajusta invariablemente la presión de todo el sistema a 2.000 Kpa para proteger la estanqueidad de las unidades neumáticas.
d) Permite el llenado exclusivo del calderín auxiliar a partir de los 4 kg/cm2 sin alimentar el resto.

18. En el esquema de una suspensión neumática, ¿qué componente regula directamente el paso de aire hacia los resortes neumáticos de las ruedas?

a) La válvula limitadora de altura ubicada en la cabina del conductor.
b) El conjunto disyuntor comandado por el calculador principal de la transmisión.
c) El calderín principal mediante una válvula de rebose calibrada por el fabricante.
d) Las válvulas de nivel.

19. ¿Qué característica fundamental diferencia al sistema de suspensión hidroneumática de un sistema convencional?

a) Utiliza exclusivamente aire comprimido para nivelar los brazos de suspensión de los ejes rígidos delanteros.
b) Prescinde por completo de amortiguadores y fluidos para basar su flexibilidad en barras de torsión macizas dobles.
c) Sustituye los resortes por un gas (nitrógeno), manteniéndose el amortiguador basado en un fluido hidráulico.
d) Incorpora fuertes ballestas transversales bañadas permanentemente en aceite de transmisión tipo LHM.

20. En el circuito hidráulico de la suspensión hidroneumática, ¿qué elemento controla la presión y vierte el exceso de fluido hacia el depósito al alcanzar aproximadamente los 150 bares?

a) El conjunto disyuntor.
b) La bomba de alta presión de plato excéntrico de siete pistones perimetrales.
c) La válvula anticaída delantera que retiene el líquido en caso de paradas largas.
d) El bloque de suspensión trasero de cada rueda mediante la membrana separadora de gases.

Solución al test n.º 11

1. b) El sistema de suspensión.

2. d) El aire.

3. a) Montaje longitudinal.

4. c) Hace que el coche rebote más, pero el paso por curva será más óptimo por la ausencia de balanceos.

5. c) Barra de torsión.

6. a) Por una varilla de acero que, trabajando a torsión, absorbe el esfuerzo creado cuando una rueda de un eje baja mientras sube la otra.

7. b) Los brazos y las articulaciones.

8. d) Pasa de la cámara superior a la inferior y auxiliar por orificios de menor calibre (mayor amortiguación del rebote).

9. a) Se introduce gas dentro del cilindro, que forma una nueva cámara de aire y presuriza el fluido hidráulico.

10. c) Con el fin de que en las curvas las ruedas vayan paralelas.

11. b) Suspensión independiente Mc Pherson.

12. d) Un tirante pivotante entre el puente y el bastidor que actúa como barra estabilizadora.

13. d) Suspensión de eje suspendido o de Dion.

14. b) Suspensión multibrazo.

15. a) La distancia existente entre los puntos de anclaje de la suspensión al chasis con respecto al suelo.

16. c) Cada 50.000 km aproximadamente.

17. b) Prioriza el circuito de frenos (aproximadamente 700 Kpa) con respecto al de suspensión (aproximadamente 1.200 Kpa).

18. d) Las válvulas de nivel.

19. c) Sustituye los resortes por un gas (nitrógeno), manteniéndose el amortiguador basado en un fluido hidráulico.

20. a) El conjunto disyuntor.

TEST N.º 12

Maquinaria pesada. Componentes, utilización y mantenimiento. Maquinaria para obras de movimientos de tierras: buldózeres, moto-niveladoras, compactadores, etc. Maquinaria para obras de firmes para carreteras: camiones con basculante, palas cargadoras frontales y retroexcavadoras, esparcidoras de áridos, cisternas de riego, etc

1. ¿Qué variables combinan los compactadores vibratorios para lograr la reducción de los huecos en la capa de trabajo?

a) La fuerza centrífuga transversal y el calor por fricción.
b) El peso del compactador y la vibración.
c) La compresión hidráulica y el avance de los rodillos dentados.
d) La fricción de los neumáticos y el impacto del agua a presión.

2. ¿Cuál es el espesor máximo orientativo de la capa que se debe compactar con un compactador vibratorio?

a) Entre 10 y 15 cm.
b) No se deben compactar capas cuyo espesor sea de más de 40 o 50 cm.
c) Capas de hasta 1 metro de espesor máximo.
d) Exclusivamente capas asfálticas de menos de 5 cm.

3. ¿Por qué los rodillos del compactador de alta velocidad deben estar permanentemente mojados de agua durante su uso?

a) Para enfriar el motor de propulsión hidráulica.
b) Para aumentar el peso de la máquina mediante absorción.
c) Para disminuir la adherencia al betún caliente.
d) Para facilitar la limpieza de la grava suelta al final de la jornada.

4. ¿Qué particularidad aporta el paso del compactador de neumáticos en los acabados de las capas asfálticas?

a) Extrae la humedad residual del pavimento recién vertido.
b) Provoca pequeñas incisiones para facilitar el drenaje lateral.
c) Reduce drásticamente la temperatura de la mezcla bituminosa.
d) No sólo compacta, sino que sella o cierra la superficie de la capa de rodadura.

5. ¿Cómo evita el conductor del compactador de neumáticos tener que girar 180º al final de cada pasada?

a) Existen dos juegos de mandos y pedales en la cabina situados uno frente a otro.
b) Utilizando un volante de inercia bidireccional automático.
c) Girando hidráulicamente el tren delantero completo en el mismo sitio.
d) Desplazando el asiento por un raíl lateral hasta la parte posterior.

6. ¿Qué máquina es la indicada de manera específica para la compactación de arcillas?

a) El compactador de pata de cabra.
b) El compactador de neumáticos paralelos.
c) La motoniveladora de cuchilla basculante.
d) El compactador estático liso.

7. ¿Qué espesor de capa es el adecuado cuando se emplean pisones vibrantes en pequeños rellenos?

a) Espesores superiores a los 50 cm.
b) Espesores de 30 cm por pasada.
c) Capas de pequeño espesor (entre 10 y 15 cm).
d) Exclusivamente capas milimétricas de hasta 2 cm.

8. Durante el manejo de un compactador manual, ¿cómo se debe actuar sobre el manillar para cambiar de dirección de avance?

a) Bloqueando la rueda directriz con el freno de pie.
b) Apagando el motor y girando la máquina en vilo.
c) Ejerciendo presión uniforme hacia abajo con ambas rodillas.
d) Apoyando el peso en el manillar, disminuyendo la base de compactación y girando el mando, a efecto de palanca, en el sentido contrario al de avance.

9. ¿Qué característica deben poseer las botas empleadas durante el trabajo en asfaltos a altas temperaturas?

a) Suela de fuerte esculpido que ofrezca buena estabilidad.
b) Revestimiento interior de plomo para evitar radiaciones.
c) Puntera descubierta para facilitar la ventilación.
d) Suela completamente lisa y de goma blanda.

10. En el mantenimiento de una máquina compactadora, ¿cuándo se debe proceder a la lubricación de la transmisión?

a) Antes de empezar la jornada de trabajo diariamente.
b) Después de 25 horas de funcionamiento.
c) Exclusivamente tras 100 horas de uso continuado.
d) Únicamente durante la revisión anual general.

11. ¿Cuáles son los tamaños habituales de las cubas montadas en los camiones hormigonera?

a) 2 m^3 y 5 m^3.
b) 15 m^3 y 20 m^3.
c) 1 m^3 y 3 m^3.
d) 7 m^3 y 10 m^3.

12. ¿Cuál es el sistema utilizado por las bombas de hormigón montadas sobre camión para depositar la mezcla en la obra?

a) Un tambor rotatorio de descarga por gravedad.
b) Una cinta transportadora de rodillos dentados.
c) Una cuchara bivalva articulada mediante cables.
d) Impulsan el hormigón a través de una tubería articulada.

13. ¿Qué utilidad principal tienen las autohormigoneras en el ámbito de la construcción?

a) Se emplean en obras de difícil acceso a camiones hormigonera para ejecutar aceras, bordillos u hormigón de limpieza.
b) Se utilizan para el vertido de grandes estructuras de cimentación profunda.
c) Sirven exclusivamente para extender mezclas bituminosas en carreteras principales.
d) Fabrican el hormigón estructural de alta resistencia para pilares de puentes.

14. ¿Qué composición de materiales define la mezcla del hormigón armado?

a) Cemento, arena de construcción y cal hidráulica pura.
b) Cemento, arena de construcción, grava, agua y mallazo de acero.
c) Cemento, resina epoxi y agua destilada.
d) Arena de construcción, grava fina y betún asfáltico en caliente.

15. Salvo que el fabricante indique lo contrario, ¿qué elementos de la hormigonera pequeña no deben engrasarse nunca?

a) El eje de las ruedas de desplazamiento y el volante de inclinación.
b) El cable de alimentación del motor eléctrico y el interruptor.
c) El piñón y la corona.
d) El interior de la cubeta de mezcla y las palas.

16. ¿Qué componente principal distingue físicamente a un bulldozer de otras máquinas de construcción?

a) Un martillo percutor hidráulico anclado en su brazo trasero.
b) Un tambor vibratorio de acero liso montado en el chasis delantero.
c) Una cuba giratoria para la mezcla de tierras y estabilizantes.
d) Una potente pala frontal utilizada para excavación, derribos o nivelaciones de terreno.

17. ¿Qué diseño caracteriza a los volquetes escollera empleados para el transporte de bloques de piedra?

a) Están hechos de acero reforzado y su configuración es semicilíndrica para amortiguar la caída de las rocas.
b) Son prismáticos, fabricados de aluminio ligero y de gran altura libre.
c) Tienen paneles laterales de lona basculante y piso de madera.
d) Presentan forma de tolva cónica con descarga por trampilla inferior.

18. En una pala cargadora, ¿qué nos indica físicamente que la máquina va a trabajar en zonas blandas o con tierras ya movidas?

a) La incorporación de cadenas metálicas en lugar de neumáticos de goma.
b) La falta de dientes en la pala cargadora.
c) La presencia de un martillo hidráulico acoplado en el frontal.
d) El uso de una pala con un diseño de cuchara bivalva.

19. Cuando se emplea la versión manual del martillo rompedor neumático en vías urbanas, ¿qué equipo auxiliar le proporciona la energía necesaria?

a) Una batería eléctrica de alto amperaje integrada en la mochila del operario.
b) Un compresor de aire accionado con motor de explosión.
c) Un circuito de agua a alta presión proveniente de una cisterna.
d) Una bomba hidráulica conectada a la toma de fuerza de un tractor agrícola.

20. ¿Qué tipo de máquina es capaz de excavar cimientos profundos o muros pantalla a profundidades superiores a los 12 metros?

a) La motoniveladora de alta precisión.
b) El dumper rígido de tres ejes.
c) La pala cargadora sobre orugas.
d) Las enormes retroexcavadoras de cuchara bivalva.

Solución al test n.º 12

1. b) El peso del compactador y la vibración.

2. b) No se deben compactar capas cuyo espesor sea de más de 40 o 50 cm.

3. c) Para disminuir la adherencia al betún caliente.

4. d) No sólo compacta, sino que sella o cierra la superficie de la capa de rodadura.

5. a) Existen dos juegos de mandos y pedales en la cabina situados uno frente a otro.

6. a) El compactador de pata de cabra.

7. c) Capas de pequeño espesor (entre 10 y 15 cm).

8. d) Apoyando el peso en el manillar, disminuyendo la base de compactación y girando el mando, a efecto de palanca, en el sentido contrario al de avance.

9. a) Suela de fuerte esculpido que ofrezca buena estabilidad.

10. b) Después de 25 horas de funcionamiento.

11. d) 7 m^3 y 10 m^3.

12. d) Impulsan el hormigón a través de una tubería articulada.

13. a) Se emplean en obras de difícil acceso a camiones hormigonera para ejecutar aceras, bordillos u hormigón de limpieza.

14. b) Cemento, arena de construcción, grava, agua y mallazo de acero.

15. c) El piñón y la corona.

16. d) Una potente pala frontal utilizada para excavación, derribos o nivelaciones de terreno.

17. a) Están hechos de acero reforzado y su configuración es semicilíndrica para amortiguar la caída de las rocas.

18. b) La falta de dientes en la pala cargadora.

19. b) Un compresor de aire accionado con motor de explosión.

20. d) Las enormes retroexcavadoras de cuchara bivalva.

Cómo acceder al Curso

Oficial 1ª Conductor/a

Temario volumen 3 y Test

El uso de los códigos **es exclusivo de los compradores de los productos de Editorial MAD**. Cada producto posee un código único y de un solo uso. Es personal e intransferible y da acceso a servicios y contenidos adicionales. Editorial MAD se reserva el derecho de hacer cuantas comprobaciones sean necesarias para identificar al legítimo poseedor del código y dejar de dar servicio a quien haga uso fraudulento del mismo, además de emprender cuantas acciones legales estime oportunas según la legislación vigente.

Deberás acceder a:

mad.es/registro-campus

Si una vez aceptadas las condiciones de uso del Campus decides hacer uso del mismo, necesitarás del siguiente código de acceso junto con los códigos del resto de títulos que se exigen (si fuera el caso):

TYDXA4MGK3